W9-CYA-112

Relief
(en mètres)

	1000
	500
	200
	100
	0

Route principale

Route secondaire

F   G

1

2

3

4

5

6

7

8

9

10

Anse
Charpentier
Pointe Pain de Sucre

Îlet Sainte-Marie
Sainte-Marie
Anse Azérot
Anse à Dièque
Anse
Cosmy

PRESQU'ILE DE
Tartane
LA CARAVELLE

Morne-
des-Esses

Anse
Béline
La Trinité

Riv. du Gallon

N 1

OCÉAN

**Gros-
Morne**

N 1

seph

Vert-Pré

Îlet Ramville
Îlet Petit Piton

Îlet Petite
Martinique
Le Robert HAVRE DU ROBERT

Îlet à l'Eau
Îlet Madame

Îlet Loup Garou

ATLANTIQUE

N 1

Gros Îlet

Îlet Oscar

Lamentin

N 6

Le François

Pointe Bateau
Îlet Métrente
Îlet Long
Îlet Frégate

Îlet Thiery
Îlet Pelé

N 5

Aéroport

Ducos

Le Saint-Esprit

Morne Carrière

N 6

Montagne du Vauclin ▲

Le Vauclin
Pointe Faula

**Rivière-
Salée**

N 5

ts

Macabou

N 6

**Rivière-
Pilote**

N 5

e Diamant

Anse
ant

**Sainte-
Luce**

Anse Figuier

Le Marin

Pointe
Marin

Pointe Macré

Cap Ferré

Sainte-Anne
Anse Caritan

Savane des
Pétrifications

Îlet Chevalier
Pointe Coton
Baie des Anglais

Anse Trabaud

Grande Anse
des Salines

Table au Diable
Îlets Cabrits

CANAL

DE

SAINTE-LUCIE

F   G   H   I   J

**SAINT-PIERRE À LA VEILLE DE L'ÉRUPTION
DE LA MONTAGNE PELÉE**
La baie s'étire en amphithéâtre de l'anse Turin à Fonds-
Coré sur environ trois kilomètres. La présence de
nombreux bateaux témoigne du dynamisme commercial
de la ville à la fin du XIXe siècle. Et sur les pentes de la
montagne Pelée, les champs de canne à sucre affirment
la vocation sucrière et rhumière de la Martinique.

**EN CARTOUCHE, LA PLACE BERTIN
À SAINT-PIERRE.**

UNE RUE DE FORT-DE-FRANCE EN 1902
La catastrophe de Saint-Pierre fit affluer
à Fort-de-France plus de 15 000 réfugiés.
Cet accroissement de près de 50 %
de la population posa de gros problèmes
d'hébergement et de ravitaillement.

FONDS-CORÉ EN 1890

LE CANAL DE LEVASSOR VERS 1900
La ville de Fort-de-France est encadrée par deux rivières : à l'est, la rivière Monsieur, à l'ouest, la rivière Madame qui s'appelle canal Levassor à son embouchure. Sa largeur permet aux barques et aux gabarres de décharger les paquebots et les navires arrivant au port.

COUP DE SENNE À L'ANSE MADAME
"Cependant, les hommes attelés à la même corde tirent parallèlement vers le rivage la senne dont le développement atteint parfois trois cents mètres de profondeur [...]. À mesure que l'espace se rétrécit, le poisson inquiet apparaît par intervalles à la surface de l'eau avec les éclairs de ses écailles luisant.**"**
Louis Garaud, *Trois ans à la Martinique*

DE NOMBREUSES PERSONNALITÉS
UNIVERSITAIRES OU LOCALES ONT COLLABORÉ À CE GUIDE. TOUTES LES INFORMATIONS
CONTENUES DANS CET OUVRAGE ONT ÉTÉ SOUMISES À LEUR APPROBATION.
NOUS REMERCIONS PLUS PARTICULIÈREMENT DANIELLE BÉGOT ET LÉO ELISABETH.

GUIDES GALLIMARD
PRÉSIDENCE
Antoine Gallimard
DIRECTION
Philippe Rossat
assisté de Sylvie Lecollinet
DIRECTION ÉDITORIALE : Nicole Jusserand
assistée de Malika Boualem

ACTUALISATION : Anne-Josyane Magniant
assistée de Veronika Vollmer
ARCHITECTURE : Bruno Lenormand
COMMERCIAL : Jean-Paul Lacombe
DROITS INTERNATIONAUX : Gabriela Kaufman
assistée de Michelle Vaninetti
ÉDITION ET FABRICATION : Catherine
Bourrabier
GESTION : Cécile Montier assistée de Agnès
Clerc
GRAPHISME : Yann Le Duc
ICONOGRAPHIE : Isabelle de Latour
NATURE : Frédéric Bony
PARTENARIAT : Marie-Christine Baladi,
Manuèle Destors, Jean-Paul Lacombe
PHOTOGRAPHIE : Patrick Léger
PRESSE : Blandine Cottet

MARTINIQUE
ÉDITION : Christian Gleizal et Sophie Mengin
MAQUETTE : Mathias Durvie
ICONOGRAPHIE : Pierre Alibert,
Christian Gleizal, Rosine Mazin
NOUVELLE ÉDITION : Florence Picquot

DES CLEFS POUR COMPRENDRE
NATURE : Alain Delatte, Jean-Pierre Fiard,
Jean-Pierre Pointier, Jean-Philippe Rançon
HISTOIRE : Léo Elisabeth,
François Rodriguez-Loubet
ARTS ET TRADITIONS : Lyne-Rose Beuze,
Ary Ebroïn, Michel Jean, Félix Ozier-
Lafontaine, Michel-Claude Touchard
ARCHITECTURE : Danielle Bégot
LA MARTINIQUE VUE PAR LES PEINTRES :
Louis Mézin
LA MARTINIQUE VUE PAR LES ÉCRIVAINS :
Pascal Glissant

ITINÉRAIRES EN MARTINIQUE
Caroline de La Baume, Léo Elisabeth,
Éric Leroy, Sophie Mengin,
Office national des forêts
INFORMATIONS PRATIQUES : Yveline Bally,
Françoise Dachy, Éric Leroy, Valérie Millet

ILLUSTRATIONS
NATURE : Poppy Arnold, Nicolas Barré,
Anne Bodin, Mathias Durvie,

Bernard Hugueville, Nathalie Locoste,
Jean-Marc Pariselle, Jean-Marc Patier,
Marie-Anne Rochette, Amato Soro,
Nicolas Wintz
ARCHITECTURE : Michel Aubois,
Mathias Durvie, Bernard Hugueville,
Amato Soro, Nicolas Wintz
ARTS ET TRADITIONS : Nathalie Locoste,
Jean-Marc Pariselle, Marie-Anne Rochette,
Amato Soro, Nicolas Wintz
CARTOGRAPHIE : Anne Bodin,
Bernard Hugueville
INFOGRAPHIE : Samuel Tranlé

PHOTOGRAPHES
Pierre Alibert, Seymourina Cruse,
Rose Gabrielle, Éric Guillemot,
Patrick Léger, Pascal Robin,
Monique Rubinel

RÉALISATION
SWED
BP 316 Mata Utu, Wallis

Nous remercions pour leur aide :
Nathalie Barthès, Jean Bernabé,
Brigitte Bringuier, Robert Brousse,
Olivier Canaveso, Cécile Celma,
Patrick Chamoiseau, Liliane Chauleau,
André Cordon, Maurice Daumas,
Maïotte Dauphite, Josette Dejean-
Arrecgros, Jean Desprez, Thierry Dorival,
Madeleine de Grandmaison, Marcel Hayot,
Yves Hayot, Max Jean-François,
Barbara Kekus, Jean-Marc Lagarrigue,
Colette Leton, Félix Ozier-Lafontaine,
Eduardo Peralt, Alex Pinceau et fils,
Françoise Rodriguez-Loubet, Marc Rosaz,
Samuel Silmar, Maurice Tebcherany,
Serge Veuve, Kathleen Wallerand,
Association Alizé Martinique,
Les Cahiers du Patrimoine,
Conseil général, Conseil régional,
Direction de l'Archéologie,
galerie de Géologie et de Botanique,
Ifremer, Octavo Éditions,
Office départemental du tourisme,
Orstom, Météorologie nationale,
musée départemental d'Archéologie
et de Préhistoire, musée Père Pinchon

**RÉGIE PUBLICITAIRE
POUR LES GUIDES GALLIMARD
Prisma Presse**
6, rue Daru 75008 Paris
Tél. 01 44 15 32 79
Fax 01 44 75 34 86

CARAÏBES

MARTINIQUE

GUIDES GALLIMARD

SOMMAIRE
DES CLEFS POUR COMPRENDRE

Sommaire
Itinéraires en Martinique

▲ MARTINIQUE

Située au cœur de l'archipel caraïbe entre la Dominique et Sainte-Lucie, la Martinique fait partie des Petites Antilles. Entre la mer des Caraïbes et l'océan Atlantique, elle se trouve à 7 000 km de Paris, à 440 km du continent américain et à 120 km de son île sœur, la Guadeloupe.

– Superficie : 1 100 km².
– Largeur moyenne : 30 km.
– Longueur : 65 km.
– Population : 360 000 habitants.
– Ville principale : Fort-de-France.
– Point culminant : la montagne Pelée (1 397 m).
– Rivière principale : la Lézarde (33 km).

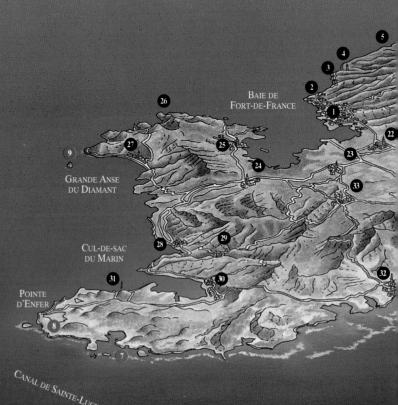

MER DES CARAÏBES

BAIE DE FORT-DE-FRANCE

GRANDE ANSE DU DIAMANT

CUL-DE-SAC DU MARIN

POINTE D'ENFER

CANAL DE SAINTE-LUCIE

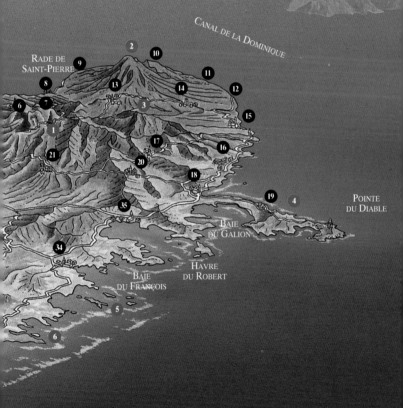

LA DOMINIQUE

CANAL DE LA DOMINIQUE

RADE DE SAINT-PIERRE

POINTE DU DIABLE

BAIE DU GALION

HAVRE DU ROBERT

BAIE DU FRANÇOIS

OCÉAN ATLANTIQUE

COMMENT UTILISER CE GUIDE GALLIMARD

En haut de page,
les symboles
annoncent
les différentes
parties du guide.

■ NATURE

● DES CLEFS
POUR COMPRENDRE

▲ ITINÉRAIRES

◆ INFORMATIONS
PRATIQUES

La carte itinéraire
présente les principaux
points d'intérêt
du parcours
et permet de se
reporter
à une carte routière.

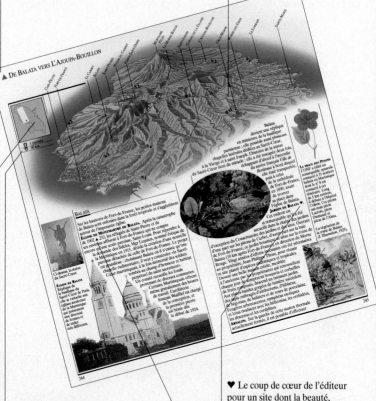

▲ DE BALATA VERS L'AJOUPA-BOUILLON

Au début de chaque
itinéraire, les modes
de déplacement possible,
le kilométrage et la durée
sont signalés sous les cartes :
🚗 En voiture
🚶 À pied
⏱ Durée
Le kilométrage indiqué
ne tient pas compte
des détours proposés.

♥ Le coup de cœur de l'éditeur
pour un site dont la beauté,
l'atmosphère ou l'intérêt culturel
séduiront particulièrement le visiteur.

● ▲ ■ ◆
Les symboles,
en titre ou à
l'intérieur du texte,
renvoient à un lieu
ou à un thème traité
ailleurs dans le guide.

La minicarte situe l'itinéraire
à l'intérieur de la zone
couverte par le guide.

NATURE

ALAIN DELATTE
JEAN-PIERRE FIARD
JEAN-PHILIPPE RANÇON
MICHEL-CLAUDE TOUCHARD

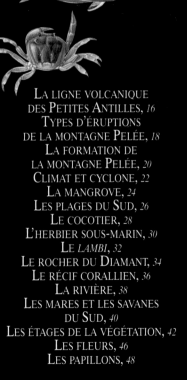

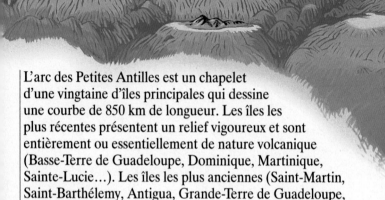

L'arc des Petites Antilles est un chapelet
d'une vingtaine d'îles principales qui dessine
une courbe de 850 km de longueur. Les îles les
plus récentes présentent un relief vigoureux et sont
entièrement ou essentiellement de nature volcanique
(Basse-Terre de Guadeloupe, Dominique, Martinique,
Sainte-Lucie…). Les îles les plus anciennes (Saint-Martin,
Saint-Barthélemy, Antigua, Grande-Terre de Guadeloupe,
Marie-Galante…) sont, elles, érodées et leur soubassement
volcanique est partiellement ou totalement recouvert par des
formations calcaires.

La subduction de
la plaque Atlantique
sous la plaque
Caraïbe, depuis
55 millions d'années,
est responsable
de l'édification de l'arc
insulaire des Petites
Antilles. C'est
essentiellement
la fusion partielle
de la couverture
sédimentaire et des
roches cristallines
du toit de la croûte
océanique chevauchée
qui alimente
le volcanisme.

La distribution
de ce dernier dans le
temps et dans l'espace
est liée à la structure
superficielle complexe
de la croûte Atlantique.

1. Genèse de magma
par fusion partielle
des sédiments de
la plaque subductée.
2. Îles volcaniques ou
compartiments d'arc
insulaire très actifs.
3. Compartiment
insulaire inactif.
4. Ride en cours
de subduction.
5. Genèse de magma
à l'aplomb d'une ride
océanique en
subduction.
6. Cône volcanique
sous-marin.
7. Genèse de magma
aux dépens de
la croûte océanique

subductée.
8. Dépressions
comblées de
sédiments.
9. Plaque Caraïbe.
10. Ride océanique.
11. Prisme d'accrétion
sédimentaire.
12. Fosse de
subduction.
13. Plancher
océanique recouvert
de sédiments calcaires.
14. Plaque Atlantique.
15. Lithosphère.
16. Asthénosphère.

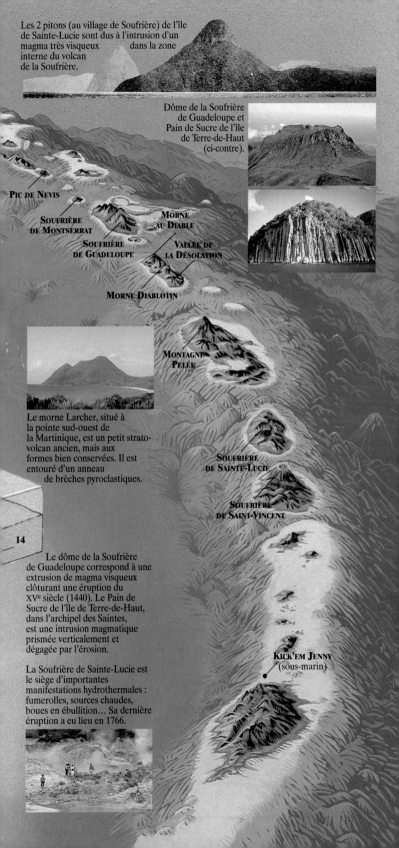

Les 2 pitons (au village de Soufrière) de l'île de Sainte-Lucie sont dus à l'intrusion d'un magma très visqueux dans la zone interne du volcan de la Soufrière.

Dôme de la Soufrière de Guadeloupe et Pain de Sucre de l'île de Terre-de-Haut (ci-contre).

Pic de Nevis

Soufrière de Montserrat

Morne au Diable

Soufrière de Guadeloupe

Vallée de la Désolation

Morne Diablotin

Montagne Pelée

Le morne Larcher, situé à la pointe sud-ouest de la Martinique, est un petit strato-volcan ancien, mais aux formes bien conservées. Il est entouré d'un anneau de brèches pyroclastiques.

Soufrière de Sainte-Lucie

Soufrière de Saint-Vincent

14

Le dôme de la Soufrière de Guadeloupe correspond à une extrusion de magma visqueux clôturant une éruption du XVᵉ siècle (1440). Le Pain de Sucre de l'île de Terre-de-Haut, dans l'archipel des Saintes, est une intrusion magmatique prismée verticalement et dégagée par l'érosion.

La Soufrière de Sainte-Lucie est le siège d'importantes manifestations hydrothermales : fumerolles, sources chaudes, boues en ébullition… Sa dernière éruption a eu lieu en 1766.

Kick'em Jenny (sous-marin)

■ TYPES D'ÉRUPTIONS DE LA MONTAGNE PELÉE

Bombe en croûte de pain
de la montagne Pelée.

Depuis l'occupation de l'île par les Européens au XVIIᵉ siècle,
la montagne Pelée a connu quatre crises éruptives : 1792, 1851,
1902-1905, 1929-1932. Les paroxysmes de l'éruption de 1902 ont
provoqué la mort de 29 000 personnes sur les flancs du volcan.
La viscosité du magma de la montagne Pelée est à l'origine
d'éruptions explosives très violentes, à cratère ouvert
ou obstrué par un dôme de lave en construction.
Les quatre types d'éruptions magmatiques
illustrés ici font partie de l'histoire du
volcan et restent susceptibles
de se reproduire.

La nuée ardente
du 16 décembre 1902 se
dirigeant vers la mer.

**NUÉE ARDENTE
DE TYPE «MERAPI»**
Ex. : crise volcanique de 1929-1932.
1. Dôme bien développé.
2. Explosion modérée, dirigée, partant
du flanc du dôme ou simple éboulement.
3. Nuage associé (cendres, lapilli et gaz).
4. Brèche de nuée.

Nuage associé
(gaz, cendres,
lapilli)

Dôme en cours
de croissance

Explosion violente dirigée,
initiée entre le dôme et son
encaissant

Brèche de nuée
(gaz, cendres,
lapilli, blocs)

NUÉE ARDENTE DE TYPE «PÉLÉEN»
Ex. : paroxysme du 8 mai 1902.

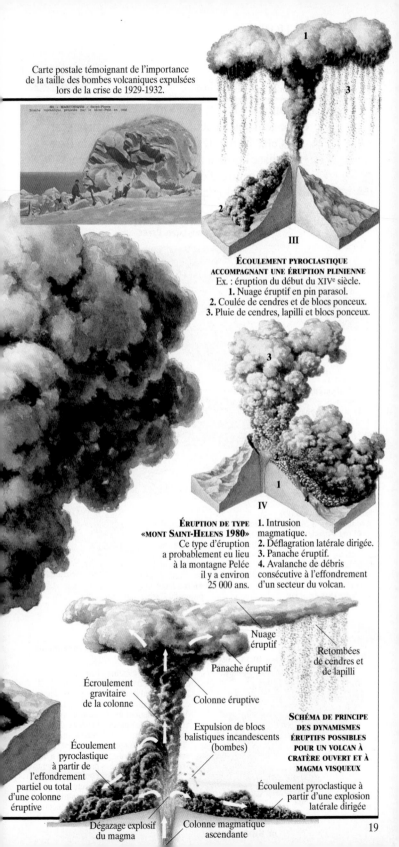

Carte postale témoignant de l'importance de la taille des bombes volcaniques expulsées lors de la crise de 1929-1932.

ÉCOULEMENT PYROCLASTIQUE ACCOMPAGNANT UNE ÉRUPTION PLINIENNE
Ex. : éruption du début du XIVe siècle.
1. Nuage éruptif en pin parasol.
2. Coulée de cendres et de blocs ponceux.
3. Pluie de cendres, lapilli et blocs ponceux.

III

IV

ÉRUPTION DE TYPE «MONT SAINT-HELENS 1980»
Ce type d'éruption a probablement eu lieu à la montagne Pelée il y a environ 25 000 ans.
1. Intrusion magmatique.
2. Déflagration latérale dirigée.
3. Panache éruptif.
4. Avalanche de débris consécutive à l'effondrement d'un secteur du volcan.

Nuage éruptif

Retombées de cendres et de lapilli

Écroulement gravitaire de la colonne

Panache éruptif

Colonne éruptive

Expulsion de blocs balistiques incandescents (bombes)

Écoulement pyroclastique à partir de l'effondrement partiel ou total d'une colonne éruptive

SCHÉMA DE PRINCIPE DES DYNAMISMES ÉRUPTIFS POSSIBLES POUR UN VOLCAN À CRATÈRE OUVERT ET À MAGMA VISQUEUX

Écoulement pyroclastique à partir d'une explosion latérale dirigée

Dégazage explosif du magma

Colonne magmatique ascendante

■ LA FORMATION DE LA MONTAGNE PELÉE

L'aiguille de lave qui s'était mise
en place dans le cratère, en mai 1902,
s'est écroulée en septembre 1903.

A

La montagne Pelée, située au nord de la Martinique,
est le seul volcan actif de l'île et le dernier
à s'être formé. Il s'est édifié au cours de trois
phases principales qui ont eu, chacune,
un centre d'émission et des caractéristiques
volcanologiques propres.

**PRINCIPALES ÉTAPES DE CONSTRUCTION
DE LA MONTAGNE PELÉE**

❶

1. Construction, entre
-1 000 000 et -500 000
du massif volcanique
essentiellement sous-marin
du mont Conil (à gauche
sur le dessin), situé au
nord de la Martinique.

❷

2. Il y a environ
400 000 ans, eut lieu
la première phase
d'édification aérienne
de la montagne Pelée
sur la retombée
méridionale du massif
du mont Conil
rehaussé par la tectonique.
La construction du volcan se fait à partir de
coulées de lave et de brèches pyroclastiques.

■ **VOLCANISME ANCIEN**
Âge supérieur à 24 millions d'années.
■ **VOLCANISME INTERMÉDIAIRE**
Âge compris entre 22 et 5,5 millions
d'années.
■ **VOLCANISME RÉCENT**
Âge compris entre 5,5 et 0,5 millions
d'années.
■ **VOLCANISME ACTIF**
De -500 000 ans à nos jours.

3. Configuration,
il y a 150 000
ans, de la
montagne Pelée,
entre le massif du
mont Conil et ceux
du morne Jacob et des
pitons du Carbet. Un petit
cratère couronne l'édifice.

HISTOIRE GÉOLOGIQUE DE LA MARTINIQUE

MONTAGNE
PELÉE
MORNE JACOB
PITONS
DU CARBET
PRESQU'ÎLE
DE LA CARAVELLE
MORNE
PITAULT
LE VAUCLIN
MORNE PAVILLON
PRESQU'ÎLE
DES TROIS-ÎLETS
PRESQU'ÎLE
DE SAINTE-ANNE

À l'exception de
quelques pointements
de calcaires, dans
le sud-est et l'est,
correspondant à
de la sédimentation
marine lors de phases
de submersion,
l'île de la Martinique
est toute de nature
volcanique. Son
histoire géologique
est longue :
elle remonte à
plus de 24 millions

d'années.
Elle est
également
complexe : l'activité
volcanique, d'abord
sous-marine et
localisée dans
la zone orientale
de l'île est devenue
aérienne et a migré
progressivement vers
l'ouest, en liaison
directe avec
les conditions
de la subduction.

B   C   D   E

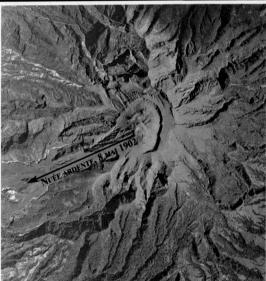

NUÉE ARDENTE, 8 MAI 1902

**QUELQUES TYPES
DE ROCHES
ET DE MINÉRAUX**
A. Dacite à biotite
(pitons du Carbet).
B. Andésite
porphyrique
(morne Larcher).
C. Bois silicifié (savane
des Pétrifications).
D. Cristaux d'analcime
(Le François).
E. Madrépore silicifié
(Le François).

**LES DÔMES
DE 1902 ET 1929**
Ces deux dômes
emboîtés (ci-dessous),
sont installés
dans le cratère
de l'Étang Sec,
lui-même circonscrit
dans la caldeira
plus ancienne
de Macouba.

VUE AÉRIENNE
Les structures de
la zone sommitale
(cratères et dômes)
et des flancs de
la montagne Pelée
sont bien visibles sur
cette photographie.

❸

❹

❺

4. Après une longue période de repos de
100 000 ans environ, l'activité reprend
avec des phénomènes très explosifs,
produisant, en particulier, des coulées
de scories. Entre 25 000 et 20 000 ans,
deux éruptions paroxysmales ont lieu.
Elles sont probablement à l'origine des
deux caldeiras qui se sont alors formées.
La plus grande d'entre elles, en forme
de fer à cheval, est ouverte vers le
sud-ouest et mesure 6 km de longueur
et 2,5 km de largeur.

5. Il y a 13 500 ans, l'activité
volcanique succède à 6 000 ans
de répit. Au cours de
cette phase de construction,
24 éruptions magmatiques,
explosives, d'intensité modérée
à forte, ont eu lieu. Les deux dernières
éruptions (1902-1905, 1929-1932) ont conduit chacune
à l'édification d'un dôme dans le cratère sommital actuel.

La marée de tempête conjuguée à la marée haute est, dans le cyclone, l'élément le plus dangereux pour les habitants du bord de mer.

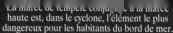

Le climat de la Martinique, de type tropical, se caractérise par des journées ensoleillées, des pluies violentes mais brèves et par un régime de vents d'est réguliers appelés alizés. L'année se répartit en deux saisons, le «carême» et l'«hivernage», cette dernière offrant la possibilité de pluies diluviennes, d'inondations et de cyclones.

LA TRAJECTOIRE DES CYCLONES

Sur l'Atlantique Nord, les ouragans (cyclones de l'Atlantique) se déplacent d'est en ouest et s'incurvent vers le nord-ouest puis vers le nord et le nord-est, où ils perdent de leur acitivité et se transforment en simples dépressions.

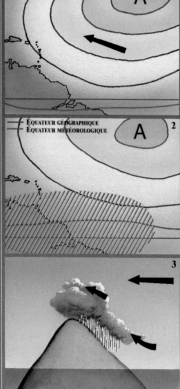

CARACTÉRISTIQUES DU CLIMAT

1. Le «carême» (de décembre à juin). Le temps est beau, le flux d'alizés régulier, les journées tièdes et l'air sec.

2. L'«hivernage» (de juin à décembre). Les journées sont chaudes et humides, le régime d'alizés plus faible et irrégulier, les ondées tropicales fréquentes, et les dépressions et cyclones possibles.

3. La pluviosité : le maximum se situe généralement en septembre et le minimum en février-mars. Le versant est de la Martinique reçoit plus d'eau, surtout en altitude. Cela provient des masses d'air humide qui se transforment en pluie en abordant les reliefs. Ainsi, la Martinique se divise en deux zones dont la séparation se situerait sur une diagonale Lamentin-Trinité. Le Sud, de faible altitude, est sec et ensoleillé, alors que le Nord reçoit une forte pluviosité.

Le cyclone entre dans les terres : une marée de tempête formant une masse de 5 m de hauteur a déjà dévasté les habitations et les bateaux du littoral. Les vents, qui avoisinent les 200 km/h, s'enfoncent dans les terres. En Martinique, la côte atlantique est la plus menacée.

STRUCTURE DU CYCLONE
C'est une énorme masse
nuageuse organisée
en spirales convergeant vers
le centre – l'œil – et qui
présente un calme relatif.
La force du cyclone réside
dans les bandes nuageuses
entourant l'œil.

De tous temps, la Martinique a été
le théâtre de catastrophes
naturelles.

DÉGÂTS DUS AUX VENTS
Lors d'un cyclone,
les rafales de vent ont un effet
de percussion dévastateur.

■ LA MANGROVE

**ALGUES CAULERPES
ET HALIMEDA**
Elles élisent domicile
sur les racines
de palétuvier rouge.

CRABE C'EST-MA-FAUTE
Du genre *Uca*.
Il est omniprésent en
arrière-mangrove.

La mangrove, cette forêt tropicale littorale inondée est un milieu biologique complexe qui subit une double influence, terrestre et maritime. Pour qu'elle s'installe, il faut une sédimentation argileuse très fine. Ces conditions sont réalisées, soit au fond des baies de la mer Caraïbe, bien abritées des vents et des courants marins, soit dans celles de l'Atlantique où les récifs-barrières arrêtent la puissance de l'Océan. Autrefois considéré comme un endroit pestilentiel, ce paradis des moustiques, aux odeurs désagréables, servit de refuge aux hors-la-loi et aux marginaux. Ce milieu, gros producteur de biomasse, est aujourd'hui reconnu comme très important dans le processus d'échanges mer-terre.

Ce milieu vaseux est une véritable nursery. Cela est dû aux apports de sels minéraux terrestres et à la matière organique des feuilles de palétuviers qui favorisent la production de plancton, provende indispensable.

MULET (*Mugil curema*)
Il se plaît dans les eaux saumâtres.

PISQUETTE (*Anchoa lyolepis*)
Petit poisson au corps
argenté.

**HUÎTRES
DE PALÉTUVIERS**
Elles sont excellentes
à déguster.

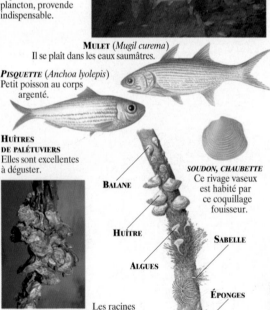

SOUDON, CHAUBETTE
Ce rivage vaseux
est habité par
ce coquillage
fouisseur.

BALANE

HUÎTRE

SABELLE

ALGUES

ÉPONGES

Sur les racines
du palétuvier rouge
se fixe une multitude
d'animaux invertébrés,
l'ensemble étant
enveloppé d'algues
rouges-vertes.

Les racines
qui s'implantent
en arc-boutant
s'enchevêtrent en un
fouillis impénétrable.
Cette faune fixée
attire des
prédateurs.

PAYSAGE DE MANGROVE À L'EMBOUCHURE LAREINTY

SCHÉMA DE REPRODUCTION DES RHIZOPHORES

Les feuilles et les fleurs sont disposées en bout de branches.

MANGLE ROUGE
OU PALÉTUVIER ROUGE
Il forme l'avant-garde de la mangrove. Son feuillage sert de refuge aux frégates.

Le fruit à maturité germe sur l'arbre, au-dessus de l'eau de mer.

Il donne alors une plantule en fléchette, de 30 cm de long.

À marée basse, la fléchette se détache de la branche, tombe dans la vase, et prend racine. Un pied de palétuvier rouge naît alors.

CAIALI, KIO
Le héron vert est présent dans la mangrove.

25

■ LES PLAGES DU SUD

La végétation de la côte méridionale se caractérise par une forêt littorale composée de *raisiniers bord-de-mer*, mancenilliers, catalpas et *amandiers-pays*, auxquels se mêlent les silhouettes des cocotiers aux troncs penchés vers les eaux calmes de la Caraïbe ou les flots agités de l'Atlantique. Le haut de la plage est colonisé par le *pourpier bord-de-mer*, alors que la zone pionnière est occupée par un véritable matelas de *patates bord-de-mer*.

SOLDAT OU PAGURE

CRABE *MAL Z'OREILLE*
Du genre *Ocypode*. Chasseur de petites proies, il sort de son trou pour de brèves incursions diurnes.

BALANCE, OURSIN *DOLLAR*
Sa coquille, au test aplati et irrégulier, est perforée de six trous.

COQUILLAGES
Recherchés pour leur forme, leur couleur, leur rareté, ils ne se trouvent plus aussi facilement sur les plages, sauf après une tempête.

1. Olive réticulée.
2. Bulle des Antilles.
3. *Cône-carotte*.
4. Turitelle.
5. Strombe combattant.
6. Vasum à épines.
7. *Grain de café* ou trivia.

TOURLOUROU
Du genre *Gecarcinus*, ce crabe vit sous les mancenilliers.

MANCENILLIER
Hippomane mancinella
Le suc laiteux qui s'écoule de cette euphorbe est extrêmement corrosif.

ATTENTION
MANCENILLIER
ARBRE TOXIQUE

MIND
MANCHINEEL
POISONOUS TREE

Mancenillier vient de l'espagnol *manzana* qui signifie pomme. Les fruits de cet arbre, connus pour leur toxicité, ressemblent en effet à de petites pommes vertes.

CATALPA
Il appartient à la même famille que celle des hibiscus.

HERBE BORD-DE-MER
Cette *Sporobolus* couvre les sols d'arrière-plage.

PLUVIER DES SALINES OU TOURNEPIERRE À COLLIER
Ces oiseaux migrateurs (ci-dessous) arpentent les plages encombrées d'algues desséchées, à la recherche de petits crustacés ou d'insectes.

PATATE BORD-DE-MER
Cette ipomée forme un véritable tapis végétal.

MARINGOUIN OU BÉCASSEAU
En saison hivernale, plages du Sud et étangs des salines sont les lieux de rendez-vous de ces petits échassiers (ci-dessus).

POURPIER BORD-DE-MER
Les racines de cet arbuste du genre *Sesuvium* stabilisent le sol.

27

■ LE COCOTIER

La présence
du cocotier
en Martinique
s'entoure de mystère.
Le père Du Tertre,
en 1667, n'en signale
pas la présence.
Alors que trente ans
plus tard, le père Labat
en parle longuement.
Personne cependant,
n'a jamais revendiqué
son introduction. Infatigable
voyageur, «l'arbre aux cent
usages», venant de la lointaine Asie
du Sud-Est, peut avoir atteint les îles
tout naturellement, au gré des flots.

COCO, PIÉ-COCO
Ce palmier, *Cocos
nucifera*, est le plus
répandu et le plus
cultivé au monde.
Son stipe (tronc)
peut atteindre 30 m
de haut. Les gracieux
rideaux de cocotiers
en bordure des plages
sont souvent l'œuvre
de l'ONF, qui rénove
ainsi la couverture
des sables. La plage
des Salines ▲ *301* en
est un bel exemple.

LES RADICULES
Devenues racines,
elles fixent l'arbre
au sol. Utilisées en
«tisanes», elles ont
des vertus curatives.

LE TRONC OU STIPE
Il était utilisé
dans la construction.

NOIX GERMÉE
À l'autre extrémité
de la feuille,
les radicules se
fraient un chemin
à travers l'enveloppe
pour atteindre le sol
et s'enraciner.

La pousse se
transforme en feuille.

Le lait de coco s'obtient
en râpant la pulpe, qu'il faut
ensuite ébouillanter puis presser
dans une serviette.

Méthode traditionnelle
pour grimper au cocotier et cueillir
les noix vertes.

Pour plus
d'efficacité, on utilise
aujourd'hui les
crampons d'installateurs
de poteaux électriques.

UN ARBRE PROVIDENTIEL
À partir des folioles des palmes,
on tresse des chapeaux
(ci-dessus). Et, tignasse brune et
fibreuse, le revêtement
de la noix, appelé coir, sert
à fabriquer des nattes, des brosses,
des matelas et des cordages.

UN FRUIT PRODIGUE
Nombreux sont les produits
dérivés de la noix de coco :
noix râpée, lait en boîte,
bougie, savon, produits
solaires et corporels,
punch coco…

… confiture,
friandises,
*grabiots, blanc-
manger* ● 132.

Les différents stades de mûrissement
de la noix.

Le lait est obtenu à partir de
la noix râpée : pour cela
on utilise le *moulin-coco* ● 102.

L'HERBIER SOUS-MARIN

FRÉGATE SUPERBE
La *queue-en-ciseau* plane
sans relâche
au-dessus de l'Océan.

Une véritable prairie sous-marine occupe
une partie des fonds depuis le rivage
jusqu'à 20 m de profondeur, et ses feuilles oscillent
aux contre-coups des vagues. Ces herbiers aux plantes
marines sont le plus souvent constitués de
thalassies et parsemés d'algues vertes.
Ils constituent un lieu privilégié
de frayère et de croissance pour
de très nombreuses espèces.

COQUE
Ce coquillage
de la famille des *Cardiidae*,
vit dans les fonds sableux et vaseux.

CASQUE-PORCELAINE
De couleur rouge
brique et d'une forme
qui se rapproche de la
porcelaine, ce casque
vit enfoui dans le sable
et se nourrit d'oursins.

SOURIS OU BARBARIN ROUGE
Il fouille grâce à ses deux barbillons
le sédiment en quête de proies.

CHADRON BLANC
Tripeneustes esculens
Il est très apprécié
pour ses gonades
comestibles.

CONCOMBRE DE MER
Le *pipi-la-mer* rampe
sur le sable tout en
l'avalant.

CHADRON NOIR
Diadema antillarum
Ses longs piquants
creux injectent un
venin très douloureux.

LAMBI ■ 32
Il se déplace par
bonds successifs.

POISSON-COFFRE ROND

POISSON CHAUVE-SOURIS
Du genre *Ogocephalus*.

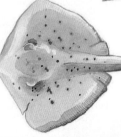

RAIE-FOUET OU RAIE À ÉPINE DU SUD
Immobile, posée sur les fonds sableux,
elle se nourrit de petits invertébrés.

PLAGE FONDS BLANCS OU FONDS SABLEUX HERBIER CAYES BARRIÈRE RÉCIFALE PENTE EXTERNE

Sur les côtes de la Capesterre, jusqu'à 50 m de profondeur, se succèdent fonds sableux et herbiers sous-marins. Au-dessous de la limite inférieure des faibles marées, les rochers sont occupés par des communautés coralliennes.

MAUVE À TÊTE NOIRE
Cette mouette fréquente d'une façon très irrégulière les côtes. Originaire d'Amérique du Nord on la trouve, durant la mauvaise saison, dans toute l'Amérique centrale et aux Antilles.

TORTUE FRANCHE, TORTUE VERTE
Pêchée d'une manière inconsidérée, sa population diminue gravement.

CHATROU OU POULPE OCTOPUS
Il se réfugie le jour dans son repaire fermé par des débris de madrépores et de coquillages.

SOLE, PLIE
Ce dessin de Plumier ● 66 représente ce poisson plat aux yeux placés du même côté de la tête, qui se confond avec le sable.

THALASSIE
Elle descend d'une plante à fleurs terrestre qui a colonisé les milieux marins il y a une centaine de millions d'années.

■ LE *LAMBI*

Le pêcheur et sa conque :
une image héritée
des Caraïbes.

«Ce lambi aussi s'entonnant comme
un cor de chasse, et s'entendant de fort loin,
quelques habitants des îles s'en servent
pour appeler les gens au repas.» Au vrai,
le *lambi* est la conque inséparable des pêcheurs annonçant leur
retour, ce chroniqueur du XVIIᵉ siècle semble l'oublier. Tour
à tour comestible apprécié, signal sonore et repère
décoratif, le strombe géant est de longue date
un des éléments de la culture populaire.

**LE *LAMBI*,
HÉROS NATIONAL**
Membre de la famille
des Strombidae,
le *lambi* est un
gastéropode ami
des gastronomes
antillais. À l'origine,
des œufs minuscules
que les femelles
pondent en quantité
sur un fond de sable.
Comme une fleur
épanouie, il laisse
entrevoir ses parois
de nacre rose.

Sa beauté naturelle
et sa popularité font
du *lambi* un ornement
de choix, et il apparaît
jusque dans la
décoration des
sépultures !

Coquilles vides de
lambis près de l'abri d'un poulpe.

«Le lambi est une espèce de gros
limaçon, dont tout le corps semble
n'être qu'un boudin terminé en
pointe à une extrémité, et ouvert
à l'autre par une bouche ronde et
large, d'où il sort une membrane épaisse
et longue comme une langue, avec laquelle
l'animal prend sa nourriture [...].»
Cette description du père Labat s'appliquera-
t-elle un jour à une espèce disparue ?

TECHNIQUE D'EXTRACTION DE L'ANIMAL

1. On perfore la plus large des sutures de la spire.
2. Une lame glissée par la fente permet de trancher l'attache intérieure de l'animal.
3. On extrait au crochet la chair convoitée.

LA MARCHANDE DE *LAMBIS*

Elle proposait aux amateurs ce produit de grande consommation. La tradition culinaire exige une copieuse cuisson. On l'aime en brochette ou en daube, mais certains puristes le dégustent cru, macéré dans du citron.

UNE ESPÈCE MENACÉE

Une question d'écologie : le *lambi* est adulte au bout de trois ans. Las ! Depuis les plus anciens Caraïbes, les hommes l'ont accommodé à tant de sauces que même ce cycle court ne suffit pas à compenser une exploitation effrénée. Leur pêche et leur commerce se sont intensifiés au point de menacer l'espèce, les amas de coquillages vides en témoignent. Il est urgent de limiter les prises, de respecter la ponte et les jeunes individus, faute de quoi… ce noble et estimé mollusque appartiendra à la mythologie des Antilles.

CALCINATION DES CONQUES

Autrefois, on tirait ainsi une chaux très utile de la coquille des *lambis*.

LE ROCHER DU DIAMANT

BARRACUDA

Le rocher du Diamant, telle une sentinelle, s'élève à 176 m au-dessus du niveau de la mer dans le canal de Sainte-Lucie. À moins de 2 km de la côte, sur cet édifice volcanique, une faune adaptée a trouvé refuge : des lézards comme les anolis et le *mabouia*, une couleuvre, et des oiseaux marins – fou, phaéton et balbuzard-pêcheur… Sur ses flancs abrupts, creusés de grottes, s'accroche une végétation de cactus et de *poiriers-pays*.

La base du rocher est striée de grandes failles aux parois couvertes de spongiaires, qui offrent refuge à une faune de crevettes, de langoustes et de poissons d'espèces variées. Une de ces failles traverse le socle de part en part.

CHIRURGIEN NOIR
Acanthurus bahianus

**MARIGNAN, ROUGE BRÛLÉ
OU POISSON ÉCUREUIL**
Dérangé dans sa cache, il déploie sa nageoire dorsale épineuse.

CARANGUES
Elles évoluent souvent en bancs.

CHIRURGIEN BLEU
Acanthurus cœruleus

MOMBIN
Myripristis jacobin
Poisson soldat, de mœurs nocturnes, il se nourrit de plancton.

JUIF, GROS YEUX OU PRIACANTHE
Ce poisson change de couleur la nuit. De gris argenté, il devient rouge vif.

Sur les tombants et dans les fosses, des coraux de toutes formes se développent ; beaucoup d'entre eux ont été détruits en 1999 lors du passage de l'ouragan Lenny.

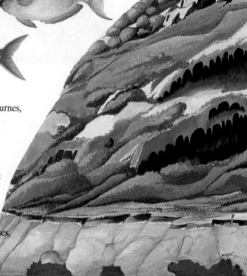

1. Construction il y a 960 000 ans d'un dôme de lave visqueuse (la dacite) dans le cratère d'un appareil volcanique.

2. Érosion de l'appareil volcanique et démantèlement de la gaine de brèches entourant le dôme.

3. Stade actuel : la partie interne massive du dôme de lave est partiellement immergée.

PHAÉTON À BEC ROUGE

AIGLON OU BALBUZARD-PÊCHEUR
Aigle migrateur d'Amérique du Nord.

COULEUVRE *COURESSE*
Dromicus cursor
Elle n'est présente que sur le rocher du Diamant.

CIERGE
Ce cactus ne fleurit que la nuit. Ses petites fleurs se fanent au lever du jour.

Le Diamant est le paradis des plongeurs : une eau d'une grande limpidité, des tombants à plus de 70 m de profondeur, des failles et des grottes sous-marines et une faune et une flore d'une grande richesse, font de ce site de plongée le plus célèbre de la Martinique.

FISSURELLE NOUEUSE
Elle vit collée au rocher.

COLLE-ROCHE OU CHITON DES ANTILLES
Gastéropode primitif.

ALGUE BRUNE
Du genre *Padina*, aux éléments semi-circulaires.

NÉRITE AUX DENTS SAIGNANTES

ALGUE BRUNE
Du genre *Dictyota*, avec thalle à divisions multiples.

CORAIL MILLÉPORE OU CORAIL DE FEU

LE RÉCIF CORALLIEN

POISSONS-PAPILLONS
Ces petits poissons de la famille
des Chaetodons sont appelés
demoiselles en Martinique.

ÉPONGE GÉANTE

Le récif corallien forme au large des baies de
la Côte au Vent de la Martinique, de véritables
récifs-barrières qui s'étendent de Sainte-Marie
jusqu'à la pointe des Anglais au sud. Cet édifice
calcaire présente la particularité d'être bâti
par des organismes vivants se plaisant en eaux
tièdes (20° C), limpides et bien éclairées. Ces artisans sont
les minuscules polypes des coraux. Ils forment des colonies
animales qui s'imbriquent, se superposent, meurent par
la base, se multiplient par leur sommet : ainsi, au cours
des millénaires, ils ont réussi à construire des récifs qui
stabilisent la côte sur
plusieurs kilomètres.

En plongée sous-marine, au fur et à mesure
de la descente, la lumière solaire
diminue et seule la couleur bleue persiste ;
les colonies de madrépores
sont alors moins diversifiées.

1. *Éventail de mer* ou gorgone, avec une ophiure.
2. *Morène* ou murène.
3. Concombre de mer, holothurie.
4. Éponge-cuvette changeante.
5. Poisson-perroquet.
6. *Corail-cerveau* ou cervelle de Neptune.
7. *Corail millépore* ou corail de feu.
8. Poisson-coffre *zinga*.
9. *Cierge la mer*, corail cylindrique ou corail pilier.
10. *Parapèle*, sarde à plume.
11. Capitaine.
12. *Z'étoile la mer* ou étoile de mer.
13. *Chadron noir* ou oursin noir.
14. *Rouge mombin*.

POISSON-ANGE TRICOLORE
Sa petite bouche extensible et ses dents en brosse lui permettent de se nourrir d'éponges.

PÂTE À CHAUX OU CORAIL-CORNE-D'ÉLAN
Exploité autrefois pour faire la chaux, il a l'allure d'un grand champignon à lamelles superposées.

GORGONE
Elle se fixe face aux courants dominants.

De nombreuses éponges, ou spongiaires, aux formes exubérantes ont colonisé le récif corallien de la Caraïbe. Ces animaux primitifs, fixés, filtrent l'eau et sont pris comme indicateurs biologiques.

37

**COLIBRI
FALLE VERT**
*Eulampis
holosericeus*

La rivière, aux rives envahies de touffes de bambous, de bosquets de balisiers et de massifs de fougères de toutes tailles, cascade de chute en chute de faible hauteur ou somnole dans un bassin invitant au bain. Ce décor silencieux, à l'atmosphère saturée d'eau, se rencontre principalement dans les massifs montagneux du centre de l'île. Elle peut cependant devenir en saison d'«hivernage», après de fortes pluies, une véritable menace pour les riverains des zones basses.

La pêche en rivière, très abondante avant l'utilisation des pesticides sur les bananeraies.

NASSES
Elles sont faites en lames de bambou ou en grillage et servent à la capture des écrevisses.

MÉTHODES DE PÊCHE
Certaines, pratiquées autrefois perdurent encore. On utilise la nasse, le *kalin* ou *lépervier* – filet en forme de poche maintenue béante avec deux perches. Enfin, on pratique la «nivrée» des rivières avec des plantes toxiques.

TÉTARD OU GOBIE-VENTOUSE
Du genre *Gobiesox*, ce poisson se fixe aux rochers par une ventouse.

Z'HABITANT, ÉCREVISSE
Avec ses pinces bien développées (30 cm parfois), elle constitue un mets rare, car elle est de moins en moins commune.

PETITE GRENOUILLE
Du genre *Eleutherodactylus*.

BOUC
Écrevisse sans pinces, délaissée en gastronomie.

CRABE *CIRIQUE* DE RIVIÈRE

Capturés à l'embouchure des rivières, des alevins de plusieurs espèces, mélangés à des crevettes, sont vendus sous le nom de *titiris*.

HÉPATIQUES
Voisines des mousses, ces plantes étaient autrefois utilisées pour le traitement des maladies du foie.

SÉLAGINELLE
Son feuillage vert tendre est irisé de bleu.

1. Colibri madère (*Eulampis jugularis*).
2. Fougère batarde.
3. Aile-à-mouche (Aracée).
4. Fronde de fougère arborescente.
5. Fougère-calumet.
6. Balisier rouge bordé de jaune.
7. Sélaginelles.

CRABIER-BOIS
OU
BIHOREAU VIOLACÉ
Ce magnifique héron, aux mœurs nocturnes explore les ravines et les bassins d'écrevisses.

TECTARIA
Grande fougère aux frondes trilobées et à la consistance de papier.

MOUSTIQUE
Certains propagent des fièvres tropicales, comme la dengue.

MOUSSES
Elles recouvrent les rochers humides.

FOUGÈRE *THELYPTERIS*
Ses frondes sont vert sombre. Elle pousse dans les sous-bois très humides.

■ LES MARES ET LES SAVANES DU SUD

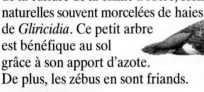

ROUTOUTOU OU ÉRISMATURE ROUTOUTOU

JACINTHE D'EAU

La plupart des mares situées dans le sud de la Martinique sont dues au travail de l'homme pour recueillir l'eau de pluie. Elles constituent, grâce au sol argileux, une réserve d'eau appréciable pour les troupeaux de zébus pendant le «carême».

De fait, l'extension des savanes coïncide avec le déclin de la culture de la canne à sucre, formant de véritables prairies naturelles souvent morcelées de haies de _Gliricidia_. Ce petit arbre est bénéfique au sol grâce à son apport d'azote. De plus, les zébus en sont friands.

SARCELLE SOUCROUROU
Canard migrateur
d'Amérique du Nord.

LADRE OU CRAPAUD BUFFLE
Il a été importé pour combattre les insectes.

FOLLET OU NÉNUPHAR DES ANTILLES

La planorbe à coquille spiralée héberge la larve de bilharzie, agent d'une maladie intestinale presque éradiquée.
La planorbe est la proie de prédilection de la punaise d'eau.

PLANORBE

PUNAISE D'EAU
Belostoma boscii

LA VÉGÉTATION
Elle tient une place importante dans l'équilibre biologique de la mare.

POULE D'EAU OU TALÈVE VIOLACÉE

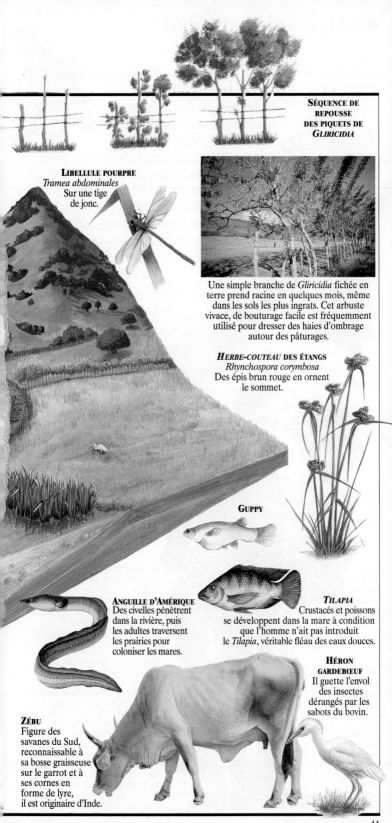

SÉQUENCE DE REPOUSSE DES PIQUETS DE *GLIRICIDIA*

LIBELLULE POURPRE
Tramea abdominales
Sur une tige
de jonc.

Une simple branche de *Gliricidia* fichée en terre prend racine en quelques mois, même dans les sols les plus ingrats. Cet arbuste vivace, de bouturage facile est fréquemment utilisé pour dresser des haies d'ombrage autour des pâturages.

HERBE-COUTEAU DES ÉTANGS
Rhynchospora corymbosa
Des épis brun rouge en ornent
le sommet.

GUPPY

ANGUILLE D'AMÉRIQUE
Des civelles pénètrent
dans la rivière, puis
les adultes traversent
les prairies pour
coloniser les mares.

TILAPIA
Crustacés et poissons
se développent dans la mare à condition
que l'homme n'ait pas introduit
le *Tilapia*, véritable fléau des eaux douces.

HÉRON
GARDEBŒUF
Il guette l'envol
des insectes
dérangés par les
sabots du bovin.

ZÉBU
Figure des
savanes du Sud,
reconnaissable à
sa bosse graisseuse
sur le garrot et à
ses cornes en
forme de lyre,
il est originaire d'Inde.

■ LES ÉTAGES DE LA VÉGÉTATION

MALFINI OU BUSE À AILES LARGES

AMAZONE DE LA MARTINIQUE
Une espèce disparue.

La Martinique, île d'origine volcanique, est constituée d'un volcan actif récent, la montagne Pelée, et de volcans anciens comme les pitons du Carbet, le morne Jacob, la montagne du Vauclin, le morne Larcher… Grâce à son relief varié et montagneux, engendrant une grande diversité d'étages de végétation, et à son climat tropical insulaire humide, elle possède une flore riche et diversifiée dont les affinités avec celle de l'Amérique du Sud et des Grandes Antilles sont marquées.

BOIS-TAN-MONTAGNE
Byrsonima trinitensis
Endémique des Petites Antilles.

MYRTILLE DES HAUTS
Gaultheria swartzii

FUSCHIA-MONTAGNE
Chariantus nodosus
Endémique de la Martinique.

30 M
STRATE ARBORÉE SUPÉRIEURE

25 M
STRATE ARBORÉE SUBDOMINANTE

15 M
STRATE ARBORÉE INTERMÉDIAIRE

4 M
STRATE ARBORÉE INFÉRIEURE

1 M
STRATE ARBUSTIVE

LA FORÊT ET SA STRATIFICATION
La forêt de pluie climacique des Petites Antilles comprend trois à quatre strates arborées et une strate arbustive. En Martinique, la strate arborée supérieure (30-35 m) est constituée principalement par les houppiers des *gommiers blancs*, des *châtaigniers* et des magnolias. La strate subdominante comprend surtout des *bois-côtes* hauts de 25 m à 28 m, la strate intermédiaire des *bois jaunes* de 10 m à 15 m, la strate arborée inférieure (4-5 m) des *bois-perdrix* et divers *crés-crés*. La strate arbustive (1-2 m) contient surtout des espèces de Pipéracées et de Rubiacées. Les lianes ligneuses sont fréquentes sur les houppiers alors que les épiphytes se rencontrent surtout sur les branches basses et la partie inférieure des troncs.

42

MOQUEUR-GORGE-BLANCHE
Ramphocinclus brachyurus
La seule colonie encore existante
à la Martinique se trouve dans
la Réserve naturelle de la Caravelle.

DIABLOTIN OU PÉTREL DIABLOTIN
L'introduction de
la mangouste et la destruction
de ses sites de nidification
l'ont fait
disparaître.

**ROSSIGNOL
OU TROGLODYTE FAMILIER**
Cet oiseau a disparu de la
Martinique pour des raisons
inconnues.

FORÊT ET BIODIVERSITÉ

Les forêts des Petites Antilles montrent une remarquable biodiversité. La forêt martiniquaise compte plus de 380 espèces d'arbres indigènes et constitue l'habitat d'espèces végétales et animales dont beaucoup (perroquets, rat pilori, *grosse grenouille*) ont déjà disparu, tandis que d'autres (*gorge blanche, couresse* ■ 35, iguane), sont menacées. La totalité des dernières zones de forêt naturelle et sauvage doit donc être strictement protégée afin de préserver définitivement la richesse biologique qui la constitue. Des organismes s'occupent activement de la protection de la nature en Martinique :
– la galerie de Botanique,
– la délégation régionale à l'Architecture et à l'Environnement,
– le conservatoire du Littoral et des Rivages lacustres,
– l'Office national des forêts et des associations dont la plus connue est l'ASSAUPAMAR (Association pour la sauvegarde et la protection du patrimoine naturel de la Martinique).

RAT PILORI
Megalomys desmarestii
Décrit par le R. P. Du Tertre, ce rat
de grande taille atteignait 70 cm de longueur,
dont 37 cm pour le corps et la tête. Chassé
et consommé, il ne résista pas à la colonisation.

GROSSE GRENOUILLE
Heptodactyllus fallax
Longue d'environ 20 cm, appelée
mountain chicken à la Dominique
en raison du goût de sa chair,
elle a disparu au début du XIXe siècle.

● **CRÉ-CRÉ ROUGE,**
BOIS-CÔTELETTE ROUGE
Miconia trichotoma

● **COLIBRI TÊTE BLEUE**
Endémique
de la Martinique.

● **TAC-TAC**
Coléoptère du genre
Pyrophorus.

● **POIS DOUX BLANC**
Inga ingoides

● **ACOMAT-BOUCAN**
Sloanea caribea

MATOUTOU-
SE OU MYGALE

● **BOIS-RIVIÈRE**
Chimarris cymosa

● **PALÉTUVIER GRAND BOIS**
Tovomita plumieri

● **BOIS-CÔTE**
Tapura latifolia
Endémique des
Petites Antilles.

● **ACAJOU-PAYS**
Cedrela odorata

Sir

● **MERLE À LUNETTES**

● **LÉPINI J**
OU LÉPINEU

● **FORÊT DE MONTAGNE.** Au-dessus de 500 m
(800 m sous le Vent), cette formation se dégrade
progressivement et passe, vers 1 000 m,
à des savanes semi-arborées où dominent
les fougères, les Broméliacées terrestres et
des arbustes
tortueux et bas comme
le *mangle-montagne*, les *fuschias-montagne*
et divers *goyaviers-montagne*.

Toutes les plantes ornementales qui poussent sous les tropiques peuvent se trouver aux Petites Antilles : les jardins de Martinique en témoignent.

FRANGIPANIER
Arbre trapu à feuilles caduques dont les fleurs se dressent en bouquet à l'extrémité des rameaux.

ALOÈS
Cette plante à grandes feuilles épineuses porte ses fleurs en épis dressés.

De gauche à droite et de haut en bas :
– queue de chat,
– héliconia perroquet,
– arum, anthurium
– alpinia,
– frangipanier,
– pomme d'eau,
– liane orchidée,
– oiseau de paradis,
– hibiscus,
– petit flamboyant,
– jasmin,
– *immortelle*,
– rose de porcelaine,
– *plumet, panache d'officier*,
– *toloman* ou canna

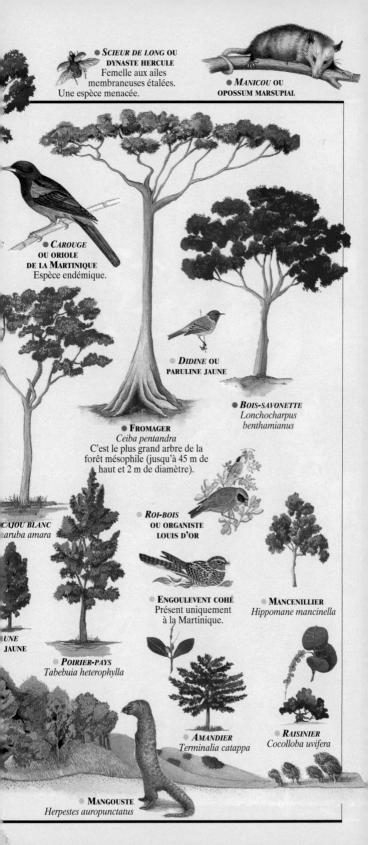

● **SCIEUR DE LONG** OU
DYNASTE HERCULE
Femelle aux ailes
membraneuses étalées.
Une espèce menacée.

● **MANICOU** OU
OPOSSUM MARSUPIAL

● **CAROUGE**
OU ORIOLE
DE LA MARTINIQUE
Espèce endémique.

● **DIDINE** OU
PARULINE JAUNE

● **BOIS-SAVONETTE**
*Lonchocharpus
benthamianus*

● **FROMAGER**
Ceiba pentandra
C'est le plus grand arbre de la
forêt mésophile (jusqu'à 45 m de
haut et 2 m de diamètre).

CAJOU BLANC
Caruba amara

● **ROI-BOIS**
OU ORGANISTE
LOUIS D'OR

**UNE
JAUNE**

● **ENGOULEVENT COHÉ**
Présent uniquement
à la Martinique.

● **MANCENILLIER**
Hippomane mancinella

● **POIRIER-PAYS**
Tabebuia heterophylla

● **AMANDIER**
Terminalia catappa

● **RAISINIER**
Cocolloba uvifera

● **MANGOUSTE**
Herpestes auropunctatus

MAGNOLIA
Talauma dodecapetala
Endémique
des Petites Antilles.

FEUILLES
DE GOMMIER BLANC

LAURIER-ROSE-
MONTAGNE
Podocarpus coriaceus

PALMISTE-MONTAGNE
Prestoea montana

ANANAS-MONTAGNE
Pitcairnia spicata
Endémique de la Martinique.

FOUGÈRE
ARBORESCENTE
Cyathea imrayana

COLIBRI MADÈRE
Il se reconnaît
à son bec courbe et
à sa gorge rouge.

GOMMIER BLANC
Dacryodes excelsa
Hauteur : 30 à 35 m.

FALA

LES ÉTAGES DE VÉGÉTATION

Par suite de la dénivellation relativement importante de ses reliefs, la Martinique offre plusieurs étages de végétation bien distincts.

• **FORÊT TROPICALE SEMI-DÉCIDUE.** La Côte sous le Vent et les collines peu élevées du Sud sont le domaine de la forêt tropicale qui perd partiellement ses feuilles, à *poiriers* et *gommiers rouges*, formation secondaire souvent dénommée à tort forêt sèche. Les zones les plus dégradées présentent une végétation de fourrés de crotons ou *ti-baumes* et de savanes piquetées de divers acacias.

• **FORÊT SEMPERVIRENTE SAISONNIÈRE.** La Côte au Vent et la basse région moyenne (de 0 m à 200 m) sont occupées par une forêt toujours verte et à faible proportion d'espèces décidues : la forêt sempervirente saisonnière tropicale ou mésophile secondaire à *bois-savonnette*, *pois doux blancs* et lauriers. Cet étage est également celui des principales cultures.

• **FORÊT OMBROPHILE.** La région intermédiaire (200 m à 500 m au Vent, 500 m à 800 m sous le Vent) constitue l'optimum physiologique de la grande forêt de pluie ou ombrophile tropicale primitive à *gommiers blancs*, *bois-côtes*, *châtaigniers* et magnolias, caractérisée par ses grands arbres (35 m) à contreforts puissants et ses nombreux épiphytes.

LES PAPILLONS

HISTORIS ODIUS
Ce grand papillon
peut atteindre
13 cm d'envergure.

**BATTUS
POLYDAMAS**

DRYAS IULIA

PHOEBIS SENNAE
Piéride courante.

JUNONIA EVARETE
Se pose souvent sur les sols nus.

ANARTIA JATROPHEA

Les papillons de jour
peuvent être observés
toute l'année.
Les endroits les plus
fréquentés sont
les lisières des forêts,
les bordures des
chemins, les savanes,
et les jardins fleuris.
Il ne faut pas
s'attendre à voir de
magnifiques *Morphos*
comme en Guyane
à moins de visiter
un papillonarium.
En revanche,
les papillons
nocturnes sont très
nombreux : citons
parmi eux l'énorme
noctuelle noire,
papillon-deuil, le plus
grand sphinx des
Antilles (20 cm) dont
la chenille vit sur
les corossoliers.

ANAEA VERTICORDIA

AGRAULIS VANILLAE

DIONE JUNO
Vit dans les zones
de moyenne altitude,
au nord de l'île.

HYPOLIMNAS MISIPPUS
Nymphalide originaire d'Afrique.

**DANAUS
PLEXIPPUS
OU MONARQUE
NORD-AMÉRICAIN**
Ci-contre et à droite.
Il affectionne les
savanes humides.

La femelle de cette espèce
pond sur une Asclépiadacée ou *herbe
à Madame Boivin*, petite plante
au suc laiteux vénéneux.

HISTOIRE

La période archaïque

4000 av. J.-C. Première phase. Les premiers habitants des îles viennent d'Amérique centrale et du delta de l'Orénoque, en Amérique du Sud. Ils vivent de chasse, de pêche et de cueillette et sillonnent la mer des Caraïbes dans de grands canots faits d'un seul tronc d'arbre (monoxyles).

Carte du bassin de la Caraïbe, par Théodore de Bry, à la fin du XVIe siècle.

À Cuba et à Saint-Domingue, certains exploitent la forêt et recherchent à l'intérieur des terres les meilleurs gisements de silex. Celui-ci sert à fabriquer de grandes lames qu'ils utilisent pour abattre et travailler le bois dont ils tirent leurs embarcations. D'autres s'installent à proximité des rivages, près des zones de mangrove qui leur fournissent crustacés, coquillages, gibier à plume, iguanes, etc.

Le pavillon du *lambi*, a servi depuis la plus haute antiquité à l'élaboration d'outils.

2000 av. J.-C. Deuxième phase. À cette époque, les différences entre groupes se sont estompées. L'homme préhistorique antillais, qui vit peut-être son premier métissage, séjourne désormais sur le bord de mer et en retire l'essentiel de sa subsistance. Il pêche les grands gastéropodes marins connus actuellement sous le nom de *lambis* ■ 32 et consomme des quantités considérables d'huîtres de palétuviers. Néanmoins, il demeure nomade, se déplace d'une île à l'autre et fabrique des haches et divers outils en pierre polie et en gros coquillage.

La période formative

100 av. J.-C. Agriculture et céramique. Des groupes d'agriculteurs venus des environs du delta de l'Orénoque, commencent à remonter les Antilles d'île en île, à partir de Trinidad. Leur migration n'atteindra le milieu de l'arc antillais, à Puerto Rico, que vers 300 ap. J.-C.

«Caribs» «Carribales» «Cannibales», un nom devenu synonyme d'anthropophagie. L'imaginaire européen, tout empreint de visions diaboliques héritées d'un Moyen Âge encore tout proche, s'est complu à représenter les Indiens Caraïbes comme une sous-humanité. Ce «banquet anthropophage» (à droite) les montre sous un jour particulièrement peu flatteur. La puissance évocatrice de telles images n'a pas été sans contribuer à leur extermination rapide.

Ces Arawaks, ainsi nommés du fait de leur appartenance à la famille linguistique portant actuellement ce nom, cultivent de nombreuses espèces végétales domestiquées depuis longtemps sur le continent. Ils apportent aussi avec eux la connaissance de la céramique et continuent de produire pendant plus de dix siècles les mêmes types de poteries qu'ils faisaient sur le continent. Nous connaissons encore mal les conditions de leur co-existence avec les nomades pêcheurs-cueilleurs.

LA PÉRIODE CARIBÉENNE

300. ADAPTATION AU MILIEU INSULAIRE.

Les cultivateurs arawaks complètent leur colonisation des îles jusqu'à Cuba. Au cours de cette première phase de la période caribéenne, ils se mélangent à la plupart des groupes de chasseurs-pêcheurs, donnant lieu au deuxième grand phénomène de métissage. L'âge d'or des Antilles précolombiennes est en marche.

700. LES TAÏNOS.

Pendant cette deuxième phase de la période caribéenne, une nouvelle civilisation voit le jour, celle des Taïnos.

Les peuples précolombiens antillais ont désormais un mode de vie totalement adapté à leur environnement. Installés dans des villages organisés en chefferies, ils cultivent la terre, exploitent toute la faune marine du littoral, pêchent en haute mer et commercent sur de longues distances couvrant ainsi tout le bassin de la Caraïbe. Ce sont des insulaires accomplis.

900. PHASE FINALE DE LA PÉRIODE CARIBÉENNE.

Leur poterie utilitaire est devenue plus sobre, mais ils ont développé parallèlement un art extraordinaire de la sculpture sur pierre, sur bois et en coquillage. Cet art parle des ancêtres divinisés, les *zémis*, des esprits de la nature, les *mabouyas* et d'une infinité de héros et de divinités dont les noms ont été perdus. Les Taïnos pratiquent le rituel du «jeu de balle», comme leurs voisins mexicains du continent. Ils utilisent à cet effet des représentations de divinités, véritables œuvres d'art en pierre sculptée et ornée d'incrustations de jade, de corail, d'or et d'autres matériaux précieux.

L'ÉPOQUE HISTORIQUE

VERS 1350.

On ignore encore pour quelles raisons, des groupes de Caraïbes venus du continent commencent à conquérir les Petites Antilles. Ils vouent une haine implacable à leurs prédécesseurs de langue arawak. Agriculteurs, tout comme eux, ils viennent également des marges de l'Amazonie et possèdent une parfaite maîtrise du milieu marin.

La différence, c'est que ce sont des guerriers. Chez eux, l'anthropophagie, que toutes les cultures néolithiques du monde ont plus ou moins pratiquée, a valeur d'instrument de pouvoir. Leur cruauté affichée fonctionne admirablement et ils conquièrent, en moins de cinq générations, l'ensemble des Petites Antilles. Cantonnés sur les grandes îles, les Taïnos subissent de temps à autre leurs assauts et ne doivent leur survie qu'à leur organisation politique complexe et à un état d'alerte permanent. En asservissant les femmes arawaks, les Caraïbes instituent leur descendance et le troisième grand métissage se réalise dans les Petites Antilles.

Ci-dessus, à gauche, l'un des poissons les plus recherchés des Antilles : la *carpe* ou poisson perroquet.

La faune aviaire est très riche en perroquets, tel celui ci-dessus, originaire de l'Amazone.

Le trigonolithe (ci-dessous), ou pierre à trois pointes, est l'une des productions les plus typiques des civilisations antillaises précolombiennes. Celui-ci appartient à la culture taïno des grandes îles (1300-1400 ap. J.-C.).

Arme favorite des guerriers caraïbes, d'après les sources historiques, le *boutou* était une redoutable massue tranchante en bois tropical, dont la dureté était équivalente à celle du métal.

● Histoire précolombienne de la Martinique

1. Fragment d'hameçon en coquillage.
2. Élément de parure fait d'un bivalve percé.
3. Outil sur éclat de jaspe rouge.

Pourtant, ils vont s'allier très vite à leurs ennemis jurés… pour combattre le nouvel envahisseur, l'Européen.
Il ne vient pas seulement leur imposer sa domination physique : il détruit leurs dieux.
Ce faisant, il met fin à plusieurs millénaires d'une lente et profonde alliance entre l'amérindien antillais et sa nature.

Quelques-uns des sites archéologiques les plus importants de Martinique :
1. Ruines de Saint-Pierre.
2. La Pagerie.
3. Habitation Anse Latouche.
4. Habitation Crève-Cœur.
5. Habitation Fonds-Saint-Jacques.
6. Habitation Dizac.
7. Habitation Fonds-Rousseau.
8. Plage de Dizac.
9. Anse Figuier.
10. Vivé.
11. Fonds-Brûlé.
12. Montravail.
13. Épave du *Cygne*.
14. Épave du *Roraima*.
15. Anse Trabaud.
16. Macabou.
17. Roche à Bon Dieu.
18. Galion.
19. «Château» Dubuc.
20. Habitation Pécoul.

DES TÉMOIGNAGES

DE LA PÉRIODE ARCHAÏQUE

L'histoire précolombienne de la Martinique suit le cours général des événements survenus dans l'ensemble de l'arc antillais, avec, bien entendu, ses particularismes liés à l'insularité. Si les sites de Boutbois et de Goudinot, aux alentours du Carbet, témoignent des premières migrations préhistoriques, vers 4000 av. J.-C., on ignore cependant encore de quand datent les roches gravées de Sainte-Luce ▲ *322* et du Galion. Mais il est probable qu'elles remontent à la longue période d'occupation de l'île par les pêcheurs-cueilleurs, cette période archaïque, qui dure ici jusqu'aux alentours de 100 av. J.-C.

FONDS-BRÛLÉ ET VIVÉ. Les premières migrations des populations agricoles apparaissent à cette époque, à Fonds-Brûlé, dans la commune du Lorrain. Elles correspondent à la période formative, qui dure jusqu'en 300 ap. J.-C. et que l'on retrouve dans le site voisin de Vivé ▲ *260*, ancien village d'agriculteurs, détruit par une pluie de cendres du volcan de la Pelée, en 295 de notre ère.

LE SITE DU DIAMANT. Le métissage que nous avons déjà signalé dans l'ensemble des Antilles, entre pêcheurs-cueilleurs et agriculteurs, se produit ici aussi entre 300 et 700 ap. J.-C. Parmi les nombreux sites relevant de ce phénomène, signalons celui du Diamant ▲ *313*, qui montre l'évolution progressive du mode de vie agricole vers une civilisation d'agriculteurs-pêcheurs proprement antillais. Le ramassage des coquillages, la fabrication de haches et d'herminettes en utilisant les pavillons épais des conques marines (*lambis*) ■ *32* sont entrés en jeu.

MACABOU ET PAQUEMAR. Comme ailleurs dans la Caraïbe insulaire, cette nouvelle civilisation va s'affirmer progressivement, jusqu'au milieu du XIVe siècle. Cette période est dite «caribéen final». À Macabou ▲ *293*, à Paquemar ▲ *293*, les poteries deviennent plus sobres, leurs formes et leurs décors se simplifient et l'exploitation de la faune de mangrove est totale. Pourtant, on est loin d'atteindre le degré de sophistication des Taïnos des Grandes Antilles. Les Caraïbes avaient-ils déjà commencé des raids sporadiques dans les petites îles ? Les dimensions de celles-ci et, de ce fait, leur démographie, ont-elles limité leur développement ? On ne sait pas.

Support en forme de cylindre représentant un *manicou* et provenant de Vivé (vers 300 ap. J.-C.).

LES INDIENS CARAÏBES

De même qu'il est fort difficile d'identifier avec précision les traces des Caraïbes, à partir de leur arrivée.
Bien que guerriers, il faut se souvenir, en effet, que ceux-ci étaient aussi des agriculteurs au même titre que les Arawaks. En outre, ils ont réduit ces derniers en esclavage et assuré leur descendance en prenant leurs femmes si l'on en croit les textes historiques. En réalité, ils n'ont fait qu'imposer leur propre pouvoir. Jusqu'à une date récente, on a cru que les changements survenus dans les styles de poteries du caribéen final étaient dus à l'arrivée des Caraïbes. Or, ces modifications ont eu lieu également dans les Grandes Antilles et nous savons qu'elles sont dues aux Taïnos.

Photo de famille dans le goût «fin de siècle», montrant des Indiens Caraïbes amenés comme curiosités à l'Exposition universelle de Paris.

RÉSISTANCE ET EXTERMINATION.

Il est clair que les Caraïbes ont opposé une résistance farouche aux Européens, en peuple guerrier qui avait établi depuis peu de temps

sa propre domination dans ces contrées. Ceci explique surtout pourquoi ils ont été progressivement éliminés à l'occasion de l'installation tardive des Français à la Martinique, en 1635. Bien qu'il ne se soit pas produit de conflit particulier au départ et qu'ils aient été, au contraire, fort bien accueillis, semble-t-il, par les Caraïbes de la Martinique, Belain d'Esnambuc et ses hommes, en prenant possession de l'île au nom du roi de France, ne venaient pas pactiser avec les Indiens mais coloniser leurs terres.

Scène représentant la résistance des Indiens face à l'envahisseur espagnol.

Une famille caraïbe de l'île de Saint-Vincent ▲ 326, photographiée au début du XXe siècle.

LE CREUSET GÉNÉTIQUE.

Jusqu'à la fin du XVIIe siècle, les Caraïbes résistèrent tant bien que mal aux Européens, les deux communautés alternant leurs expéditions punitives en représailles des actions menées par l'une ou l'autre partie. En fin de compte, il ne resta que quelques rares familles, réfugiées dans des criques de la côte atlantique. Certaines suivirent à différents moments l'exode général de leur peuple vers les îles voisines et vers le continent. Les autres se sont probablement mélangées peu à peu aux Français et aux Africains qui occupèrent toute l'île.

● INDIENS CARAÏBES

Pirogue de fleuve
utilisée sur
l'Orénoque.

Les Caraïbes ou Kalinas, dont le nom signifie «guerriers», étaient des groupes nomades qui colonisèrent les Petites Antilles vers le XIVᵉ siècle de notre ère. Une fois installés dans les îles, ces peuples semi-nomades vécurent de la culture du manioc, de pêche et de chasse. Leur hiérarchie était fondée sur les valeurs guerrières et l'aptitude à la navigation.

HABITAT ET VÊTEMENT

Les villages caraïbes de bord de mer étaient constitués de huttes en bois ou *carbets*, abritant les activités quotidiennes des familles, ainsi que d'une *mouina* collective. Le vêtement de leurs habitants consistait en quelques parures de graines colorées et de coquillages. Le corps était enduit d'une peinture végétale, le *roucou*, tirée du *Bixa orellana* ou *roucouyer*.

LE LAMANTIN

Herbivore et pacifique, ce mammifère a entièrement disparu de Martinique.

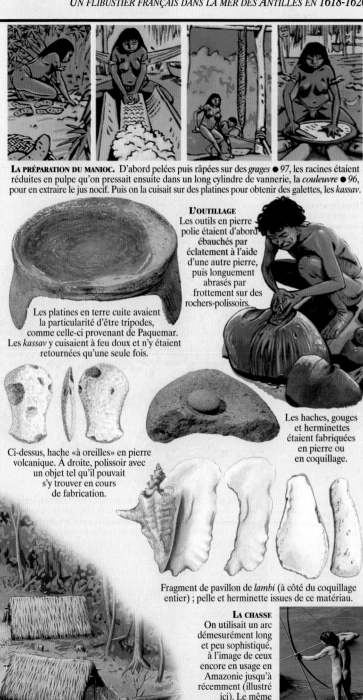

«ILS SONT PLUTÔT PETITS QUE GRANDS MAIS FORT ADROITS ET ROBUSTES. LES HOMMES ET LES FEMMES SONT BEAUX DE VISAGE ET NULLEMENT SUJETS AUX DÉFAUTS DE NATURE [...].»

UN FLIBUSTIER FRANÇAIS DANS LA MER DES ANTILLES EN 1618-1620

LA PRÉPARATION DU MANIOC. D'abord pelées puis râpées sur des *grages* ● *97*, les racines étaient réduites en pulpe qu'on pressait ensuite dans un long cylindre de vannerie, la *couleuvre* ● *96*, pour en extraire le jus nocif. Puis on la cuisait sur des platines pour obtenir des galettes, les *kassav*.

L'OUTILLAGE
Les outils en pierre polie étaient d'abord ébauchés par éclatement à l'aide d'une autre pierre, puis longuement abrasés par frottement sur des rochers-polissoirs.

Les platines en terre cuite avaient la particularité d'être tripodes, comme celle-ci provenant de Paquemar. Les *kassav* y cuisaient à feu doux et n'y étaient retournées qu'une seule fois.

Les haches, gouges et herminettes étaient fabriquées en pierre ou en coquillage.

Ci-dessus, hache «à oreilles» en pierre volcanique. À droite, polissoir avec un objet tel qu'il pouvait s'y trouver en cours de fabrication.

Fragment de pavillon de *lambi* (à côté du coquillage entier) ; pelle et herminette issues de ce matériau.

LA CHASSE
On utilisait un arc démesurément long et peu sophistiqué, à l'image de ceux encore en usage en Amazonie jusqu'à récemment (illustré ici). Le même instrument servait au fléchage des gros poissons en rivière.

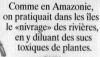

Comme en Amazonie, on pratiquait dans les îles le «nivrage» des rivières, en y diluant des sucs toxiques de plantes.

Lambis ■ *32*, crabes et oursins étaient l'objet d'une exploitation systématique.

EXPLOITATION DU MILIEU NATUREL
Arrivant de la forêt amazonienne et découvrant peu à peu l'extraordinaire richesse alimentaire de leur nouvel habitat, les lointains ancêtres des Amérindiens antillais n'ont pas manqué d'en tirer profit. Les grandes écrevisses d'eau saumâtre, les crabes, les oursins,

les *lambis* et les grandes tortues de mer y vivaient en abondance. Comme le montrent les débris recueillis lors des fouilles, leur exploitation était limitée et réglementée par des traditions. Ainsi le stock se reproduisait sans difficultés. La chasse avait une grande importance. Le gibier était conservé par boucanage (technique de séchage puis de fumage de la viande), une pratique traditionnelle des Amérindiens d'Amérique.

LA SUBSISTANCE. Basée sur le manioc, elle était complétée par la pêche (à l'arc et à la nasse ● *128*), par la chasse aux oiseaux, reptiles, et petits mammifères, par la collecte marine et par la cueillette de baies, feuilles et racines.

UN USAGE DU *CARBET*. Des huttes non domestiques étaient disséminées à travers les territoires de subsistance, pour être utilisées selon les besoins.

LA NATURE DANS L'ORNEMENT
Les vases de l'antiquité antillaise
étaient souvent décorés d'adornos
▲ *199*, représentant des éléments
de l'environnement naturel.

ÉMOUVANT VESTIGE
Malgré le lissage, la
paroi de cette poterie
ancienne (ci-dessous)
laisse apparaître
les colombins, témoins
d'une très ancienne
technique.

LA TECHNIQUE DU COLOMBIN. Les poteries étaient modelées
non pas au tour mais au colombin, c'est-à-dire par superposition
de rouleaux d'argile. Les parois étaient égalisées avec un racloir
et mises à sécher avant d'être décorées.

Ci-dessous,
une poterie
contemporaine.

UN ART VARIÉ
Selon les époques,
on a produit
des poteries
aux formes et
aux décors différents,
tel cet adorno et
ce vase-bouteille
à panse carénée
retrouvés dans
les fouilles de
Fonds-Brûlé. Ce grand
vase polychrome
(ci-contre) servait à
préparer la boisson
alcoolisée rituelle,
le *ouicou*.

D'EXCELLENTS VANNIERS
Les peuples
précolombiens
des Antilles étaient
comme leurs lointains
ancêtres amazoniens,
des vanniers
accomplis.
Des paniers d'usage
courant, de toutes
tailles, des plateaux,
tamis, hottes
de portage, ainsi
que les fameuses
couleuvres à manioc
● *96*, dans lesquelles
on pressait le tubercule
râpé, faisaient partie
de leurs fabrications
habituelles.

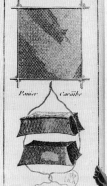

Le traitement
de suface
des vases avait
un double
objectif, à
la fois utilitaire
et esthétique.

OUVRAGES D'HOMMES
«Ce sont les hommes
qui font les paniers
et autres ouvrages
de cette espèce pour
vendre et pour se
procurer les choses
dont ils ont besoin.»
J.-B. Labat

LE TRESSAGE MODERNE. Ce panier
(ci-contre) est fabriqué au Morne
des Esses ▲ *256* d'après une
technique héritée des Caraïbes.

LE MON=

CHRISTOPHE COLOMB

Portrait présumé de Christophe Colomb dont l'apparence physique demeure incertaine.

Août 1492-mars 1493
Premier voyage de Christophe Colomb.

Septembre 1493-juin 1496
Deuxième voyage.

Mai 1498-novembre 1500
Troisième voyage.

Mai 1502-novembre 1504
Quatrième voyage.

À droite, la *Santa Maria* entre la *Pinta* et la *Niña*.

LA DÉCOUVERTE DU NOUVEAU MONDE.

Le 3 août 1492, fort de ses erreurs sur la distance à parcourir et de ses intuitions, Christophe Colomb quitte Palos, en Espagne, pour atteindre Cipango «la ville aux tuiles d'or», le Japon selon Marco Polo. Chemin faisant, peut-être fera-t-il escale dans une de ces îles qui peuplent l'imaginaire des Européens : Saint-Brendan, Sept-Cités, Antilla ? De fait, le 12 octobre, l'Ancien et le Nouveau Monde se rencontrent à Guanahani, dans l'archipel des Bahamas, devenue San Salvador, puis Watling. Persuadé d'avoir touché l'archipel japonais, l'amiral fait ensuite route vers le sud. Ne trouvant pas les villes espérées à Cuba, il reprend espoir le 26 novembre lorsque, à l'évocation du Grand khan, ses interlocuteurs horrifiés désignent la direction de l'est en articulant un terme perçu comme *caniba* ou *canima*. Sons et signes donnant l'image de mangeurs d'hommes à face de chien – bien connus dans la culture européenne –, les Espagnols estiment être en Asie. L'Europe nommera îles Cannibales, Petites Antilles ou îles du Vent, ces îles qu'elle vient de découvrir à la suite d'une succession de malentendus.

D'HISPANIOLA AUX AMAZONES.

Le 13 janvier 1493, dans l'île baptisée Hispaniola, aujourd'hui Haïti et Saint-Domingue, Colomb distingue mieux cette fois le nom de Cariba qui désigne les habitants d'une île située au sud-est. L'évocation des longues absences des hommes, en partie dues aux expéditions qu'ils entreprennent, à la rame, pour capturer les Taïnos, ailleurs appelés Arawaks, se superposant à d'autres images, Martinino est alors perçue comme l'île aux femmes, l'île des Amazones. Nos découvreurs remettent cette exploration à plus tard et rentrent en Espagne en mars 1493.

À TRAVERS LES PETITES ANTILLES.

Le 25 août 1493, la seconde expédition transatlantique se dirige droit sur les Caraïbes. Le 2 novembre, un dimanche, elle donne son nom à la Dominique. La côte occidentale de celle-ci étant peu accessible, la flotte fait escale le 3 à Marie-Galante. Le 4, après avoir repéré Tous-les-Saints (Les Saintes), elle s'arrête à Sainte-Rose ou Deshaies, dans l'île de Sainte-Marie-de-la-Guadeloupe. Là, quelques rares hommes, surtout des prisonniers émasculés attendant d'être mangés, se font remarquer au milieu des femmes. Reparti pour Hispaniola, Colomb baptise les îles du nord de l'archipel. Quelques localisations sont encore incertaines, mais on peut admettre que le 10 il aperçoit Monserrat, Sainte-Marie-la-Ronde

«L'amiral déploya la bannière royale» et prit possession de l'île.

1493
Bulle Inter coetera.

1494-1559
Guerres d'Italie.

Terre Ferme : cette expression oppose le continent aux îles dans la région allant des Guyanes à l'Amérique centrale.

Homme (page de gauche) et femme (ci-dessous) caraïbes dessinés par le père Plumier ● *66.*

(Nevis) et Sainte-Marie-d'Antigue. Viennent ensuite Saint-Georges (Saint-Christophe), Santa Anastasia (Saint-Eustache), et Saint-Christophe (Saba). Dans la nuit du 11 novembre, il s'arrête en vue de Saint-Martin. Le 12, il repère Sainte-Croix. Le 14, il navigue près des Onze-Mille-Vierges (îles Vierges), avant d'arriver à Saint-Jean-Baptiste (Puerto Rico). La route suivie ne lui a pas permis d'apercevoir Barbude, Saint-Barthélemy et Anguille.

TRINIDAD ET LA MARTINIQUE. Lors du troisième voyage, après avoir abandonné le projet de se porter au sud de l'Équateur, Colomb arrive le 31 juillet 1498 à Trinidad. Il effleure la Terre Ferme, qu'il prend pour une région voisine du paradis terrestre que l'on croit alors en Asie. Après avoir aperçu Saint-Vincent, ou Grenade, d'abord île de l'Ascension, il repère quelques-unes des îles proches du Venezuela et s'élance vers le nord-ouest, en direction d'Hispaniola, d'où il repartira chargé de chaînes en 1500. La quatrième expédition, partie de Cadix le 9 mai 1502, arrive dans la matinée du 15 juin à Joannacaira, l'«île aux iguanes». Le nom actuel de Martinique, inspiré de celui donné par les Taïnos, Martinino n'a donc rien à voir avec saint Martin, fêté le 11 novembre. Empruntant le canal qui sépare les deux îles, Colomb a alors vu Sainte-Lucie. Il a pu également apercevoir Saint-Vincent, sans soupçonner l'existence de la Barbade, ni celle des Grenadines ▲ *327.*

UNE MER ESPAGNOLE. Toute cette région appartient aux Espagnols. En effet, forts des indications données en 1493 par Christophe Colomb, Ferdinand et Isabelle mettent à profit l'élection récente d'un pape d'origine espagnole, Alexandre VI (1492-1503), pour obtenir des concessions. La bulle *Inter coetera* leur accordera le monopole de la navigation et le droit exclusif d'occuper les territoires situés au-delà d'une ligne nord-sud passant à cent lieues à l'ouest du cap Vert et des Açores, possessions du Portugal. Ce pays, disposant par ailleurs de privilèges comparables pour l'Afrique depuis 1455, engage des négociations avec son concurrent. Car, pour atteindre le cap de Bonne-Espérance,

ALEXANDER. VI. PAPA. VALENTINVS. Hisp.

1494
Traité de Tordesillas.

Le traité de Tordesillas
est le nom donné
à l'accord entre
l'Espagne et
le Portugal, le seul
vraiment reconnu dans
la région par le Brésil
et le Venezuela ;
il est encore
responsable de
problèmes susceptibles
de remettre
en cause l'existence
du Surinam,
du Guyana et de
la Guyane française.

en évitant les calmes équatoriaux du golfe de Guinée, il faut
passer l'équateur très loin vers l'ouest, avant de revenir à l'est
poussé par l'alizé de l'hémisphère sud. En juin 1494, le traité
de Tordesillas ayant reporté la ligne à 370 lieues à l'ouest
des îles du Cap-Vert, le Brésil, découvert officiellement en 1500
par Pedro Alvares Cabral, fait ainsi partie du domaine portugais.

DES ESCALES POUR LES FLOTTES ESPAGNOLES.

Dépourvues de ressources minières, les Petites Antilles
offrent peu d'intérêt aux yeux des Espagnols. Toutefois,
elles ne restent pas à l'écart des mouvements maritimes
qui suivent la découverte du Nouveau Monde. Leur position
en fait des lieux privilégiés d'escales pour ceux qui,
avec ou sans autorisation de l'Espagne ou du Portugal,
vont vers le nord, ou reviennent du sud de l'Équateur.
Les flottes espagnoles les traversent tous les ans, mais
tant qu'elles n'ont pour but que
les Grandes Antilles, elles ne s'arrêtent
pas obligatoirement. Depuis 1540,
la flotte de la Nouvelle-Espagne
– le Mexique – y relâche à la fin
du printemps avant d'entreprendre
un mois supplémentaire de navigation.

perroquetes

1497
*L'Italien Cabot explore
le Labrador et Terre-
Neuve pour les Anglais.*

À compter de 1564, la flotte de Terre Ferme, destinée
à Carthagena, en Colombie, arrive plus tard. À l'aller,
la Dominique et la Guadeloupe sont les escales habituelles.
Le retour se fait par La Havane, à Cuba.

DES ESPAGNOLS AUX NOUVEAUX COLONISATEURS

1505
*Le Français
Paulmier de Gonneville
va au Brésil.*

1506
*Décès de Christophe
Colomb.*

1519
*Cortés conquiert
le Mexique.*

1531
*Pizarre débarque
au Pérou.*

LES CARAÏBES : ÉCHANGES ET CONFLITS.

Les Espagnols n'installeront d'établissements permanents
qu'au XVIIe siècle, à Saint-Martin et à Trinidad. On a coutume
d'insister sur leurs relations conflictuelles avec les Caraïbes :
incidents lors d'escales, raids traditionnels contre Puerto Rico
ou la Margarita pour enlever des prisonniers, représailles
espagnoles, ou simple recherche d'esclaves, mais il ne faut
pas sous-estimer les échanges. La hache de fer remplace
la hache de pierre. La voile est adoptée dès le début du
XVIIe siècle. Et, grâce aux commerçants et aux prisonniers,
les Caraïbes communiquent avec les étrangers au moyen
d'une langue très hispanisée. Enfin, il faut signaler ce fait
majeur : l'apparition des premiers esclaves noirs ● 86.

HOLLANDAIS, ANGLAIS ET FRANÇAIS.

En 1492,
Anglais et Français n'avaient accordé que peu d'attention
aux propositions faites par Barthélemy Colomb, au nom de
son frère, alors que celui-ci désespérait d'obtenir l'appui
de l'Espagne ou du Portugal. Cependant, l'Europe
du Nord-Ouest ne tourne pas complètement le dos à
l'Atlantique. À partir de 1516, à la faveur de l'accession
de Charles Quint au trône d'Espagne, les Hollandais

participent au commerce américain. Gênées par la bulle *Inter coetera* et le traité de Tordesillas, la France et l'Angleterre n'en prennent pas moins quelques initiatives directes, ou masquées par des entreprises privées. Dès 1497, à la recherche d'un passage au nord-ouest, l'Italien Jean Cabot explore le Labrador pour le compte des Anglais. En 1505, le Français Jean Paulmier de Gonneville «trafique» pendant six mois sur les côtes du Brésil. François Ier revendique la liberté des mers et pose pour principe que seules sont possédées les terres effectivement occupées. En 1524, il envoie l'Italien Verrazano explorer les côtes de l'Amérique du Nord, à la recherche d'un passage vers l'océan Pacifique. En 1559, profitant du traité du Cateau-Cambrésis, Henri II (1547-1559) introduit une clause verbale, la «ligne des amitiés», méridien au-delà duquel les traités signés en Europe n'ont plus cours. À Vervins en 1598, cette notion réapparaît dans les négociations.

Brigantin et barque utilisés par les flibustiers.

LES FLIBUSTIERS. Les guerres de religion détournant l'État français de toute continuité d'action en Amérique, restent les marchands-contrebandiers-pirates, dits flibustiers. Depuis le milieu du XVIe siècle, les Petites Antilles servent de base-relais à ces aventuriers. À l'occasion d'une tentative

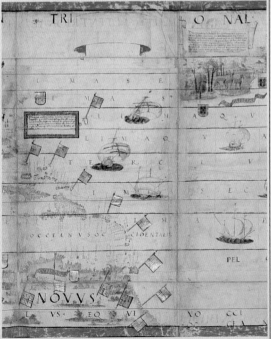

Freebooter, *vrijbuiter*, «fait du butin librement», donne en français flibustier.

1579
Formation des Provinces-Unies.

1556-1598
Règne de Philippe II.

1580-1640
Union du Portugal et de l'Espagne.

1588
Désastre de l'Invincible Armada.

1562-1598
Guerres de religion.

1598
Édit de Nantes et traité de Vervins.

de colonisation de la Floride, Laudonnière (ci-contre) fait escale à la Dominique en 1564. En 1604, La Ravardière, de retour d'Amazonie, en fait autant à Sainte-Lucie ▲ *324*. En 1567, l'Anglais Hawkins y fait de l'eau. En 1572, Drake se repose dans l'archipel avant d'aller attaquer le convoi qui transporte l'or du Pacifique à l'Atlantique par l'isthme de Panama, etc.

Guerre ou paix. L'ennemi commun étant l'Espagnol ou le Portugais, l'un et l'autre relevant de la même couronne de 1580 à 1640, les autres nations évitent de se faire la guerre en Amérique, et réussissent généralement à maintenir de bonnes relations avec les Amérindiens. Toutes recherchent des bois de teinture, dits bois de Brésil, ou achètent des vivres, du coton et du pétun (tabac). Du côté français, en 1619-1620, le cas du capitaine Fleury et de ses soixante hommes d'équipage est typique. Au retour d'une expédition malheureuse contre le Brésil, ils vivent intimement avec les Caraïbes de la Martinique et de la Dominique, qui les nourrissent pendant onze mois.

1622
Colonisation de la Barbade par les Anglais.

Vers le partage des îles. Corollaire de la guerre permanente contre les signataires du traité de Tordesillas, la politique de neutralité au-delà de la ligne des amitiés ne résiste pas à l'installation de colonies. Les problèmes commencent avec les Caraïbes lorsque, pour assurer la régularité du trafic, les nouveaux venus occupent le sol et cultivent eux-mêmes. D'Esnambuc et Warner, fondateurs des colonies française et britannique de Saint-Christophe en 1626-1627, font partie de ces aventuriers qui fréquentent l'île depuis 1620 au moins. Vers 1623, le second y installe une petite colonie. En 1626, on y dénombre ainsi quatre-vingt Français, dont d'anciens compagnons de d'Esnambuc. Ils possèdent déjà une quarantaine d'esclaves. Avant de convaincre leurs gouvernements respectifs de reconnaître leurs colonies, d'Esnambuc et Warner massacrent les Indiens Caraïbes de Saint-Christophe. Lors de la rédaction de l'acte de partage de l'île en mai 1627, ils se liguent contre deux ennemis permanents : l'Espagnol et l'Amérindien. Les hostilités avec les Caraïbes durent jusqu'au traité de 1660 qui leur reconnaît la propriété de la Dominique et de Saint-Vincent. Cet accord tripartite ne sera remis officiellement en question qu'au traité de Paris de 1763.

Né à Allouville, en 1585, Pierre Belain d'Esnambuc (ci-dessus), troisième enfant d'une famille de petite noblesse, part chercher fortune sur les mers. Il arrive aux Antilles en 1603 et meurt à Saint-Christophe en 1637.

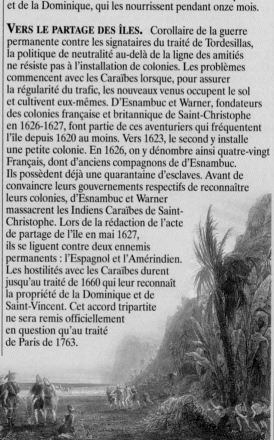

« DE QUOI LES NÔTRES [...] EN CRIANT TOUJOURS «FRANCE BON,
FRANCE BON», ET AUSSI ABORDÈRENT À TERRE OÙ
ILS FURENT FORT HUMAINEMENT REÇUS DESDITS SAUVAGES.»

UN FLIBUSTIER DANS LA MER DES ANTILLES EN 1618-1620

LE XVIIᵉ SIÈCLE

LA COMPAGNIE DES ISLES D'AMÉRIQUE. Frappé
par l'efficacité de la Compagnie hollandaise, Richelieu,
qui s'est fait nommer chef, grand-maître et surintendant
du Commerce de France, crée en octobre 1626 la Compagnie
des Isles d'Amérique, dite de Saint-Christophe. Celle-ci
ayant périclité, il passe, en 1635, un nouveau contrat
avec la Compagnie et la fait reconnaître
par Louis XIII. C'est sous l'égide de celle-ci
que la Guadeloupe est colonisée par L'Olive,
ex-second de d'Esnambuc, et Du Plessis.
Sans autorisation, et bravant avec une centaine
de compagnons l'interdiction de soustraire
des hommes de Saint-Christophe, d'Esnambuc
entreprend la colonisation de la Martinique
et y désigne un gouverneur, Du Pont, qui
est vite capturé par des Espagnols. Nommé
par son oncle d'Esnambuc, Du Parquet
gouverne pour le compte de la Compagnie de 1636
à septembre 1650, date à laquelle il achète la Martinique,
Sainte-Lucie, les Grenadines et Grenade. À sa mort,
en 1658, pour prévenir des troubles, son épouse laisse envahir
la moitié de l'île, réservée jusque-là aux Caraïbes.

COMMERCE ET COLONISATION. En 1661, le début
du règne personnel de Louis XIV met la centralisation
à l'honneur. La doctrine économique, tout aussi mercantiliste
qu'en Angleterre, vise à organiser le commerce extérieur
de manière à accroître le stock monétaire considéré comme
richesse essentielle. Quelques hésitations sont perceptibles :
traité de commerce en 1662 avec les Provinces-Unies,
mais aussi envoi, en 1664, du lieutenant général Prouville
de Tracy avec une vision globale de la colonisation.
En avril, le roi décide le rachat des îles. En mai, tout en
se réservant la nomination du lieutenant général, il confie
l'opération de rachat à la Compagnie française des Indes
occidentales, qui interdira tout commerce avec l'étranger.
C'est le régime de l'Exclusif.

LE RATTACHEMENT À LA COURONNE. Les conflits
font resurgir l'idée d'un contrôle direct par la monarchie.
La guerre de Dévolution (1666-1668) embrase l'archipel.
En 1666, après un échec à Saint-Pierre, Lord Willoughby
se dirige vers la Guadeloupe. Un ouragan détruit sa flotte.
L'année suivante, les combats devant Saint-Pierre durent du
29 juin au 11 juillet. L'intervention de la marine et des troupes
royales renforce l'influence
du lieutenant général.
En 1668, Baas s'installe
à la Martinique, moins
vulnérable que Saint-
Christophe. En 1674,
la guerre contre
les Provinces-Unies
(1672-1678) entraîne le rattachement au domaine royal.
Un des épisodes les plus célèbres de ce conflit est l'échec,
en juillet 1674, de la puissante flotte de l'amiral Ruyter
devant le fort Royal ▲ *184*, défendu par une centaine

Armand Jean
Du Plessis, cardinal de
Richelieu (1585-1642).

Médaille
commémorative :
à l'avers, Louis XIV,
roi très chrétien ; au
revers, le fait du jour.

1621
*Compagnie
hollandaise des
Indes occidentales.*

1635
*Colonisation
de la Martinique
par d'Esnambuc.*

1643
Décès de Louis XIII.

1674
*Rattachement
de la Martinique
au domaine royal.*

L'amiral Ruyter.

1666-1668
Guerre franco-anglaise, dite de Dévolution.

1672-1678
Guerre franco-hollandaise.

Frère prêcheur (dominicain) et narrateur intarissable, le R. P. Labat ● *68* (1663-1738) a parcouru les Antilles de 1693 à 1705.

1688-1697
Guerre de la ligue d'Augsbourg.

de colons et deux petits navires : à vingt contre un, les Hollandais n'insistent pas et donnent une nouvelle occasion à Louis XIV de faire frapper une médaille à sa gloire.

UNE ÎLE SUR LA DÉFENSIVE. La Martinique étant concernée par tous les conflits opposant la France à l'Angleterre, la guerre en a façonné le paysage architectural, particulièrement autour de la baie de l'actuelle Fort-de-France, anciennement ville du Fort-Royal. Le fort Saint-Louis ▲ *201*, ex-fort Royal, a été construit pendant plus de deux siècles et demi. Le fort Desaix, ancien fort Bourbon, date pour l'essentiel du règne de Louis XV. Leur défense est confiée à des troupes royales. La marine apparaît de façon intermittente car la défense des îles peut se faire en assurant la sécurité des convois. Sur place, flibustiers et miliciens, blancs ou de couleur, servent en première ligne, de l'adolescence à la vieillesse. En temps de paix, les esclaves participent à la construction et à l'entretien des fortifications ● *134*. Dans les combats, ils deviennent des auxiliaires de plus en plus prisés.

ÉCONOMIE ET SOCIÉTÉ SOUS L'ANCIEN RÉGIME. Exception faite des cultures vivrières (essentiellement le manioc), les premiers colons cultivent le pétun (tabac). L'argent étant rare, l'unité de compte est la livre de pétun, qui sera supplantée par le sucre brut après 1670. Cette évolution rappelle le passage de l'ère du pétun et des engagés blancs, recrutés pour trois ans, à celle du sucre, liée à l'essor de l'esclavage. Ainsi, en 1664, avec chacune environ trois mille personnes, les populations blanche et noire s'équilibrent. Près d'un tiers des Européens viennent de Normandie. Groupe important, les Parisiens sont moins nombreux que les juifs hollandais réfugiés massivement dans les Antilles en 1654, après leur éviction du Brésil. Apportant avec eux leur savoir-faire, ils contribuent à la construction des moulins ▲ *264* utilisés

pour le broyage de la canne à sucre. Les domestiques, environ 25 % des Blancs, sont presque aussi nombreux que les maîtres de case (les propriétaires) qui, seuls, ont femmes et enfants. On compte quatre esclaves pour un employé blanc, mais rares sont les habitations qui emploient une vingtaine de personnes.

DU SUCRE, DU CAFÉ ET DES ESCLAVES. En 1684, le tableau a changé : cent soixante sucreries et quatre raffineries monopolisent une bonne partie de la main-d'œuvre. L'indigo est toujours marginal, le tabac décline, le cacao se développe. Si on ne dénombre que deux esclaves pour un Blanc – à cause de l'importance des familles –, les engagés ne constituent plus que 5 % de la population blanche. Comme il y a quarante-cinq esclaves pour un domestique, ces derniers sont devenus de petits cadres. De plus, dans le milieu des propriétaires, les femmes en âge de procréer sont créoles, c'est-à-dire nées dans les îles, et elles ont beaucoup d'enfants. Au XVIIIᵉ siècle, le développement du sucre ▲ 266 et l'essor d'une culture nouvelle, le café, font encore augmenter la population noire, mais celle-ci se créolise moins rapidement que celle des Blancs.

LES MÉTAMORPHOSES DU SUCRE. Dans la dernière décennie du XVIIᵉ siècle, déjà favorisé par le début du cycle de l'or qui a provoqué un recul de l'industrie sucrière au Brésil, alors principal fournisseur mondial, le sucre prend un nouvel essor avec le *terrage* qui donne un produit moins encombrant et de plus grande valeur. Mais, bientôt interdit dans les îles, le raffinage devient un monopole métropolitain ; les raffineries réceptionnant la mélasse confectionnée dans les colonies. De ce fait, le cadre essentiel de la production, l'habitation ● *146*, et les techniques évoluent peu. Toutefois, au XVIIIᵉ siècle, la nécessité d'économiser l'énergie – le bois, qu'il faut parfois aller chercher dans les autres îles – favorise la construction de chaufferies à feu unique pour l'élaboration de la mélasse. Pendant l'occupation anglaise qui s'étend de 1809 à 1814, les premiers moulins à vapeur ● *139* feront leur apparition. En même temps, le sucre brut connaît un regain de faveur.

1640
Le Hollandais Trézel tente l'installation d'une sucrerie à la Martinique.

1683
Essais de plantation de mûriers pour l'élevage des vers à soie.

1718
Des plants de café sont introduits par de Clieu.

Terrage : opération consistant à faire blanchir le sucre sans nouvelle cuisson, en le plaçant dans des formes en terre cuite. Ouvertes à la base, pour que le sucre brut se purge de ses excès de sirop, ces formes sont fermées au sommet par une couche de terre grasse et humide qui a donné son nom à cette technique.

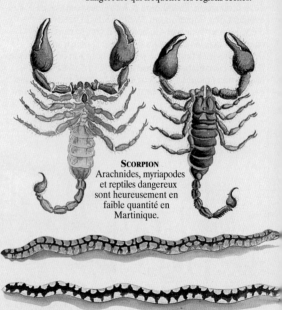

Un manuscrit anonyme datant
de 1618-1620 est le premier témoignage
écrit de la vie des Caraïbes et des
flibustiers avant l'installation des Français.
Suivront les chroniques des pères
Raymond Breton en 1635 et Jean-Baptiste
Du Tertre en 1640, puis en 1694 celles
du père Labat. Mais c'est à un autre père,
Charles Plumier, que revient entre-temps,
le premier inventaire dessiné de la flore et de
la faune antillaises. Marseillais
né en 1646, son coup de
foudre pour la botanique
le fit envoyer aux Antilles.
Précurseur des grands naturalistes du
XVIIIᵉ siècle, ce savant du règne
de Louis XIV réalisa, entre 1689
et 1704, une œuvre immense.

SCOLOPENDRE. C'est un mille-pattes à la morsure
dangereuse qui fréquente les régions sèches.

**UN HERBIER
DE MILLE PLANTES**
Vingt-deux volumes,
mille plantes, six cents
dessins, réalisé entre
1689 et 1704, cet
herbier est l'un des
trésors du Muséum
d'histoire naturelle.
Son *Traité des
Fougères d'Amérique*
décrit, entre autres,
cent deux espèces
d'Haïti et soixante-
trois de la Martinique.

SCORPION
Arachnides, myriapodes
et reptiles dangereux
sont heureusement en
faible quantité en
Martinique.

Il n'oublie pas la
zoologie pour autant :
mille deux cents
dessins d'animaux
en témoignent.

FEUILLE ET FRUIT DU GOYAVIER
«Il avait entre autres un génie
merveilleux pour la botanique
et une main admirable
pour dessiner les plantes»
écrit le père Labat.

POISSONS DES AMÉRIQUES. Le même souci d'exactitude qui confère aux planches
de botanique leur réelle valeur documentaire se retrouve dans celles consacrées aux poissons
des eaux tempérées ou tropicales. En haut, le spare rouge et or et ci-dessus, la perche.

INSECTES D'AMÉRIQUE. D'innombrables
espèces inconnues s'offraient à la curiosité
des savants de l'Ancien Monde.

Scarabées et capricornes ont plus
particulièrement intéressé les Européens
pour leurs formes et leurs couleurs.

**CARET
OU TORTUE VERTE**
Appréciée
pour sa chair.

**LE FONDATEUR
DE LA SYSTÉMATIQUE
AMÉRICAINE**
En hommage à
sa rigueur scientifique,
Linné a adopté
un grand nombre des
genres déterminés
par Charles Plumier.

67

JEAN-BAPTISTE LABAT, PRINCE DES CHRONIQUEURS

Jean-Baptiste Labat, né à Paris en 1663, dominicain de choc, appartient à la légende de la Martinique. Jusqu'au siècle dernier, certains ne le voyaient-ils pas, errant dans la montagne au-dessus du Prêcheur, une lanterne à la main, pour une ultime ronde de nuit ? De 1694 à 1705, le père Labat est ingénieur, bâtisseur, baroudeur et écrivain. Son *Nouveau Voyage aux Isles de l'Amérique* sera un franc succès de librairie. Il est le meilleur et le plus complet des chroniqueurs de l'époque héroïque des Petites Antilles.

UN PÈRE «FONDATEUR»

Le père Labat est présent en bien des endroits de la Martinique. À son arrivée, il est affecté à la paroisse de Macouba dont il remet les bâtiments en état. Vers 1696 il devient procureur-syndic du Fonds-Saint-Jacques ▲ *258*, propriété des dominicains. Il fonde la paroisse du François ▲ *291*, où il développe et modernise l'industrie sucrière. Puis il est nommé supérieur des dominicains de Saint-Pierre et, en 1705, vicaire général des dominicains des Antilles.

Pourtant, on dit qu'au cours de son long séjour, il ne «s'adonne que deux ans au ministère des âmes» ! Le reste étant consacré aux constructions diverses, fortifications et autres alambics.

Sa curiosité le fait s'intéresser aussi bien aux hommes, aux techniques qu'aux plantes.

UN INVENTEUR

Les procédés de fabrication du sucre doivent beaucoup au père Labat. Une petite sucrerie se nomme «sucrote père Labat», un ensemble de chaudières un «équipage type Labat», le récipient pour la fabrication du tafia, «l'alambic père Labat» ! Un inventaire qui perpétue la forte personnalité et la puissance de travail de ce pionnier.

Trois variétés de coquillages : «trompette de mer», *lambi* ■ 32, casque.

UNE PÉRIODE AGITÉE
J.-B. Labat est dans les «Isles» alors que la ligue d'Augsbourg (1688-1697) unit Anglais et Espagnols contre les Français. Puis la guerre de Succession d'Espagne, à partir de 1701, fait encore retentir le canon dans les eaux antillaises.

UN ÉCRIVAIN
«Le vendredi nous fûmes occupés toute la matinée à confesser les flibustiers. On chanta une messe à la Vierge avec toute la solennité possible. […] La corvette et les deux prises qui étaient mouillées devant l'église firent des échanges de tous leurs canons au commencement de la messe. […] Tous les flibustiers vinrent à l'offrande et présentèrent chacun un cierge avec une pièce de trente sols ou d'un écu […].» Le talent du père Labat explique le succès du *Nouveau Voyage aux Isles de l'Amérique*.

UN HOMME CURIEUX
Si on lui attribue plus qu'il ne fit, il est vrai que les alambics en cuivre dits «du père Labat» marquèrent un progrès.
Il s'intéressa aussi aux moulins à broyer la canne et, si son indifférence totale à la condition des esclaves reste confondante, il mérite bien qu'un rhum de Marie-Galante lui soit dédié…
Les illustrations du *Voyage* sont précieuses pour la connaissance d'activités telles que le séchage du tabac (en haut), la préparation du manioc ou celle de l'indigo.

Labat clôt le chapitre des pionniers-chroniqueurs. Après lui s'ouvre l'ère des spécialistes…

Illustration du *Voyage* représentant la pêche au requin ou «chien de mer».

Insigne de la loge
maçonnique de Saint-Louis
de la Martinique en 1760.

LE XVIIIᵉ SIÈCLE

1715
Décès de Louis XIV.

1715-1724
La Régence.

Octobre 1716
*Édit légalisant
l'esclavage en France.*

Mars 1724
*Code de la Louisiane
interdisant les mariages
entre Blancs et Noirs.*

Par l'édit de mars
1685, la monarchie
reconnaissait
officiellement
l'existence de
l'esclavage dans
les colonies. En 1716,
cette institution est
admise en France.
Pendant la Révolution,
la Législative abolit
l'esclavage en France
le 28 septembre 1792.
La Convention
en fait autant pour
les colonies le 4 février
1794. Premier consul,
Bonaparte rétablit
l'ancien régime
social.

1799-1804
Le Consulat.

LE CODE NOIR. Le développement d'une administration centrale, soucieuse de règles bien établies, avait amené la publication de l'édit de mars 1685, appelé Code Noir. Cet édit, «touchant la police des isles françaises», imposait à l'égard des juifs, des protestants et, surtout, des Noirs des contraintes draconiennes et réglementait les châtiments. En revanche, l'affranchissement étant censé conférer une égalité pleine et entière, la loi maintenait un usage déjà menacé.

LA QUESTION DE LA COULEUR. Le XVIIIᵉ siècle évolue vers une ségrégation de plus en plus poussée. L'État cherche à empêcher les mariages entre différentes races et les affranchissements, parce qu'il considère qu'un trop grand nombre d'hommes libres de couleur constitue un danger : les métiers qu'ils exercent gênent l'immigration métropolitaine, alors que l'agriculture manque de bras. En 1776, le ministre de la Marine et des Colonies parachève le système par des instructions, sans oser abroger la loi de 1685. Les protestations des libres, encore minoritaires face aux Blancs, n'émeuvent guère. Leurs problèmes ne commenceront à être perçus par l'opinion métropolitaine que sous la Révolution. Aussi, jusque sous le règne de Louis-Philippe, revendiqueront-ils l'application de l'édit de mars 1685.

LA DÉFENSE DES LIBERTÉS LOCALES. La créolisation permet de comprendre les réactions des Blancs face au développement de la centralisation et de l'Exclusif. Déjà, en 1665-1666, le renchérissement des prix et la disette ont provoqué des troubles au Prêcheur, à Case-Pilote, puis à Marigot. En 1713, les besoins d'argent de l'État amènent la création d'un impôt nouveau, l'octroi. Après discussion, les notables martiniquais en acceptent le principe sous le nom de «don gratuit». Les contribuables ne paient pas. La Guadeloupe se soulève au cri de «Vive le roi sans octroi !». La paix n'a pas ramené la prospérité.

«PLUS DE VERGES QUE DE DOUCEURS». Dans ce climat, en 1717, le Conseil de marine, mis en place par la Régence, charge le gouverneur général La Varenne et l'intendant Ricouard de reprendre les habitants en main après la longue guerre de Succession d'Espagne (1702-1713) qui a justifié des brèches dans le système de l'exclusif. À son arrivée, La Varenne donne le ton en proclamant : «Les ordres dont nous sommes porteurs contiennent plus de verges que de douceurs». Le commerce de France devant être protégé, le commerce interlope (la contrebande) sera sévèrement puni. Comment faire quand le baril de bœuf anglais est à moitié prix ? Pour freiner la surproduction de sucre, la construction de nouvelles sucreries est interdite. Plus de quatre-vingt habitants qui avaient déjà engagé de gros frais sont touchés. Le 17 mai 1717, au cours d'une tournée, les deux administrateurs

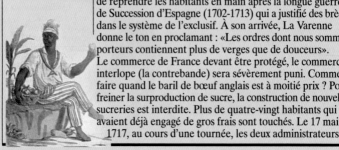

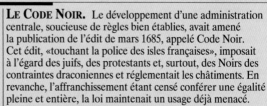

En 1685, les
Espagnols ont armé
les marrons (ci-contre)
pour combattre
l'envahisseur anglais.

Gaoulé : dans
les parlers populaires,
cahouler ou gahouler,
exprime la même
idée que chahuter.
Passé dans le créole,
avec le sens de danse,
de débordements
licencieux ce terme
a été appliqué à la
révolte de 1717 parce
qu'il est rappelé dans
un rapport officiel
qu'un esclave aurait
dit que les Blancs
faisaient un *gaoulé*
comme les nègres.

sont arrêtés sur l'habitation Bourgeot au Diamant (aujourd'hui
habitation O'Mullane ▲ 321). Conduits sur l'habitation
Banchereau de l'Anse Latouche ▲ 216, à la limite de Saint-
Pierre et du Carbet, ils sont rembarqués le 23. Cette révolte
a pris le nom de *Gaoulé*. Une garnison de Suisses est chargée
de réprimer le « républicanisme » des colons et, jusqu'à
la guerre de Sept Ans (1756-1763), toute réforme et même
tout nouvel anoblissement sont refusés. En 1759, après
la capitulation de la Guadeloupe, Louis XV crée une Chambre
d'agriculture et d'industrie, remplacée en 1763 par
une Chambre d'agriculture, puis, en 1787, par une Assemblée
coloniale élue. Ces réformes apportent de grandes satisfactions
aux principaux planteurs. Parallèlement, l'aménagement
du système prohibitif donne « l'exclusif mitigé ».

LA RÉVOLUTION ET LES ÎLES. La Révolution a buté
à la Martinique essentiellement sur la question de la couleur :
égalité pour les libres, liberté pour les « propriétés
pensantes ». De 1789 à 1792, les révolutionnaires locaux,
des planteurs, mais surtout des négociants et des « Petits
Blancs » ● 78 des ports, confortés par la Déclaration
des droits de l'homme, qui reconnaît le caractère sacré
de la propriété, sont les principaux défenseurs de l'inégalité.
Au contraire, pour s'assurer des partisans, les contre-
révolutionnaires arment leurs esclaves, en leur faisant
miroiter l'espoir de l'affranchissement, et négocient
avec la milice de couleur des réformes limitées.

LES ESPÉRANCES DÉÇUES. En janvier 1794,
les républicains acceptent de faire appliquer plus
franchement la loi égalitaire votée en mars 1792 par
la Législative. La majorité des libres de couleur change
de camp, pendant que leurs anciens alliés négocient la remise
de l'île à l'Angleterre. Après la capitulation de mars 1794,
les défenseurs de la République sont déportés par
les Anglais. Seuls rentrent quelques individus bénéficiant
de hautes protections et ceux qui avaient suivi les royalistes
en exil. Reprenant le combat égalitaire, ils réclament
une intervention plus active de l'État dans les affaires locales
et préconisent l'envoi de fonctionnaires métropolitains
jugés plus impartiaux. L'abolition de l'esclavage, votée
par la Convention le 4 février 1794, est restée sans effet
à la Martinique, car la colonie est alors occupée
par les Anglais et lorsque celle-ci reviendra propriété
des Français, Bonaparte se chargera de rétablir l'esclavage
le 19 mai 1802.

1804-1814
L'Empire.

**1762-1763,
1794-1802,
1809-1814, 1815**
Occupations anglaises.

Jean-Baptiste, comte
de Rochambeau ▲ 277.

LA RESTAURATION (1814-1830). Marqués par 1793 et l'exemple du soulèvement de Saint-Domingue (ci-contre), prélude à l'indépendance haïtienne, la majorité des Blancs estiment que seul un régime inégalitaire ignorant la séparation des pouvoirs et le système représentatif permettra la survie de la colonie. Lors de la rédaction de la Charte de 1814, ils obtiennent le rétablissement provisoire des institutions de l'Ancien Régime. Toutefois, l'Assemblée coloniale est remplacée par un Conseil privé nommé, héritage de l'occupation britannique, qui assure une forte pression locale sur les envoyés du pouvoir central. Sans précipitation, les gouvernements de la Restauration s'efforceront d'amener les colons à accepter le droit commun.

Esclave noir haïtien, Toussaint Louverture (à droite) fut l'un des chefs de la révolte des Noirs de 1791 et se rallia à la Révolution qui venait d'abolir l'esclavage.

1804
Dessalines proclame l'indépendance d'Haïti.

Cyrille Charles-Auguste Bissette.

1807
Abolition de la traite par les Britanniques.

1815
Abolition de la traite par Napoléon Ier, puis le Congrès de Vienne.

LIBERTÉ, ÉGALITÉ OU SUBVERSION ? Les résistances sont avivées par la dégradation de la situation économique liée à la taxation des sucres à l'entrée en France, afin de favoriser le sucre de betterave. En même temps, hommes libres de couleur et esclaves sont suspectés de tendances séparatistes. On prétend que l'usage du poison ferait partie de leurs arguments. Du coup, un tribunal exceptionnel, jugeant sans appel, parcourt les campagnes en 1822. Au mois d'octobre, des demi-libres se révoltent au Carbet. Les accusations de subversion portées en décembre 1823 contre Bissette, un cadre de couleur, et les déportations massives, opérées en 1824 pour décourager les velléités de réformes égalitaires du gouvernement, n'empêchent pas le système représentatif de réapparaître en 1826, sous la forme d'un Conseil général, élu par une très petite minorité. Cependant, deux ans plus tard la réforme judiciaire échoue.

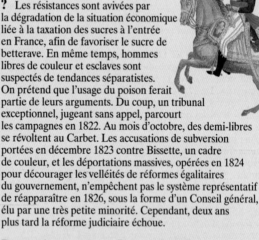

DE LA RÉVOLUTION DE JUILLET À LA SECONDE RÉPUBLIQUE (1830-1848). Louis-Philippe conduit les réformes avec plus de fermeté dans un climat de morosité économique : le sucre perd un tiers de sa valeur pendant que l'amélioration du sort des esclaves exige des dépenses croissantes.
Des innovations, répandues au début du XIXe siècle, permettent de pallier certaines difficultés. L'arbre à pain et une variété rustique de manguiers offrent une nourriture bienvenue en juin et juillet, mois de soudure entre les périodes de production des cultures vivrières. Sur les grandes

habitations, le remplacement de la houe par la charrue allège le travail. La culture de l'herbe de Guinée favorise alors le développement de l'élevage, donc du fumier. Les premiers moulins à vapeur n'amènent pas de grands changements. L'usine, qui inclut la fabrication du sucre, permet d'imaginer ce que sera la société d'après l'émancipation, perspective inéluctable depuis la décision britannique de l'abolition de l'esclavage en 1833.

DE L'USINE ET DES OUVRIERS. La première usine, celle de John Thorp, créée au Fort-Royal en 1845, engendre de nouveaux rapports de forces en réduisant les habitations du pourtour de la baie au rôle de fournisseurs de cannes. En contrepartie, celles-ci n'ont plus besoin du travail de nuit et leurs revenus augmentent. Mais le besoin d'une main-d'œuvre, que l'usine ne pourra trouver facilement que lorsque chacun pourra offrir son travail librement, contribue à faire admettre le remplacement de l'esclave par l'ouvrier.

LES MÉTAMORPHOSES D'UNE SOCIÉTÉ. De 1830 à 1833, les libres accèdent à tous les emplois et deviennent électeurs et éligibles. L'enseignement primaire gratuit se développe. Néanmoins, l'égalité reste limitée par un cens (montant d'impôt minimal pour être électeur) plus élevé qu'en France. Comme aux îles c'est plutôt la valeur des biens qui sert de référence, ceux des gens de couleur sont parfois dépréciés. La préparation des élections au Conseil colonial qui remplace le Conseil général développe l'agitation. En décembre 1833, dans la paroisse de Grand'Anse (aujourd'hui Le Lorrain) où, de plus, les planteurs ont refusé la nomination d'un officier de milice de couleur, une révolte, soutenue par la ville de Marigot, entraîne la dissolution de la milice. L'amélioration du sort des esclaves est liée à une reprise démographique qui compense l'arrêt de la traite. Elle annihile en partie les efforts de l'État qui, après 26 000 affranchissements, n'a vraiment réussi à régler que le sort des libres de fait, personnes affranchies dont la liberté n'était pas reconnue par l'administration.

L'HEURE DE L'ÉMANCIPATION. La révolution de février 1848 est accueillie avec soulagement. Le décret d'émancipation est signé à Paris le 27 avril. Il ne sera connu que le 3 juin, en dépit de l'existence d'une ligne britannique de bateaux à vapeur. Entre-temps, depuis mars, la population connaît les projets du Gouvernement provisoire. En avril, le décret du 4 mars créant la Commission d'émancipation fait parler d'émancipation de droit, puisque «nulle terre française ne peut plus porter d'esclaves». Les dernières lois spécifiques à l'esclavage tombent en désuétude. Loin de poursuivre les marrons, les maîtres expulsent les fortes têtes. Des ateliers en grève

1823
Déclaration de Monroe.

1833
Abolition de l'esclavage dans les colonies britanniques.

27 avril 1848
Abolition de l'esclavage par le Gouvernement provisoire.

23 mai 1848
Décision locale d'abolition de l'esclavage à la Martinique.

Les émeutes du 22 mai ont provoqué la proclamation de l'émancipation onze jours avant l'arrivée du décret. Les nègres ont brisé leurs chaînes (*Nèg pété chenn*), ce que commémore le tee-shirt ci-dessus.

réclament case, jardin et salaire comme attributs de la liberté. Les autorités s'abstiennent. D'autres cherchent à capter les suffrages de ces futurs électeurs.

LA COURSE À LA LIBERTÉ. L'homme du jour est Schœlcher, sous-secrétaire d'État à la Marine et aux Colonies. Ennemi juré de Bissette, il a refusé de le nommer à la Commission d'émancipation. Ses amis se mobilisent pour faire réparer cette injustice. Les émeutes qui s'ensuivent font remettre en activité la «Mackauline», prison municipale réservée aux esclaves. Le 22 mai, à Saint-Pierre, puis au Prêcheur, des émeutes apparaissent. Des capitalistes réclament l'émancipation immédiate. Les abolitionnistes, qui attendaient l'arrivée du polytechnicien de couleur Perrinon, nommé à la tête de la colonie, et que l'on suppose en route avec le décret parisien, reprennent cette solution à leur compte. La décision locale d'abolition, du 23 mai, permet aux Martiniquais de proclamer leur fierté d'avoir pris leurs affaires en main à un moment crucial.

Victor Schœlcher (ci-dessus) et François-Auguste. Perrinon (ci-contre).

1862-1867
Guerre du Mexique.

1870-1871
Guerre franco-allemande.

1888
Abolition de l'esclavage au Brésil.

OMBRES ET LUMIÈRES DU SECOND EMPIRE (1852-1870). Dès le coup d'État de décembre 1851, les libertés sont réduites au nom d'un principe : le travail. Pour favoriser la reprise économique, l'État accorde aux propriétaires une indemnité représentant environ le quart de la valeur des esclaves. À peine de quoi rembourser les créanciers de la métropole… De nouvelles structures bancaires favorisent le développement des usines à sucre. De grands travaux sont entrepris : routes, ports, adductions d'eau. À la recherche d'une main-d'œuvre abondante et bon marché, les autorités rendent l'enseignement primaire payant. Le tarif, progressif suivant l'âge, devient vite prohibitif. Cette mesure ne suffisant pas, on a recours à l'immigration : quelques Chinois, des Noirs, achetés, puis munis d'un contrat, et d'autres, originaires d'Inde. Pendant la guerre du Mexique, la Martinique devient la grande

1905
Séparation de l'Église et de l'État en France.

base intermédiaire. Pour la première fois, l'armée recrute localement des volontaires de couleur. Certains feront carrière et participeront à la guerre de 1870. Les volontaires recrutés à cette occasion n'auront pas le temps de rejoindre la métropole…

LE XXᵉ SIÈCLE

1914-1918
Première Guerre mondiale.

1935
Fêtes du tricentenaire.

LA IIIᵉ RÉPUBLIQUE : DES DÉBUTS AGITÉS.
La République revient en septembre 1870, provoquant une crise courte et violente, l'insurrection du Sud. Issue d'une querelle privée, elle embrase la commune de Rivière-Pilote et ses voisines. En ce qui concerne l'économie, entre 1882 et 1899, le sucre perd la moitié de sa valeur et beaucoup de planteurs sont contraints de vendre leurs terres

Créée en 1851, la Banque de la Martinique a émis des billets pendant un siècle.

aux usiniers, tandis que les ouvriers agricoles commencent à s'organiser pour défendre leurs salaires.

De son côté, la petite bourgeoisie se lance avec passion dans l'anticléricalisme. Ce combat laïque favorise le développement du système éducatif. Dans l'attente du second tour des élections de 1902, le 8 mai la ville de Saint-Pierre disparaît ▲ *230*. Avec elle, l'essentiel des capitaux, des cadres en activité ou en formation, ainsi qu'une grande partie de l'industrie rhumière sont réduits en cendres.

L'IMPÔT DU SANG. C'est une Martinique à bout de souffle qui aborde la Première Guerre mondiale. Par soif de dignité et d'égalité, les cadres politiques réitèrent leur demande de service militaire obligatoire. Après les hécatombes de 1914, le gouvernement cédera. En attendant, les réservistes, qui avaient fait leur service militaire au cours d'un séjour en France, doivent payer leur passage s'ils veulent rejoindre leur unité. Les milliers de noms inscrits sur les monuments aux morts attestent de la part prise ensuite dans les combats. Parallèlement, la forte demande des poilus en rhum ramène la prospérité.

LA SECONDE GUERRE MONDIALE : LES TEMPS ÉQUIVOQUES. Dépositaire de trois cents tonnes d'or provenant de la Banque de France, d'avions et d'une partie de la flotte de commerce et de guerre, la Martinique se retrouve en 1940 sous la direction de l'amiral Robert. Avec l'appui des États-Unis, celui-ci opte pour le régime de Vichy. Il s'accroche à son choix, même après Pearl Harbor (décembre 1941) et le débarquement américain en Afrique du Nord (novembre 1942). La disette, provoquée de mai 1942 à juillet 1943 par le blocus américain, a profondément marqué une population déjà choquée par des mesures antidémocratiques. Dès 1940, les «dissidents» risquent leur vie à bord de frêles embarcations pour rallier les centres de recrutement de la France libre à la Dominique et à Sainte-Lucie.

PROMESSES DE LA DÉPARTEMENTALISATION. L'après-guerre est marqué par la loi d'assimilation du 19 mars 1946. Réclamée depuis longtemps, elle est présentée par Aimé Césaire. Son application déçoit ceux qui en attendaient des miracles car elle leur apparaît vite porteuse de perte d'identité et de ruine des activités locales conduisant à l'assistanat. Le débat est relancé avec l'intégration dans l'Europe. Les déçus étant ceux-là même qui luttent pour l'égalité des salaires et des prestations sociales avec la métropole, le Parti progressiste martiniquais de Césaire s'est longtemps trouvé au centre de ces contradictions. La décentralisation ayant largement satisfait sa recherche de plus grandes responsabilités, ce parti, aujourd'hui débordé par les indépendantistes, cherche «une nouvelle utopie refondatrice». Quoi qu'il en soit, depuis 1960, la Martinique a changé de visage : aéroport, routes, hôtels, hôpitaux, habitat, développement du système éducatif, en un mot démocratisation et société de consommation en font une vitrine pour ses voisines.

1939-1945
Seconde Guerre mondiale.

1959
Fidel Castro prend le pouvoir à Cuba.

1960
Second voyage du général de Gaulle à la Martinique.

1983
Loi de décentralisation.

Aimé Césaire, poète et homme public.

● LE PEUPLEMENT

INDIEN CARAÏBE
L'allure a évolué,
l'originalité
s'est maintenue.

À compter du IVᵉ millénaire avant Jésus-Christ, la Martinique reçoit des vagues successives de colonisateurs amérindiens : Précéramiques, Arawaks, Caraïbes. Au XVIᵉ siècle, les heurts avec les Européens amorcent le déclin de ces derniers. Depuis le XVIIᵉ siècle, le peuplement est radicalement transformé par l'immigration européenne et l'importation des Africains. La seconde moitié du siècle suivant voit l'arrivée de nouvelles vagues de travailleurs contractuels. Depuis, les Martiniquais craignent plutôt l'arrivée de nouveaux venus, mais le brassage continue.

LES EUROPÉENS

LA TRAITE TERRESTRE
Qu'ils soient dirigés
vers le sud,
en direction de
l'Atlantique, ou vers
les pays musulmans
au nord et à l'est,
les captifs, parfois
revendus plusieurs
fois en route, font
à pied, de longs
parcours aussi
meurtriers
que sur les mers.

À cause de Pierre Belain d'Esnambuc et de son neveu Jacques Du Parquet, on insiste sur la place prise par les Normands parmi les premiers colons, au point de prétendre que le mot *Békés*, utilisé par les Noirs pour désigner les Blancs créoles, serait une déformation du «Eh bien quoi !» des Normands. En réalité, prononcé «Buckra» dans les îles anglaises, ce terme africain désigne l'autre, l'étranger. Le qualificatif de *Z'oreilles*, appliqué aux Européens, est d'importation récente. Celui de «Vieux Blancs» est bien attesté en 1789. L'historien Jacques Petitjean-Roget, qui a utilisé toutes les sources disponibles, n'a trouvé que 38 % de Normands jusqu'en 1660. Pour les XVIIᵉ et

XVIIIᵉ siècles, toute la France est représentée. Toutefois trente départements, regroupés en ordre décroissant autour de Bordeaux, Dieppe, Nantes, Marseille, Saint-Malo, La Rochelle et Bayonne, ont envoyé les trois-quarts des immigrants. La Gironde arrive en tête, suivie par les Bouches-du-Rhône, la Seine, puis la Seine-Maritime et la Charente-Maritime.

LES AFRICAINS

De 1635 à 1670, les négriers transportent quelques centaines de Noirs par an à la Martinique. La moyenne s'élève ensuite à deux mille jusque vers le milieu du XVIIIᵉ siècle. Très réduites ensuite, les importations renaissent avec l'occupation britannique de 1794 à 1802. Elles se renforcent sous le Consulat et l'Empire. Arrêtées par les Anglais de 1809 à 1815, elles reprennent sous la Restauration. Dits «Cap-Verts», les premiers esclaves, sont surtout des «Calvaires» ou «Yolofs», embarqués à Gorée. De l'intérieur viennent les «Sénégals», embarqués à Saint-Louis. Au sud, en Gambie et Casamance, Portugais, Français et Britanniques se concurrencent. De la Guinée au Liberia, ces derniers ont un quasi-monopole. Les Français reparaissent en Côte-d'Ivoire, sur la côte de l'Or et celle des Esclaves

**PERRUQUIER SUIVI
D'UN PETIT ESCLAVE**
Très recherchés,
ces spécialistes ont
souvent été formés
en Europe. Ses
vêtements sont ceux
d'un homme libre
fier de ne rien porter.
Pour avoir un aide,
il faut l'acheter.

«Qui a vu ce grand univers
Et de longueur et de travers
Et la gent blanche et la gent noire ?»

Ronsard

● LE PEUPLEMENT

Capturé en 1892,
Behanzin, roi du
Dahomey, a vécu
en exil à Fort-de-
France avec sa suite
de 1895 à 1906.
En photographie ci-
contre, son secrétaire,
dit Premier ministre.

(Togo, Dahomey, Nigeria occidental).
De là, ils tirent une mosaïque de peuples
regroupés sous le nom d'Aradas,
les Cap-Laous et, plus au sud, les Ibos
du Biafra. Les «Congos», qui vont du
Cameroun à l'Angola, sont encore plus
divers. Quelques captifs enfin viennent
du Mozambique et d'Inde.

LA NOUVELLE IMMIGRATION

Après l'émancipation de 1848, les propriétaires insistent
sur l'oisiveté des nouveaux libres et réclament, comme dans
les colonies anglaises, le droit de faire venir des travailleurs
contractuels. De 1853 à 1884, à des dates variables suivant
les origines, dix mille Africains – achetés, puis affranchis
au moment de l'établissement du contrat d'engagement –,
un millier de Chinois, et vingt-six mille Indiens de
la péninsule sont introduits.

Véritable main-d'œuvre captive, ces nouveaux immigrants,
appelés *Congos* pour les Noirs, *Coolies* pour les Indiens,
Chinois pour le reste, sont restés longtemps marginalisés,
les créoles de couleur refusant, par ces appellations,
de reconnaître la créolité de leurs enfants et petits-enfants.
Depuis le début du XXe siècle, il en est de même pour
les commerçants syro-libanais qui, de plus, ne cherchent
guère à s'assimiler.

LE MÉTISSAGE

Contrairement à des idées bien répandues, le métissage
n'est pas lié à la faible proportion des femmes blanches
ou à la présence de «Petits Blancs» – au sens de Blancs sans
propriétés – car pour approcher une esclave, il faut en général
en être propriétaire ou au moins participer à l'encadrement
d'une habitation. Peu nombreux au XVIIe siècle lorsqu'il
y a beaucoup d'engagés blancs et peu de femmes blanches,
les mulâtres se multiplient à compter du siècle suivant.
Dans la seconde moitié du XIXe siècle, l'accession de
cette nouvelle classe aux emplois et à la vie politique crée
de fortes tensions. De nos jours, l'harmonisation des niveaux
et des genres de vie tend à gommer les différences.

COOLIES
Ces travailleurs
contractuels indiens
sont-ils vraiment
libres ?

«RASTAFARIS»
En 1930,
le couronnement
d'Haïlé Sélassié Ier,
Ras Tafari Makkonen,
a incité des Jamaïcains
à le considérer comme
la réincarnation
de Jah (Dieu).
Les «rastafaris»
rejettent Babylone
(le monde qui
les entoure), sont
végétariens, fument
de la marijuana, plante
sacrée, au rythme du
reggae, ne se coupent
pas les cheveux, et
recouvrent leurs nattes
de bonnets de laine
vert, jaune et rouge
(couleurs du
drapeau éthiopien),
auxquels s'ajoute
le noir des
nègres.

VOYAGE EN MARTINIQUE

« MON VOYAGE AUTOUR DE L'ÎLE
A DURÉ SIX SEMAINES.
PARTOUT J'AI ÉTÉ REÇU AVEC
LES TÉMOIGNAGES DU PLUS GRAND
INTÉRÊT ; J'AI RECUEILLI
DES NOTES SUR TOUT, PERSUADÉ
QUE RIEN N'EST INUTILE
À ENTENDRE NI À VOIR
POUR CELUI QUI S'OCCUPE
DES GRANDS INTÉRÊTS
DE SA PATRIE, EN MÊME TEMPS
QU'IL SE LIVRE À DES RECHERCHES
QUI PEUVENT EN REHAUSSER
LA GLOIRE. J'AI AUSSI DESSINÉ
UN ASSEZ GRAND NOMBRE
D'OBJETS ET ESQUISSÉ DIFFÉRENTS
POINTS DE VUE. »

Lettre datée du 31 juillet 1820,
d'Auguste Plée, voyageur-naturaliste,
à Messieurs les Professeurs
Administrateurs du Muséum
d'histoire naturelle au Jardin du roi,
illustrée de 18 aquarelles
de Pierre Trouard de Riolle
d'après Moreau de Jonnès.

Vue de l'Islet à Ramiers prise de l'anse
Mathurin

Vue de la Péninsule formée
Par les Volcans du Sud

Vue du Rocher Volcanique du Diamant
Prise de la Pointe d'Obion.

Vue du Lac du vieux Cratère
au Sommet de la Montagne Pelée. 1.

Vue de la Montagne Pelée, au Midi.

VUE DE LA MONTAGNE DU VAUCLIN ET DU MORNE JACQUES prise du Couchant. 4

Vue des Pitons du Carbet, au Midi, prise de la Ville du Fort de France.

Vue des Pitons du Carbet

Vue de la Caverne Volcanique de la Rivière du Macouba

Vue du Lac du Vieux Cratère au sommet de la Montagne Pelée.

VUE DE LA MONTAGNE DU VAUCLIN AU SUD-EST prise de la Vallée.

Vue des Pitons du Carbet.

Vue de la Montagne Pelée au Nord prise du Macouba

Vue des Pitons du Carbet

Vue de la Rade et de la Ville du Fort de France

ESCLAVAGE
Léo Elisabeth

● LA TRAITE

Les navires négriers européens chargés
de pacotille (principalement de cauris,
coquillages de la famille des porcelaines
très prisés comme monnaie) ainsi que
de produits manufacturés (tissus, poudre,
fusils, outils, barres de fer, hameçons, eau-de-vie, etc.)
se dirigeaient vers l'Afrique. Après avoir procédé à l'échange
de la marchandise contre des hommes, ils gagnaient les Antilles
ou l'Amérique. Leur cargaison humaine déversée, ils regagnaient
l'Europe les cales pleines de produits tropicaux. Ce périple
reliant trois continents,
a pris le nom
de commerce
triangulaire.

**CARTE DU COMMERCE
TRIANGULAIRE**

LA CAPTURE
Les esclaves étaient capturés à l'occasion
de razzias dans les villages. La majorité
d'entre eux venait de
l'Afrique intérieure.

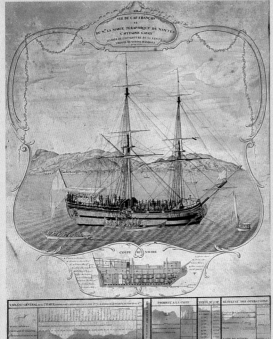

LA MARIE-SÉRAPHIQUE, NAVIRE NÉGRIER NANTAIS
Entassés dans l'entrepont – la cale était réservée à l'eau, aux vivres et aux marchandises – les Noirs ne pouvaient se coucher tous en même temps.

DES ENFANTS ESCLAVES
Un grand nombre d'enfants étaient volés, achetés ou donnés en tribut, sans leurs mères. L'un d'eux, Olaudah Equiano publia, en 1789, son autobiographie.

NAUFRAGE AU DIAMANT
Le 8 avril 1830, vers midi, un petit navire, chargé de deux cent soixante Noirs de contrebande, se présenta au vent du Diamant. La mer était déchaînée. Le capitaine manœuvrait mal car, en quatre mois de voyage, il avait perdu une grande partie de son équipage. Vers cinq heures, il mouilla à l'anse Cafard. Entre dix et onze heures du soir, le brick dérapa et s'écrasa dans la zone rocheuse. À terre, on s'affaira pour tenter d'aider ceux qui arrivaient jusqu'aux rochers. Les Blancs rescapés furent mis en lieu sûr. Quatre-vingt-six esclaves furent remis aux autorités ; quarante-six victimes parmi les Noirs et quatre parmi les Blancs furent dénombrées.

L'EMBARQUEMENT
C'était un moment difficile. Les captifs étaient enchaînés. Pour leur santé et leur psychisme, les pires journées étaient celles qui précédaient ou suivaient le départ, car dans cet espace confiné les ouvertures étaient provisoirement condamnées.

LES CONDITIONS DE TRAVAIL

Après une brève période d'acclimatation, les nouveaux venus étaient répartis, suivant leur âge présumé et leurs forces, dans l'atelier (équipe) des enfants ou dans celui des adultes, sous l'autorité de «commandeurs». Avant la fin du XVIIe siècle, les «commandeurs» blancs furent peu à peu remplacés par des esclaves dévoués. La journée commençait par l'appel, à l'aube, et se terminait au coucher du soleil, par la prière, dans les colonies où le catholicisme prédominait. Plus dures étaient les périodes de récolte car moulins et sucreries fonctionnaient pendant une grande partie de la nuit.

LE TRAVAIL DES CHAMPS
Pour chaque culture, des parcelles étaient divisées au cordeau. Les esclaves les plus forts étaient alignés, munis d'une houe dont le manche comportait un repère fixant la distance voulue entre chaque fosse. Ils se déplaçaient à reculons, tandis que les jeunes ou les infirmes plaçaient les plants. D'autres rebouchaient les trous. Puis, les mauvaises herbes étaient éliminées par sarclage. Venait enfin la récolte. Dans la seconde moitié du XVIIIe siècle, l'usage se répandit de faire travailler les femmes, mais avec des houes plus petites que celles des hommes. La récolte de la canne à sucre était menée par les hommes les plus robustes placés en première ligne avec un sabre d'abattis. Les autres attachaient les cannes en paquets et les transportaient jusqu'aux mulets ou aux *cabrouets*
● *110*.

L'introduction de la charrue, au XIXe siècle, ne fit pas disparaître la houe. L'utilisation du fumier se généralisa, grâce à la culture de l'herbe de Guinée qui, haute de plus d'un mètre, favorisa le développement de l'élevage. Le fumier se transportait sur la tête, par panier.

LE COSTUME

En haillons ou quasiment
nus au travail, les esclaves aimaient
à se parer, lorsqu'ils le
pouvaient, de beaux vêtements
et de bijoux. Pour s'en procurer,
ils vendaient les surplus
des produits de leurs jardins.
Le luxe vestimentaire leur était
cependant formellement interdit.

LA CULTURE DU PÉTUN. Elle fut la base du développement de
la colonisation au XVIIᵉ siècle, au temps des engagés blancs. Le tabac
ne se maintint par la suite qu'à Cuba et aux États-Unis.

LE JARDIN, UN MOYEN DE SURVIE

Sauf aux États-Unis,
les esclaves allant au
travail étaient rarement
aussi bien habillés.
Manque le coutelas,
qui étonnait en général
les voyageurs puisque
les esclaves étaient
armés et non
les maîtres.
Les bananes
suggèrent que
les personnages
reviennent de leur
jardin. Introduit
par les Hollandais,
l'usage de donner à
l'esclave la totalité
ou la moitié du
samedi pour cultiver
son jardin, allégeait
la dépendance
de l'habitation
vis-à-vis des
importations.
Il assurait aussi
un meilleur
équilibre
alimentaire.

LES LAVANDIÈRES. Libres, demi-libres, ou
esclaves travaillant pour leur compte en payant
une redevance à leurs maîtres, elles faisaient
partie de la main-d'œuvre des villes. Ce travail
difficile était cependant mieux rémunéré et
plus attrayant que celui des champs.

● LES PUNITIONS

Les instruments
de la discipline : fers,
fouet et carcans.

L'édit de mars 1685, dit Code
Noir, n'autorisait que les chaînes,
le fouet et le bâton, pour
maintenir la discipline
sur l'habitation. Louis XVI limita le nombre
de coups de fouet à cinquante. Puis, en plusieurs
étapes, Louis-Philippe enleva au maître le droit de
châtier. Tortures, mutilations et mises à mort relevaient
de la justice. Mais, pour limiter au maximum les pertes de travail,
les propriétaires ne s'adressaient à elle que dans les cas
particulièrement graves ou odieux. En cas de condamnation
à mort, ils étaient alors indemnisés de la perte de leur esclave.

LA BARRE. Généralement, celui qui était mis à la barre pendant la journée était un malade que
l'on voulait immobiliser. En cas de punition, l'esclave y était placé le soir après le travail.

LA PRATIQUE DU FOUET
Juqu'à son interdiction par Louis-Philippe,
le fouet était le symbole du commandement
confié au «commandeur». Il le faisait surtout
claquer pour ponctuer ses injonctions.
Lorsqu'il était question de châtier, l'ordre
venait du maître ou de son représentant qui
fixait le nombre de coups. L'esclave qui
tendait à marronner était puni par la pose
d'un anneau relié à une chaîne et à un bloc
de bois qu'il posait pour travailler.

LE MARRONNAGE
Quelles qu'étaient
les raisons de sa fuite,
le marron était
pourchassé. Des
esclaves pouvaient
l'aider, mais le plus
souvent, ils le
dénonçaient à cause
des vols opérés
dans leurs jardins.
La milice, ou une
maréchaussée noire,
appelée chasseurs
de montagne à
la Martinique, était
chargée de sa capture.

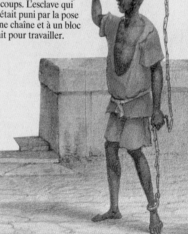

Le chasseur de
primes opérant avec
des chiens était une
spécialité de Cuba
et des États-Unis.

90

Le bâton, et plus encore une branche flexible, étaient d'usage courant.
Les maîtres avaient souvent une *rigoise*, canne souple ou un nerf de bœuf.

COLLIERS DE COUS, CARCANS ET CHAÎNES

Pour réprimer le marronnage, on pouvait enchaîner les
esclaves deux à deux, solution gênante pour le rendement.
On préférait donc poser un carcan qui laissait les mains
libres pour travailler. Carcans à chaînes et à une ou deux
branches – censées empêcher de
circuler dans les bois –
étaient rares dans les
Antilles françaises.

TORTURES INFLIGÉES AUX ESCLAVES

Elles sont dessinées
ci-dessus, dans une
relation de voyage de
1699. De haut en bas :
«Comme les Portugais
fouettent leurs
esclaves lorsqu'ils
ont déserté» ;
«Esclave qui a
la jambe coupée
pour avoir
déserté».
À gauche :
«Invention d'un
Français de
la Martinique».

LA PSYCHOSE DU POISON

Lorsqu'elle
se développait
sur une
habitation,
le maître
faisait appel à
une voyante
pour désigner
les coupables,
ou avait recours
à la délation.
Les coupables
une fois trouvés,
étaient durement
châtiés. On
les attachait
nuit et jour
à la barre ; on
les enfermait dans
un cachot si étroit
qu'ils pouvaient
à peine s'allonger.
Aussi les suicides
n'étaient-ils pas
rares. La psychose
se généralisant,
une cour prévôtale
et itinérante
pouvait être
convoquée. Elle
jugeait sans appel
sur de simples
présomptions.

● LA LIBERTÉ

LES DROITS DE L'HOMME
Une allégorie
de l'abolition
de l'esclavage.

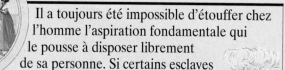

Il a toujours été impossible d'étouffer chez l'homme l'aspiration fondamentale qui le pousse à disposer librement de sa personne. Si certains esclaves s'enfuient (c'est le marronnage), le plus grand nombre ne vit que de l'espoir d'un affranchissement. Et cet espoir devient alors l'une des composantes de l'esprit de soumission. L'esclave ne peut donc accéder à la liberté qu'en l'achetant ou en rendant un service important, comme celui d'aider à la capture de marrons. Au-delà, plane un rêve, celui de l'émancipation générale.

LE NOIR ARMÉ
Cette gravure destinée à exalter les vertus guerrières des Noirs fut réalisée dans un style néo-classique.

LE MARRONNAGE
Aspirer à la condition d'homme libre et disparaître dans la nature (*cimarra* signifie fourré, en espagnol) : le marronnage donne de l'homme une image à laquelle se réfère l'Antillais d'aujourd'hui.

LE MULÂTRE ANTILLAIS
❝Les Blancs devinrent les instruments de l'émancipation des mulâtres, comme ceux-ci devinrent ensuite les instruments de la délivrance des esclaves.❞
Victor Schœlcher

ARTS ET TRADITIONS

Lyne-Rose Beuze
Alain Delatte
Ary Ebroïn
Michel Jean
Félix Ozier-Lafontaine
Michel-Claude Touchard

● LA CANNE À SUCRE

La canne à sucre, *Saccharum officinarum* aime le climat tropical, une température avoisinant les 20° C, une pluviométrie importante sans être excessive, des plaines et des plateaux d'altitude moyenne. Autant dire qu'elle a trouvé aux Antilles sa terre d'élection. Cette graminée a façonné le paysage de la Martinique et de la Guadeloupe, et la destinée de leurs peuples, aussi. Belle et riche plante, qui exigea des hommes beaucoup de labeur et de peine.

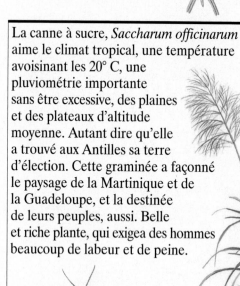

LES ENNEMIS DE LA CANNE

Le criquet *Schistocerca pallens* s'attaque aux feuilles.

Plus redoutable : le foreur de la canne, la pyrale, ou borer ci-dessous à droite, et sa chenille *Diatraea saccharalis*.

Son ennemi naturel : la mouche cubaine.

Le charançon de la canne, *Metamasius hemipterus*.

L'ennemi le plus dangereux du coupeur de canne : le trigonocéphale.

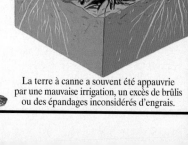

La terre à canne a souvent été appauvrie par une mauvaise irrigation, un excès de brûlis ou des épandages inconsidérés d'engrais.

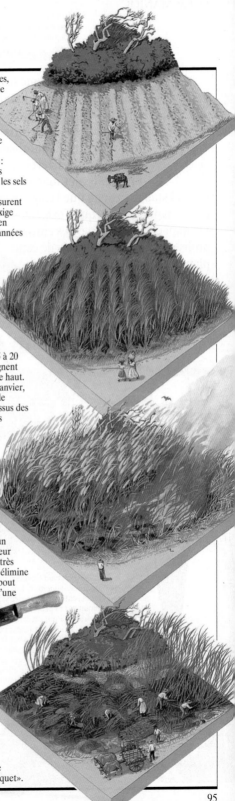

Omniprésente aux XVIIIe et XIXe siècles, la canne occupe encore à la Martinique une place de choix, derrière la banane et les cultures maraîchères. La multiplication de la canne se fait par boutures. Deux types de racines se développent : en surface, elles aspirent l'eau et les sels minéraux du sol ; en profondeur, elles assurent la fixation. Ce système exige une terre ameublie et bien drainée, qu'on laisse en jachère deux années durant avant une nouvelle plantation.

Aujourd'hui, les engins mécaniques effectuent les principales phases de la culture, qui occupait jadis une main-d'œuvre considérable. Le cycle végétatif s'accomplit sur

environ quinze mois. Chaque bouture donne une touffe de 5 à 20 tiges, qui atteignent de 3 m à 4 m de haut. En décembre-janvier, la hampe florale apparaît au-dessus des longues feuilles lancéolées et coupantes. Lors de la récolte la tige sera coupée en deux ou trois tronçons.

De février à mai a lieu la récolte, parfois précédée d'un brûlis qui éclaircit le feuillage et chasse les reptiles. Quand ces travaux sont encore manuels, leurs gestes

ancestraux ont la précision d'un rituel : le coupeur tranche la tige très près du sol, en élimine le plumet ou «bout blanc» ainsi qu'une partie des feuilles.

Les «amarres», formées par le haut de la tige, servent à lier une dizaine de tronçons de canne, qui forment le «paquet».

● Le manioc

Les racines tubéreuses du manioc ont fourni des siècles durant un aliment de base.

La KASSAV
L'ancien «pain des Caraïbes».

Originaire d'Amérique tropicale, le manioc fut introduit dans les îles par les Arawaks et les Caraïbes. Cet arbrisseau de la famille des Euphorbiacées offre deux caractères différents : les maniocs amers, renfermant une substance toxique que lavage et cuisson font disparaître, et les maniocs doux, qui n'exigent aucun traitement préalable. De quoi exciter la verve des chroniqueurs, prolixes sur les particularités de cette plante, autrefois culture de base, aujourd'hui apport modeste du potager familial.

Manihot esculenta : manioc doux, manioc amer, *camanioc*. Les maniocs amers renferment un principe toxique par la présence d'acide cyanhydrique. Pour en extraire le jus nocif, les Caraïbes utilisaient cette *couleuvre* ● 57, sorte de bas tressé, remplie de pulpe, lestée d'une lourde pierre pour qu'elle s'allonge et se resserre.

JEAN-BAPTISTE LABAT

Depuis le temps des Caraïbes, la préparation de la *kassav*
demeure inchangée : épluchage et lavage des tubercules,
râpage, pressage et séchage. Une épaisse couche
de la farine obtenue est étalée sur la platine. Une spatule
de bois sert à travailler la farine qui devient pâte,
puis à la retourner pour que la *kassav*
soit cuite sur ses deux faces.

PLATINE À MANIOC
Platine métallique
circulaire destinée
à être chauffée
pour cuire la galette
de manioc.

MOULIN À MANIOC. Familial ou agricole,
il est constitué d'une râpe montée sur un
châssis autour d'un axe-manivelle.

LA *GRAGE*
Grosse râpe servant
à émietter le manioc.

«Je me suis si bien
accoutumé à la bonne
cassave, que je l'ai
toujours préférée au
pain qu'on nous
apporte de l'Europe».
Ce slogan est signé
Du Tertre, en 1670.
Le *ouicou* était une
boisson fermentée.
La *moussache*, fécule
obtenue par
décantation du jus
de pression
du manioc râpé, sert
à faire des gâteaux,
les *bonbons-
moussache*.
La *kassav* conserve
ses nombreux fidèles.

Le manioc entre dans la préparation de recettes toujours appréciées :
1/3 de farine de manioc mouillée, 1/3 de pulpe d'avocat, 1/3 de morue
émiettée. Malaxer le tout en ajoutant vinaigre de piment, jus
de citron, ail et piment. C'est le *féroce*, on l'aurait deviné.

● LA BANANE

Originaire d'Asie méridionale et de Malaisie, le bananier, qui appartient à la famille des plantes herbacées, exige beaucoup d'eau et est particulièrement sensible aux basses températures et aux vents. La Martinique offrant un milieu et un climat favorables à la culture de ce fruit, la banane constitue aujourd'hui l'un de ses principaux produits d'exportation. Fruit ou légume, on trouve sur les marchés locaux de nombreuses variétés de bananes : *figue sucrée, figue-pomme, figue rose, figue Gros-Michel, banane Saint-Pierre*, etc. Les plus appréciées sont les bananes jaunes ou *bananes plantains*, que l'on consomme après les avoir fait cuire, et les *bananes-figues* dites *poyos*.

Le bananier demeura pendant longtemps aux Antilles une culture strictement vivrière. Au début du XVIIIᵉ siècle, les administrateurs soucieux du contrôle des subsistances, imposèrent aux planteurs une exploitation quasi systématique de cette herbacée. Le commerce de la banane aux Antilles françaises n'a véritablement pris son essor qu'à la fin du XIXᵉ siècle. Désormais, les exploitations bananières sont d'immenses plantations.

Le «tronc» du bananier, appelé stipe, est constitué de gaines foliaires s'imbriquant les unes dans les autres en spirale et se terminant par un bouquet de feuilles. Suivant un axe central, court une longue inflorescence dont l'extrémité représente le régime. À maturité, le régime est sectionné et le tronc coupé au ras du sol. Le plant survivra grâce aux rejets nés sur la souche du pied mère.

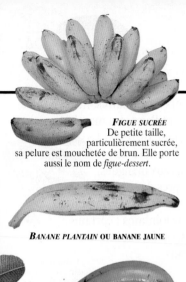

FIGUE SUCRÉE
De petite taille,
particulièrement sucrée,
sa pelure est mouchetée de brun. Elle porte
aussi le nom de *figue-dessert*.

Les régimes
peuvent porter
jusqu'à quinze pattes.
Chaque patte offre
une vingtaine
de fruits. Les fleurs
terminales, jaunes et
stériles qui garnissent
la *popotte* violette,
finissent par se
dessécher et noircir.

BANANE PLANTAIN OU *BANANE JAUNE*

BANANE POYO
Elle est plus fine et a une chair
plus sucrée que la *banane plantain*.

**"Elle [la banane plantain] n'est pas
comme un hexagone dont les angles
et les côtés un peu convexes […]. Elle
renferme seulement quelques fibres qui semblent représenter un crucifix mal formé,
quand le fruit est coupé par son travers." J.-B. Labat**

ronde mais plutôt
seraient émoussés

Dans les grandes plantations, les bananiers sont
disposés en lignes dont l'écartement varie de
2 m à 3 m selon les variétés. La mûrisserie
est l'une des étapes de la distribution
de la banane, avec la «conteneurisation».

FIGUE ROSE
Sa chair rose n'est pas très appréciée.

TUSSAC
Les fibres de bananier que l'on fait sécher et
que l'on regroupe en petits paquets sont
désignés sous le nom de *tussac*. Ce procédé
est utilisé en Martinique pour la confection
de chapeaux, de paniers, et d'autres objets
représentatifs de l'artisanat local.

LES FRUITS DU MARCHÉ

POMME CYTHÈRE
C'est un fruit
originaire de
Polynésie.

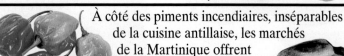

À côté des piments incendiaires, inséparables
de la cuisine antillaise, les marchés
de la Martinique offrent
une immense variété de
fruits. Des litchis aux mangues,
dont on compte près de soixante
espèces, la plupart de ces fruits vinrent du
continent américain ou d'horizons lointains ; certains
étaient déjà connus des Caraïbes, ou furent introduits
par les Européens plus
récemment.

CAÏMITIER
Ce dessin ancien illustre
le fruit du caïmitier
dont le père Labat vantait
le «suc doux et
miellé».

POMME-CANNELLE
Une véritable native
des Antilles :
la pomme-cannelle,
de la famille
des Anonacées,
est cousine
du *cachiman* et
du corossol.

CHÂTAIGNES
Soixante à quatre-
vingt de ces graines
se trouvent à
l'intérieur du gros
fruit du châtaignier
antillais, cousin de
l'arbre à pain.

COROSSOL
Acidulé et
rafraîchissant,
il se mangeait
autrefois
frit ou en
beignets.

AVOCAT
Un grand merci
aux Caraïbes qui ont
introduit dans les îles
l'avocat, fruit à la chair
fondante, originaire
d'Amérique centrale.

ANANAS
«Un des plus beaux fruits du monde», écrit
le père Labat à propos de cette
Broméliacée. Sa culture en Martinique
donne des produits de haute qualité.

GOYAVE
Reine des desserts,
elle se consomme
en gelée, en compote,
ou en confiture.

«Ces îles sont le véritable pays des grenadiers,
des citronniers, des limoniers et des orangers»,
écrivait le père Du Tertre au XVIIᵉ siècle.
Christophe Colomb en aurait
rapporté les graines
d'oranger (ci-dessous).

CITRON-PAYS
Il entre dans la
préparation de plats de
poissons et dans celle
du *ti-punch* ● *132*.

CÉDRAT
Orange amère, *chadèque*,
mandarine : la famille des Rutacées
est complète aux Antilles.

PAMPLEMOUSSE
Citrus paradisi
Ce «fruit du paradis»
fut introduit aux
Antilles en 1750.
Il est particulièrement
apprécié dans
les Antilles anglaises.

**MARACUJA OU FRUIT
DE LA PASSION**
La pulpe de cette
passiflore est très
rafraîchissante.

AKESIA

CARAMBOLE
Ce fruit sucré et acidulé se
consomme surtout en confiture.

FRUIT DE L'ARBRE À PAIN
Le capitaine Bligh réussit en 1793 à introduire
des plants de l'arbre à pain à Saint-Vincent
▲ *326*. Dès cette époque, ce fruit prit
une place importante dans l'alimentation
de la population et
notamment dans
celle des «nègres
marrons»
réfugiés dans
les mornes.

MANGUE
Originaire d'Inde,
elle est l'un
des fruits les plus
appréciés. Verte,
elle est utilisée
en cuisine ; on
la consomme nature
ou en confiture
quand elle est mûre.

● LES OBJETS DE LA CASE

À la Martinique, les objets domestiques traditionnels ne sont pas tous relégués au musée. Si la modernisation de l'habitat rural et l'urbanisation ont eu raison de la plupart de ces vieilles choses, certaines ont encore leur raison d'être dans la vie quotidienne, et ce qui passe à nos yeux pour fonctionnel répond à une exigence fort ancienne.

Aujourd'hui, les techniques de préparation alimentaire font appel à des ustensiles d'origine industrielle, non plus artisanale. Pourtant, la vannerie conserve ses droits, et qui peut nier l'efficacité du rustique *moulin-coco* ou du piège à crabes ?

LES RÂPES
Les Antilles ne produisent guère de céréales, d'où l'absence d'engins de battage et d'égrenage. En revanche, on y consomme tubercules et pulpes, d'où la variété des ustensiles de râpage et de broyage, surtout pour le manioc : râpe fixe sur son support, ou râpe cylindrique adaptée à un axe en bois – le *rolle* – actionné par une manivelle, c'est le cas du *moulin-coco* pour obtenir la pulpe onctueuse.

BALAI
Il est fait de feuilles de latanier.

LE CRABIER
Ce système archaïque de piège à crabes (ci-dessous), avec sa porte-couvercle qui clôt la boîte emprisonne – vivant – l'imprudent.

LA CUISINE. La toiture végétale de la case est vulnérable : pour limiter les risques d'incendie, la cuisine était souvent édifiée à l'écart, principe adopté en de nombreuses régions du monde.

MOULIN-COCO

L'ÉGRENAGE DU COTON. Ce moulin comprend deux rouleaux mus par deux manivelles qu'on tourne en sens inverse.

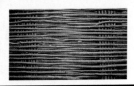

BOIS TI-BAUME. Il est utilisé en tressage pour les parois des cases ● *142* (à gauche).

BÂTONS-LÉLÉS. Ce sont de petits batteurs en bois (ci-contre).

LES FILTRES À EAU
Pour qui ne disposait pas d'une source proche, le filtrage des eaux de pluie recueillies par les gouttières fut longtemps nécessaire. Deux méthodes : un tamis posé sur une calebasse, ou la «pierre à eau», pierre ponce creusée en entonnoir.

CALEBASSE. Pour le transport des œufs.

CHASSE-PAGNES. Elles servent à puiser l'eau stockée dans la jarre.

CALEBASSE. Pour transporter l'eau.

FER À REPASSER ET CAFETIÈRE
Ces objets (ci-contre) aux normes quasi universelles, semblent venus de métropole. Depuis Saint-Pierre, où ils étaient débarqués, des marchands les répandaient dans les campagnes, jusqu'aux habitations les plus isolées.

LE FOYER
En général, à la Martinique, le récipient était posé sur le foyer, formé de trois pierres sur le sol (ci-dessous), ou surélevé par un «potager» (ci-contre) de métal et de briques, de hauteur moyenne.

Intérieur reconstitué d'une case, à l'écomusée de l'anse Figuier ▲ *298*.

LA POTERIE CARAÏBE
La tradition s'est perpétuée dans la région argileuse de Sainte-Anne, selon la technique du colombin et la forme ventrue du *coco nèg*, aux motifs décoratifs très modestes. Seules quelques femmes font vivre encore cet artisanat. Aux Trois-Îlets, une ancienne production d'objets utilitaires s'est diversifiée vers des pièces de fantaisie (cendriers, lampes) sans négliger pour autant les séculaires carafes martiniquaises, à col étroit, qui ont la propriété de conserver l'eau fraîche. Ici, le façonnage se fait au tour.

Plus rudimentaire encore, cette vision du passé, et son foyer à même le sol.

103

LE JARDIN CRÉOLE

FIGUE OU BANANE

**SUCRIER
À POITRINE JAUNE**

LE MONARQUE

L'inventaire des plantes vivrières
et des arbres nourriciers qui peuvent
trouver place dans le jardin créole nous émerveille.
Aux richesses de la flore tropicale se sont ajoutées celles de
contrées lointaines, introduites au cours des siècles. Si la patate
douce, le *chou caraïbe* et la tomate viennent du continent voisin,
le gombo, le *chou de Chine* ou le concombre ont traversé
les océans. Imaginons ce jardin créole idéal où des traditions
culturales toujours vivantes permettent une véritable
autosubsistance familiale.

Diverses variétés
de piments sont
cultivées en fonction
de leur «force».

TOMATE
GOMBO
AUBERGINE
TOLOMAN
BANANIER
COCOTIER

CHOU
POMMÉ

BANANIER

IGNAME
SUR TUTEUR

PIMENT

SALADE
OIGNON-PAYS

CHOU DE
CHINE

TOMATE

**L'ÉTAGEMENT
DES PLANTS**
Au sol poussent
les tomates. Puis viennent les
tubercules : le *chou de Chine* et l'igname.
Des châssis surélevés protègent des insectes
les salades, les *oignons-pays* et les
piments. Au-dessus, le bananier
atténue la rigueur du soleil.

**MABOUIA OU
GECKO NOCTURNE DES MAISONS**

MASICI
D'origine africaine,
le *masici* est un petit
concombre hérissé
de piquants.

GOMBO
Il se déguste jeune et tendre.

Fruits
et légumes
s'associent
pour illustrer
la diversité
du jardin créole.

CANNE À SUCRE   PAPAYER   AVOCATIER

ARBRE
À PAIN

MANGUIER

LES MANGUES
Une très grande
variété de noms
et de goûts.

LA CANNE À SUCRE
Hors des grandes
plantations, elle trouve au
jardin une dimension familiale.

Le jardin typique
est aussi
un décor élaboré.

CRABE BLANC
Ce crabe de terre, le plus commun,
est très recherché pour le *matoutou* ● 107
de la Pentecôte.

CASE À GROS-MORNE
Au XIXᵉ siècle, l'environnement végétal
de la case se compose de *choux de Chine*,
de cannes à sucre et de bananiers.

105

LES CRABES

CRABE *CIRIQUE* DE RIVIÈRE
Comestible, il est également
apprécié des mangoustes.

**CRABE
MAL
Z'OREILLE**

La profusion des débris
retrouvés dans les gisements archéologiques
montre que les crabes étaient l'une des bases
alimentaires des Indiens Caraïbes ; dédaigné
par les premiers colons, le crabe est redevenu
un mets de choix. Le crabe de terre, le plus consommé
– on en capture environ deux millions par an – est
une espèce menacée en Martinique. Pour le protéger, une
réglementation interdit la capture et la consommation
d'individus de taille inférieure à 6 cm.

1

2

3

CRABE *CIRIQUE* DE MER
Crustacé essentiellement marin, il est très
apprécié accommodé en potage. Comme
l'étrille, sa dernière paire de pattes élargies lui
permet de se faufiler rapidement dans la mer.

LE CRABIER
1. La partie supérieure
et l'avant du piège
sont solidaires et
s'articulent avec
le fond de la boîte
où est placé l'appât.
2. Le couvercle lesté
d'un caillou est mis
en extension par
une ficelle. Le clou
à l'extrémité de la
ficelle est fixé à l'appât.
3. Le crabe tire
alors l'appât placé
au fond du crabier
qui s'abat sur lui.

**TROU DU CRABE
DE TERRE**
Reclus une grande
partie de sa vie dans
son terrier boueux,
il n'en sort que la
nuit pour se nourrir
de feuilles.

***CRABE BLANC* OU
CRABE DE TERRE**
Il a surpris par
son habitat,
les premiers colons
qui découvrirent au
beau milieu de leur
jardin ce crabe aux
énormes pinces
menaçantes.

CRABE *TOURLOUROU*
Remarqué par sa couleur
éclatante près des plages,
il sort de son trou
après l'ondée.

**CAPTURE
DU CRABE DE TERRE**
Elle s'effectue
lorsque celui-ci
s'aventure hors de
son trou pour se
nourrir, ou lors des
migrations annuelles.

TRADITION CULINAIRE
Elle se perpétue
dans le *matété* et
le *matoutou*,
plats constitués
de morceaux
de crabe de terre
accompagnés de riz
ou de farine
de manioc, que
les Martiniquais
consomment à
Pâques ou à
la Pentecôte.

CRABE *C'EST-MA-FAUTE*
Il doit son nom à la grosse pince
qui semble battre sa coulpe.

MANTOU
Ce crabe
comestible est
très difficile
à maintenir
en captivité.

CRABES FARCIS
Avant d'être servis, les crabes
doivent jeûner, puis être nourris
au maïs, à la noix de coco et au
piment pour que leur chair soit
épicée à souhait. La farce est
réussie à condition de respecter les
proportions : un tiers de mie de
pain trempée dans du lait pour
deux tiers de chair de crabe sans
oublier les *aromates-pays*. Parfois,
on ajoute un peu de rhum.

● LE GOMMIER

Les quatre étapes
de la fabrication
du gommier.

Le gommier ou *gomyé,* l'un
des derniers témoins vivants
de la culture caraïbe, a traversé
plus de 2 000 ans d'histoire.
Cette pirogue amérindienne était appelée «kanoa» par
les Caraïbes. Ce mot, d'origine toupi, a donné naissance à canot
et canoë en français. En Martinique, le mot *gomyé* apparaît pour
la première fois dans la presse écrite le 3 juin 1942. L'origine
de ce vocable est due au nom de l'arbre dans lequel est creusé
la partie monoxyle de la pirogue. À une ou deux voiles, bateau
de pêche ou de transport, le *gomyé* n'est plus utilisé actuellement
que pour les courses traditionnelles.

PAGAL

Depuis le XVIIᵉ siècle, des voiles de coton
ont été adaptées sur l'embarcation qui garde
cependant ses traits caraïbes. Ci-dessous,
le *gomyé* de transport entre Les
Trois-Îlets et Fort-de-France.

SAFRAN

GOMMIER BLANC
Docriodes exelsa
Son fût peut atteindre
15 m de haut.

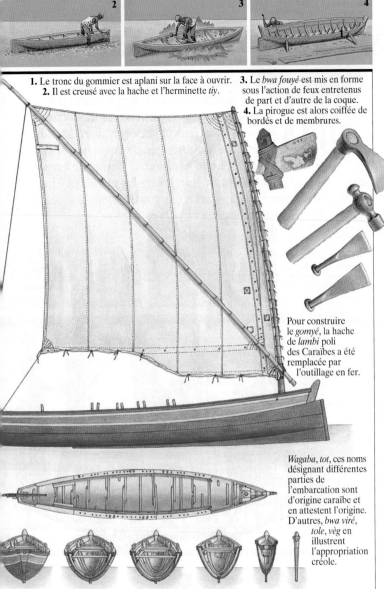

1. Le tronc du gommier est aplani sur la face à ouvrir.
2. Il est creusé avec la hache et l'herminette *tiy*.
3. Le *bwa fouyé* est mis en forme sous l'action de feux entretenus de part et d'autre de la coque.
4. La pirogue est alors coiffée de bordés et de membrures.

Pour construire le *gomyé*, la hache de *lambi* poli des Caraïbes a été remplacée par l'outillage en fer.

Wagaba, *tot*, ces noms désignant différentes parties de l'embarcation sont d'origine caraïbe et en attestent l'origine. D'autres, *bwa viré*, *tole*, *vèg* en illustrent l'appropriation créole.

SCHÉMA D'UN GOMMIER
En haut : profil ; au centre : vue zénithale ; en bas : coupes à six niveaux différents.

Depuis 1955, la voile a été supplantée par le moteur ; les derniers *gomyés* sont progressivement remplacés par la *yol plastik*.

● MOYENS DE TRANSPORT

LES «PORTEUSES»
Premier et plus ancien
moyen de transport :
la tête humaine.

ÂNE BÂTÉ

En Martinique, les «porteuses»
ont assumé de tous temps le transport
d'une quantité de marchandises qu'aucune
statistique ne pourra jamais évaluer. Le port
altier, la tête couronnée de la *torche* qui amortit
et cale le large panier et sa charge de vingt ou
trente kilos, elles ont affronté tous les trajets possibles. Hommes
et mulets, *cabrouets* et camions n'ont jamais altéré leur règne.

Pour les petites gens,
le mulet était
le moyen de transport
le plus simple. Si
l'usage de la chaise
à porteurs marque
le XVIIIe siècle,
les cavaliers, eux,
sont de tous temps.

«La canne doit avoir les pieds en terre
et la tête au moulin.» C'est dire que
le transport de la récolte n'attend
pas. Le principe demeure, seuls
les véhicules ont changé d'aspect.

LE *CABROUET*
Il transporte les cannes
jusqu'à la sucrerie
ou jusqu'au petit train.
En partie détrôné
par le camion, il est
encore familier
à Marie-Galante
en Guadeloupe.

LE FARDIER
Tiré par un cheval, il était utilisé
pour le transport des *boucauts* de
sucre ou des tonneaux de rhum.

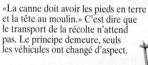

LE *ZÉBU GRANDE BOSSE*
Introduit en 1917 de Trinidad et attelé
aux *cabrouets*, il a longtemps fait
partie du paysage martiniquais. En route,
il se révèle plus leste et plus rapide
que son apparence ne le laisse croire.

LES «DJOBEURS»
Personnages souvent
pleins d'originalité, offrant librement
leurs services pour effectuer
des menus travaux, ils échappent
à l'économie formelle.

Au XIXᵉ siècle, un réseau de voies Decauville dessert les grandes plantations,
plus en Guadeloupe qu'en Martinique. Les pittoresques «locos» sont devenues objets de musée.

LES «CHARBONNIÈRES»
Dès qu'un navire était
à quai,
elles effectuaient
son ravitaillement
et étaient payées
au panier.

L'ANIMATION DES RUES
Le va-et-vient des «porteuses», celui
des «charbonnières» et des «djobeurs» attelés
à leur petite charrette donnaient un
mouvement perpétuel aux quais et aux rues
de Fort-de-France. À Saint-Pierre
avant 1902, un tramway hippomobile, sur
rails, allait du nord au sud, reliant
la Bourse au Fonds-Coré.

**LE TRAMWAY HIPPOMOBILE
DE SAINT-PIERRE**

La première automobile, une De Dion
Bouton, arriva dans l'île vers 1903. Pendant
un temps, on préféra les voitures américaines,
mieux adaptées au réseau routier.

LE *TAXI-PAYS*
«Et qu'est-ce donc que cette
chose-là ? Un grand poulailler
sur quatre roues ? Une maison
qui roule ?» interroge le poète
Gilbert Gratiant. Carrosserie de
bois sur châssis de camion,
bancs transversaux, larges
ouvertures à l'air libre,
couleurs pimpantes :
ils étaient
économiques
et bon enfant.
Encore appelés
«désherbants».
Une institution.

● LE COSTUME

TÊTE CALENDÉE
La coiffe
de cérémonie.

Jusqu'aux premières décennies du XIXe siècle, l'ensemble chemise-jupe-foulard-madras a immortalisé l'image de la belle Antillaise. *Grand'robe* de cérémonie ou *douillette* du siècle suivant, sont autant d'apports luxueux ou pratiques au costume traditionnel. Fruit d'une évolution où se mêlent les influences africaine, française, indienne, il doit beaucoup aux tissus qu'apportaient les navires de la Compagnie des Indes.

LA *GOLLE*
L'éclat de
la *grand'robe*
d'apparat
n'enlève rien
au charme
du vêtement
populaire :
c'est le cas
de la *golle*,
robe simple,
à manches
longues ou
mi-longues.

**LES VÊTEMENTS
DE TRAVAIL**
À bandes, à carreaux,
à bouquets, grande
était, selon la mode,
la variété des tissus. Usagée,
la robe était relevée par
un madras noué «à la Rivière Salée».
Le costume d'homme se composait
d'une simple veste et d'un pantalon.

LA COIFFE

C'est l'un des accessoires du costume créole. Elle reflète tantôt la situation sociale, tantôt les circonstances de la vie.

LE LANGAGE DE LA COIFFE

L'homme averti repère à sa coiffe la «situation» de la femme. Un bout : mon cœur est à prendre. Deux bouts : il est pris, mais tentez la chance. Trois bouts : cœur pris, femme mariée. Quatre bouts : cœur immense, il y a de la place pour tout le monde.

LE *COLLIER-CHOU*

Il se ferme par un «barillet» ouvragé.

LA *GRAND'ROBE*

Elle est toujours confectionnée dans un tissu coloré ou brillant et portée avec un jupon et une cape de la même teinte variant selon le «type racial».

Coiffe en madras (à gauche) nouée à la mode de Saint-Pierre, un pan retombant sur la nuque.

LE BIJOU CRÉOLE

Apparu dès le XVIIᵉ siècle, fruit de l'ingéniosité des artisans martiniquais qui puisèrent leur inspiration autant dans les modèles espagnols, français ou africains que dans la faune ou la flore locales, le bijou créole était autrefois indissociable du costume. Mis au goût du jour, il était porté avec fierté, que ce soit par la mulâtresse (ci-contre), ou par la *matador*. Il est aujourd'hui, l'un des fleurons de l'artisanat d'art.

LA *MATADOR*

C'était une femme entretenue ayant pignon sur rue.

Nid de guêpe, chenille… la nature inspire la création.

Ce sont les deux formes d'expression collective privilégiées en Martinique. Elles reflètent bien la multiplicité des composantes africaines, européennes et américaines de l'île.
Mais l'histoire, les structures rythmiques et chorégraphiques de base ainsi que les instruments de prédilection (principalement le tambour) inscrivent prioritairement les musiques et les danses martiniquaises dans le patrimoine afro-caribéen.

UNE GRANDE DIVERSITÉ

La variété des ethnies amenées par la traite, les conditions de vie imposées à l'esclave sur les plantations et la diversité des apports effectués plus tard par la colonisation expliquent le foisonnement du patrimoine musical de la Martinique. Les rythmes, mais aussi les instruments utilisés le montrent. Le tambour et les percussions demeurent aujourd'hui omniprésents ; le banjo et la clarinette, quant à eux, révèlent l'influence du jazz de la Nouvelle-Orléans et le violon, les emprunts faits à la musique européenne. On peut ainsi relever les multiples influences qui ont défini la musique et la danse martiniquaises : la biguine, la *kalenda*, le *bélé* viennent d'Afrique ; le quadrille, la mazurka sont originaires d'Europe ; la *mizik chouval* et le *zouk* sont, eux, de caractère plus créole…

DANSE D'ESCLAVES
Ce tableau, qui date de la fin du XVIIIe siècle, est l'une des premières représentations où le madras figure comme élément du costume.

Dès le XVIIIe siècle, la danse est l'un des passe-temps favoris des libres de couleur.

BALLETS FOLKLORIQUES ACTUELS
Ces groupes sont de plus en plus nombreux à perpétuer les traditions ancestrales de danse et de musique, et à les adapter à des chorégraphies modernes. Parmi les plus célèbres, les Grands Ballets de la Martinique, le groupe Pomme Canelle et les Balisiers.

LE ZOUK
C'est une musique composite à l'image du métissage antillais. Kassav et sa chanteuse Jocelyne Béroard en sont les ambassadeurs.

«Si les Africains ont pu supporter la colonisation, c'est grâce à leur musique» écrit Francis Bebey. De même, pendant la période esclavagiste, la musique a tenu un rôle d'exutoire aux Antilles.

«DOUDOUISME»
L'exotisme dans la chanson créole trouve l'une de ses meilleures illustrations dans le «doudouisme» du début du XXe siècle.

ORCHESTRE DE SAINT-PIERRE
L'introduction du banjo et de la clarinette fit le succès pierrotin.

❝Ces musiques nées du silence, negro-spirituals et blues, biguines et calypsos, éclatées dans les barrios et les favelas, salsa et reggae, rassemblent en une parole diversifiée cela qui était crûment direct, douloureusement ravalé, patiemment différé. Elles sont le cri de la plantation, transfiguré en parole du monde.❞
Édouard Glissant

● LE CARNAVAL

Chacha, *ti-bois*, tambour
gros ka, baril en plastique,
bouteille, triangle, sont
les instruments de base.

L'origine du Carnaval remonte au
XVIIe siècle en Martinique, et trouve
son apogée au XIXe siècle à Saint-Pierre.
Après 1902, on crut que le Carnaval était
mort, mais il survécut à Fort-de-France où les bals
reprirent leur tradition, où les élections de reines et de
mini-reines au titre éphémère mais prestigieux, déchaînent
encore la passion et où surtout les immenses *vidés* habillés
tantôt du rouge du Mardi gras, ou du noir et blanc du mercredi
des Cendres, emmènent
jusqu'à la nuit tombante
des foules enfiévrées.

LES ORCHESTRES DE RUE
Les orchestres de rue rivalisent
en costumes, en chorégraphie et en rythmes
pour entraîner à leur suite les foules.

LES PERSONNAGES DU CARNAVAL
À la Martinique, le personnage principal
du Carnaval est une immense statue : *Vaval*,
sorte de totem vivifié que l'on adore pendant
quatre jours et qui finira dans les flammes
le mercredi des Cendres, dans une immense
clameur de pleurs, avec néanmoins
la certitude de le voir renaître l'année suivante.
Mariannne la peau figue, *nèg'gros sirop*,
Médecin l'Hôpital, *bébés malpropres*, fantômes
et *guiablesses* constituent, à côté de travestis
plus riches, sa cour traditionnelle.

LES DIABLES ROUGES

En habit de satin rouge parsemé de morceaux de miroirs et la tête cachée par un masque rouge ou noir surmonté de cornes, ce personnage central du Carnaval se déplace en dansant avec force bruits de clochettes, en brandissant un trident décoré. Le diable rouge marque bien la survivance africaine, profane et païenne dans le Carnaval.

LES MARIAGES BURLESQUES

Ces groupes arpentent les rues le Lundi gras et mettent en scène les situations nuptiales des plus extravagantes : se suivent le curé, le marié déguisé en femme et inversement, puis les enfants, les parents, les amis.

● LES CROYANCES

AUTEL EN PLEIN AIR
Des petits édifices de culte
sont érigés un peu partout.

Comparativement
à d'autres îles
des Grandes Antilles,
il n'existe pas de culte
religieux autochtone en
Martinique. Cependant,
le segment culturel
africain est présent à travers le *quimbois*,
qui correspond à un ensemble de
pratiques et de croyances magiques
faisant appel à une conception animiste
de la réalité. Le catholicisme n'a pas
empêché ces croyances de se développer,
et même d'en être pénétré. Au point
que, pour une grande partie de la
population, les croyances surnaturelles
procèdent tout autant du christianisme
que du *quimbois*.

LES «PANSEURS D'ÂME»
Les *quimboiseurs* ont la réputation
de pouvoir prévenir ou guérir de
tout : des mauvais sorts, maladies
physiques ou mentales.

LES «SUPERSTITIONS DES NÈGRES»
Amenée d'Afrique, la croyance
dans le surnaturel reposait
sur l'animisme, c'est-à-dire sur
l'existence d'une âme,
d'un esprit plus ou moins divin
à l'intérieur de certains
animaux. D'où la grande
valeur religieuse ou
magique des sacrifices.

LE JOUR DES MORTS
À la Toussaint, fleurs
et bougies enluminent
les cimetières.

TEMPLE ÉVANGÉLIQUE
Dès la seconde moitié
du XXᵉ siècle, de
nombreuses religions
ont été introduites
en Martinique.

LES EAUX DE DÉSENVOÛTEMENT

Ces «remèdes» se composent souvent d'un peu d'eau de mer prélevée à l'embouchure d'un marigot et mélangée à des substances chimiques, végétales ou animales. L'envoûté doit se baigner et réciter des prières.

TEMPLE HINDOU
Arrivés après l'abolition de l'esclavage, les Indiens ont amené avec eux leurs coutumes et leurs croyances.

BAPTÊME ADVENTISTE
Bain de mer collectif, tout de blanc vêtu, devant des masses de fidèles.

LE *QUIMBOIS*
DANS LA VIE QUOTIDIENNE
La force des croyances dans le surnaturel et la magie s'exprime souvent à travers l'ensemble de la vie publique et privée : dans les relations professionnelles, les rapports de voisinage, en amour, en politique, ou en affaires.

MAGIE DE L'UNIVERS OU
UNIVERS MAGIQUE
Venue du Bénin ou d'ailleurs, ici la magie fait partie du paysage. À ces mythes et autres *Maman Dlo*, *dorlis*, zombis ou *diablesses* se mêlent des règles dérivées du rituel religieux catholique.

PAPA DIABLE
La représentation première attachée à ce personnage mythique renvoie à la symbolique du mal et de la peur.

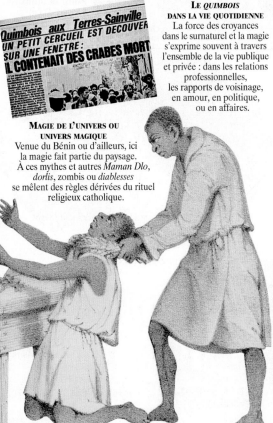

AUTEL VAUDOU HAÏTIEN
Les dieux vaudous y sont honorés secrètement.

● LES JEUX

COMBAT DE COQS AU *PITT* CLÉRY
Ce *pitt* est le plus connu
de la Martinique. On y voit
s'affronter également
mangoustes et serpents.

Dans l'ensemble de l'aire afro-américaine, les
jeux ont de tous temps occupé une grande place.
À l'origine, ils représentaient un véritable exutoire
à l'oppression du système esclavagiste. Ils étaient
d'autant plus pratiqués que les maîtres les toléraient.
Plus tard, dans les sociétés postcoloniales, ces coutumes
se sont poursuivies selon des modalités différentes
mais avec une intensité comparable. L'univers domestique
et une partie de la vie sociale d'aujourd'hui ont ainsi intégré
en les transformant, un certain nombre de ces coutumes.

**PARTIE DE DOMINOS
À SAINTE-LUCIE**
Ce jeu est pratiqué
dans toutes
les Antilles.

SCÈNE DE PUGILAT
Cette danse de bâton
dite «danse
des mayoleurs»
à la Guadeloupe,
est voisine du *ladja*
de Martinique.
Ce sont toutes
les deux des danses
où se mêlent
tambour, lutte et
acrobatie.
À l'origine,
ces danses de
plantation étaient
de véritables combats
dans lesquels pieds
et bâtons tenaient
lieu d'armes.

PARTIE DE CARTES SOUS LES ARBRES

PRÉSENTATION DE COQS AU *PITT* ALEXANDRE

Le terme créole de *pitt* désigne l'espace en forme d'amphithéâtre où s'affrontent les coqs.
Il est avec ou sans gradins. Son sol est en terre battue ou recouvert de moquette.

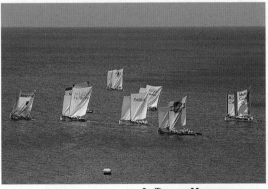

UN SPECTACLE COLORÉ
Chaque équipe (composée de 8 à 11 hommes) est soutenue par une marque qui appose sa signature sur les voiles des yoles et les vêtements des équipages.

COURSE DE GOMMIERS
Sur cette photographie ancienne, une course se déroule dans la baie de Fort-de-France, au début du XXᵉ siècle.

LE TOUR DE MARTINIQUE DES YOLES RONDES
La yole a remplacé le gommier et les courses sont devenues de véritables événements sportifs. À l'occasion du Tour, s'affronte, au mois d'août, une vingtaine d'embarcations.

Imaginative et raffinée, la vannerie martiniquaise est l'héritière d'une tradition issue d'Amérique du Sud et transmise par les Caraïbes. Tradition que les gens du pays ont, avec le temps, modelée selon une personnalité et une symbolique où le choix des couleurs et des motifs géométriques joue son rôle. «Ce sont les hommes qui font les paniers et les autres ouvrages de ce genre», écrit le père Labat à la fin du XVIIe siècle. Il n'y a guère qu'une cinquantaine d'années que les femmes ont brisé ce monopole.

Les motifs «petit croix», «domino», «carreau», «carreau madras» etc. alliés aux combinaisons du rouge, du noir et du blanc, constituent un véritable langage familial et social.

Certaines vanneries sont tressées sur des formes démontables.

LE «NATTÉ». Les tiges entrecroisées se déploient à partir d'un point central et sont tissées entre elles par d'autres fibres, selon une technique courante à la Martinique.

LE PANIER CARAÏBE
Au début du XXe siècle, à Morne des Esses, deux jeunes filles fabriquent ces paniers caraïbes. Des feuilles séchées prises dans la double paroi les rendaient étanches.

LES MOTIFS. «À la capresse», «à la mulâtre», noms significatifs parmi les multiples combinaisons d'ocre roux (dit rouge), de brun foncé (noir) et de beige ivoire (blanc).

TRADITION ET INNOVATION. Cette activité reste sans conteste une des survivances amérindiennes de la culture martiniquaise, bien que les vanniers locaux aient apporté une contribution spécifique en matière d'utilisation des couleurs. Deux plantes entrent dans cette fabrication : l'*aroman* et le *cachibou* ; deux techniques de base principales, le «natté» et le «cordé», participent à la création d'objets dans une gamme encore très traditionnelle.

LE *CACHIBOU.* L'un des deux végétaux de base (*Calathea lutea*), en son état naturel.

L'*AROMAN.* Ses tiges (*Ischnosiphon aruma*) sont d'abord fendues en quatre dans leur longueur.

L'*aroman* est séché au soleil et prend une teinte ocre roux.

Panier, set de table, lampe et surtout la traditionnelle carafe témoignent de la vivacité culturelle amérindienne.

Les lanières de *cachibou* doivent être plongées dans l'eau bouillante avant d'être exposées au soleil.

LA PÊCHE À LA NASSE

Rouges, *carpes* et nombreux
chirurgiens se capturent
à faible profondeur.

D'innombrables pratiques de pêche sont liées
à l'histoire des peuples insulaires.

Aux Antilles, certaines techniques font encore
référence aux Caraïbes. Certes, les méthodes
et les besoins ont évolué, des matériaux nouveaux
sont apparus, les temps modernes ont modelé
l'organisation de cette activité.

Cependant, à la Martinique,
la pêche a encore, pour une large part, un aspect
artisanal. Petite pêche, pêche côtière, pêche
au large ont chacune leurs caractéristiques.
De juin à novembre, la «saison des casiers»
met les nasses en vedette.

Succédant
à la *nasse-bois*,
les nasses actuelles
sont constituées
d'une armature en
bois et en grillage.
Ces grandes nasses
peuvent être
immergées entre une
et quatre semaines.
Un pêcheur peut
en posséder plusieurs
centaines.

Les nasses, qu'elles soient en grillage ou
en vannerie, exigent un entretien permanent.

***CHATROU* OU POULPE.** Fort
apprécié, il peut
aussi servir
d'appât.

Raclette servant à vider
la nasse pour éviter les blessures.

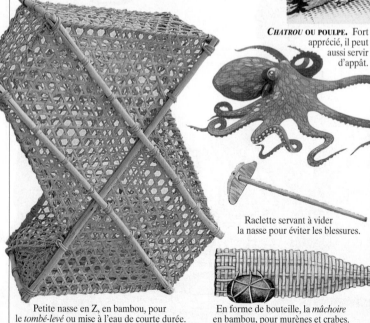

Petite nasse en Z, en bambou, pour
le *tombé-levé* ou mise à l'eau de courte durée.

En forme de bouteille, la *mâchoire*
en bambou, pour murènes et crabes.

CARPE

CHIRURGIEN BLEU

Les espèces récoltées varient suivant la profondeur d'immersion des nasses, de 10 m à 30 m en général.

Un modèle éprouvé ou *tché-nasse* sert de patron.

Les *bois-mirettes* ont été fendus en lamelles appelées *lianes*.

L'armature en *bois ti-baume* va supporter les parois tressées.

Cette carte postale ancienne représente une image presque disparue du *paré-nasse*. Une fois les façades en *bois-mirette* achevées, elles sont réunies à l'armature.

MARIGNAN, ROUGE BRÛLÉ

La pêche aux nasses assure une bonne part du poisson frais vendu sur les marchés.

En 1991, ce type de pêche a représenté 26 % du tonnage total recueilli.

POISSON-COFFRE À CORNES

Les nasses sont souvent «nourries» ou appâtées de pain rassi et de pulpe de coco.

Une nasse pèse environ 30 kg. Au moment de la relève, elle peut en peser plus du double. La hisser à bord est une opération délicate, si l'on ne veut pas chavirer. Pour éviter les blessures, les pêcheurs se font des gants dans des morceaux de chambre à air : économiques, efficaces, et pittoresques.

LE «MAÎTRE DE SENNE»
Il doit veiller sans cesse
au bon état de ses filets.

Plusieurs types de filets sont en usage
à la Martinique pour des pêches spécifiques :
filets maillants et trémails classiques pour
les poissons de fond et les langoustes ;
au sud de l'île, on trouve la *folle* qui recueille tortues et *lambis*,
alors qu'au nord, les filets de surface sont destinés aux poissons
de passage qui se rapprochent des côtes. Quant aux espèces
qui frôlent de trop près les rivages, elles ont à faire
à une technique séculaire et collective : la senne de plage.

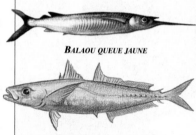

BALAOU QUEUE JAUNE

TCHA-TCHA OU CHINCHARD

LES ESPÈCES CONVOITÉES
Maquereaux, *coulirous*, *tchas-tchas*, *balaous* et *bonites* ou petits thons dits «bariolés» sont les plus communs des petits poissons pélagiques pris à la senne de plage.

COULIROU

STRUCTURE DE LA SENNE
Les mailles vont en diminuant des «ailes» à la «foncière», le cœur de l'engin, où s'engouffrent les poissons au moment où l'on commence à haler le filet sur la plage.

DES DIMENSIONS VARIABLES
Les sennes varient en fonction des espèces recherchées. Les plus communes ont 100 m de longueur. Hautes de 5 m à 6 m, elles mesurent 120 m pour les *balaous* et jusqu'à 600 m pour les *bonites*. Toutes sont, en principe, destinées à des poissons de petite taille, mais les orphies atteignent parfois 1,5 m de longueur.

Cette pêche respecte le plus souvent la tradition : une part pour le patron, une pour l'équipage, et la troisième pour les «tireurs».

126

Bien que ce gommier soit équipé d'un moteur hors-bord, c'est plus souvent à l'aviron qu'on va lancer la senne.

Huit, dix, bientôt vingt personnes s'assemblent pour tirer les extrémités du filet.

Le «maître» et son équipage sont les grands ordonnateurs de l'opération.

UNE TRADITION EN RECUL

«Ces filets ou sennes doivent être faits de bonne ficelle de chanvre ou de pitte bien torse ; on ne doit pas manquer de les teindre avec du roucou, ou des restes d'indigo pour leur donner une couleur un peu sombre, parce que, s'ils étaient blancs, ils paraîtraient trop dans l'eau, et épouvanteraient le poisson», écrit le père Labat, témoin de tous les instants. La technique a-t-elle beaucoup changé depuis le XVIIᵉ siècle ? Autrefois le filet était un vrai bien familial, un signe de richesse. La moindre déchirure exigeait de nombreuses heures pour le «ramender». Le nylon, adopté en partie seulement, limite le travail. La pêche à la senne de plage est en recul sensible depuis quelques années, tout en restant en faveur sur le littoral caraïbe. Elle n'en occupe pas moins le troisième rang dans la production totale de la pêche à la Martinique.

La senne peut se lancer jusqu'à 300 m du rivage ; le petit matin est le plus propice au «coup de senne».

BONITE OU THON BARIOLÉ

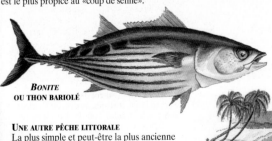

UNE AUTRE PÊCHE LITTORALE

La plus simple et peut-être la plus ancienne des pêches, le «ramassage», est loin d'être négligeable. Elle concerne les *chadrons* (oursins), les huîtres de la côte atlantique du François au Vauclin, les crabes, et les langoustes pour lesquelles le *chatrou* ou poulpe sert de chasseur.

● LA «PÊCHE À MIQUELON»

VOLANT OU EXOCÈTE. Grâce à ses grandes nageoires, le *volant* peut effectuer de très longs sauts planés au-dessus des flots.

La variété et l'abondance des pêches littorales s'expliquent par l'étroitesse du plateau continental martiniquais. Pourtant, c'est la pêche au large qui occupe la première place, plus du tiers de la production totale de poisson : c'est la «pêche à Miquelon», qui s'exerce sur une distance de cinquante à cent milles des côtes. À l'est de la Martinique, elle vise principalement les espèces de grands pélagiques, thons, *dorades* et thazards. Dans la zone caraïbe domine la pêche aux *volants*, capturés parfois en quantités impressionnantes.

LES YOLES
Les embarcations utilisées pour la «pêche à Miquelon» sont les mieux équipées de la flotille locale. Les yoles plastiques y sont plus nombreuses que

les gommiers ● *108*, certaines possédant un moteur de plus de 100 CV. Depuis les années 1990, dans le cadre d'un plan de pêche, des bateaux pontés de 9 m à 11 m, à moteur diesel, permettent des sorties de plusieurs jours. Sur la façade atlantique, Le Vauclin et La Trinité sont les principaux centres de «pêche à Miquelon».

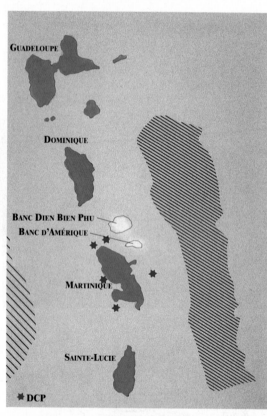

GUADELOUPE

DOMINIQUE

BANC DIEN BIEN PHU
BANC D'AMÉRIQUE

MARTINIQUE

SAINTE-LUCIE

✦ DCP

«MIQUELON» (PARTIE HACHURÉE). C'est le grand large, très loin, au delà de l'horizon, vers ces îles froides d'où vint jadis la morue séchée, chère à la cuisine antillaise.

FILETS. Ils sont souvent disposés entre les îles pour capturer les poissons volants, les orphies, les *balaous* ● *126*, les *coulirous* ● *126* et les sardines.

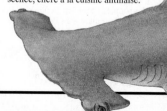

Les côtes découpées de la Martinique offrent près de 150 points de mouillage.

LA TRAÎNE. La prise des grands pélagiques caractérise la «pêche à Miquelon» sur la façade atlantique et le canal de Sainte-Lucie. Elle met en œuvre trois lignes de traîne en surface pour la capture des *dorades*, espadons et thons.

THON JAUNE

VAREY OU ESPADON

LES LIGNES DÉRIVANTES
Elles sont utilisées de juillet à décembre, après la saison de la «pêche à Miquelon». On les mouille, en général, à une dizaine de milles au large. Cinq lignes peuvent être mises en œuvre par un équipage de trois hommes. Les appâts sont des *volants*. Les prises sont des espadons ou des requins et parfois encore des coryphènes.

THAZARD

Les thons aussitôt débarqués sur la plage sont vidés et nettoyés. Certains *thons jaunes* peuvent atteindre un poids de 100 kg.

CORYPHÈNE

Par la diversité de ses équipements, la «pêche à Miquelon» nécessite un investissement plus lourd que la petite pêche côtière : trois des cinq parts vont au patron, au bateau, et au moteur.

LA PALANGRE. Mouillée sur des fonds de 200 m à 400 m, entre 16 h et 17 h, elle est relevée le lendemain à 6 h. Elle permet la capture de requins.

LES «BOIS». Ce sont les épaves à la dérive autour desquelles se rassemblent les poissons. On en a créé d'artificiels : les «dispositifs de concentration de poissons» ou DCP (ci-dessus).

Des leurres de composition et de couleurs différentes sont fixés au bout des lignes.

REQUIN-MARTEAU

● LES PRODUITS DE LA PÊCHE

CHADRONS
Oursins blancs dont
les gonades sont comestibles.

RIVIÈRE MADAME
Arrivée de pêcheurs.

Si chaque commune maritime a son marché aux poissons, une partie de la marée s'achète encore directement sur la plage, auprès des pêcheurs. Cependant, les divers points de vente restent bien approvisionnés avec plus de cent espèces de poissons et de crustacés proposées. Poissons du plateau continental ou du récif : *marignan*, *sarde*, *capitaine* etc., sont regroupés sous la dénomination de «poisson rouge». Ceux du grand large – thons, thazards, *dorades*, etc. – sont désignés comme «poisson blanc».

POISSON-ANGE

En 1991, une étude statistique a comptabilisé pour la Martinique, 153 802 sorties en mer qui se répartissaient ainsi :
– «Miquelon» : 41 879
– nasses : 38 972
– sennes : 9 551
– filets de fond : 17 904
– autres : 45 496 (dont palangre, plongée sous-marine, filets de surface, filets trémail, traîne côtière, doucine et *tombé-levé* ● 124).

CARPE OU PETIT POISSON PERROQUET
Elle se déguste en court-bouillon.

CABOUKA OU ARAIGNÉE DE MER
Capturée au large du Robert, elle est comestible entre deux mues.

CRABE-CORAIL OU TOURTEAU
Il est devenu rare sur le marché.

CIRIQUE DE MER
Attrapé à la senne ● 126,
il est utilisé dans la soupe de poissons.

MANMAN-HOMA OU CIGALE

Prélevés des casiers, une multitude de
petits poissons frétillent au fond du canot.

SARDE QUEUE JAUNE

DEMOISELLES
Capturées dans les
nasses, elles sont
utilisées comme appât.

1. *Barbarin rouge,
souris.*
2. *Gorette.*
3. *Ouatalibi.*
4. *Morène noire*
ou murène.
5. *Rouge brûlé.*
6. *Homa bissié.*
7. *Gorette.*
8. Chirurgien noir.
9. *Gorette.*
10. *Cabrit.*
11. Poisson-ange.

"Ce sont
les moringues,
les balaous,
les coulious, macriaux,
tazards, tchétchas,
bonniques et zorphis
représentant à peu
près toutes les teintes
possibles du bleu
au violet. La souris
est rose et jaune ;
la patate
est noire
et jaune ;
le gros-zié est vermeil ;
la couronne est
rouge et noire."
Lafcadio Hearn

HOMA BLAN OU LANGOUSTE

**CHATROU OU
PETITE PIEUVRE DES
ANTILLES**

**VENTE DE POISSONS
AU VAUCLIN**
Cette région de la côte
sud atlantique est
très propice à
la pêche
à la nasse
● *124*, qui
représente environ
40 % de la production
totale martiniquaise.

131

● SPÉCIALITÉS

RHUMS AGRICOLES

Ils sont de trois sortes : le rhum blanc, base du *ti-punch* ; le rhum paille, rhum blanc
légèrement vieilli ; et le rhum vieux, qui passe au moins trois ans
dans des fûts de chêne ayant contenu du bourbon
ou du whisky.

LE TRESSAGE

Corbeilles, paniers, chapeaux,
nasses, sets de table…

LE MADRAS

Originaire d'Inde,
le madras est devenu
le tissu symbole de l'île.
Il sert à la fabrication des coiffes et
des vêtements, et décore
les intérieurs.

FARINE
DE MANIOC
Elle est la base du
matoutou ● *107* et
du *féroce* ● *97*.

BLANC-MANGER COCO
Délice du fruit
du cocotier,
flan doux et sucré :
c'est le *blanc-manger*.

PRODUITS DÉRIVÉS
DE LA BANANE
Flambée, séchée, en
compote, en gâteau…

ANANAS
Il se déguste nature, en jus, compote
ou confiture. Ses vertus le font aussi
entrer dans
la composition
de certaines
pharmacopées.

LE *TI-PUNCH*
Une larme de sirop
de canne ou un peu
de sucre, une rasade
de rhum blanc
ou paille, un zeste
de citron.

LA PRESSE
Elle représente les grandes tendances
départementalistes, autonomistes et
indépendantistes de l'opinion politique.

LE PLANTEUR
Jus de fruits, sirop
de canne et
rhum.

ANTHURIUM
L'une des fleurs
emblématiques
de l'île.

ARCHITECTURE
DANIELLE BÉGOT

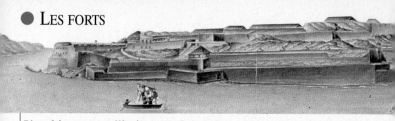

L'architecture militaire martiniquaise a répondu à un double souci : protéger les premiers établissements européens contre les dangers venant de l'intérieur, attaques caraïbes et séditions de colons, et parer à toute tentative de débarquement des puissances rivales. Le système de fortification est donc avant tout littoral, installé sur la bande côtière des «cinquante pas du roi». Ces 81 m de large que la monarchie réserve à la mise en défense des îles s'apparentent à une «loi littorale» avant l'heure.

Les ouvrages les plus anciens, contemporains de l'installation des Français, restent fidèles à la conception médiévale de l'éperon barré. Les remparts sont alors de simples palissades de pieux protégeant un donjon. À partir de 1674, avec l'administration directe de la couronne, le corps des ingénieurs du roi prend en charge les ouvrages militaires, en leur appliquant les principes de Vauban. À Fort-de-France, Payen et Caylus s'illustrent entre 1674 et 1696 au fort Royal, Rochemore et Le Bœuf au fort Bourbon entre 1763 et 1771.

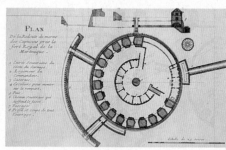

LA REDOUTE

La redoute projetée par Caylus au morne des Capucins, qui dominait le fort Royal, était un ouvrage circulaire défendu par un fossé et un rempart.

L'ARSENAL

Les murs épais des arsenaux abritaient au rez-de-chaussée, affûts de canons et chariots ; à l'étage, armes blanches, fusils et munitions.

Les batteries répondent au développement de la guerre côtière de mouvement. Leurs parapets de pierre étaient percés d'embrasures en gabionnade ou surmontés d'une barbette en maçonnerie.

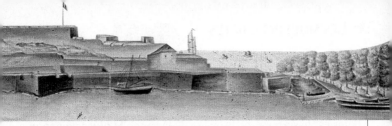

De la fortification bastionnée, le fort Saint-Louis retient le faible relief d'ensemble, les remparts talutés de terre et les bastions polygonaux en avant-corps de l'enceinte.

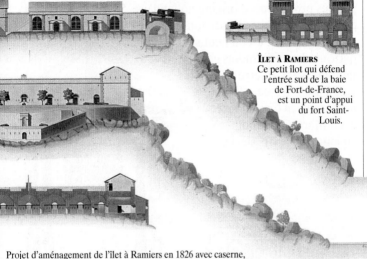

ÎLET À RAMIERS
Ce petit îlot qui défend l'entrée sud de la baie de Fort-de-France, est un point d'appui du fort Saint-Louis.

Projet d'aménagement de l'îlet à Ramiers en 1826 avec caserne, magasins à poudre et magasins d'artillerie.

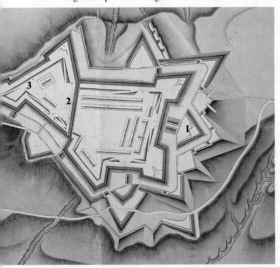

FORT BOURBON
Le point faible des places fortes de l'île, démontré par les victoires anglaises de 1762, 1794 et 1809, est leur impuissance face à un ennemi tombant des hauteurs. La construction du fort Bourbon, aujourd'hui Desaix, est décidée en 1763 pour protéger le fort Royal. Dans le plan de 1771, les deux enceintes sont indépendantes, et les lignes de défense s'échelonnent de la demi-lune nord-est (**1**) et sa caponnière à la tranchée (**2**) qui défend le réduit (**3**).

FORT SAINT-PIERRE
Dans ce plan de 1734 la fonction militaire de Saint-Pierre est encore très marquée. La rade est protégée par un fort érigé à l'embouchure de la Roxelane et par un réseau de batteries.

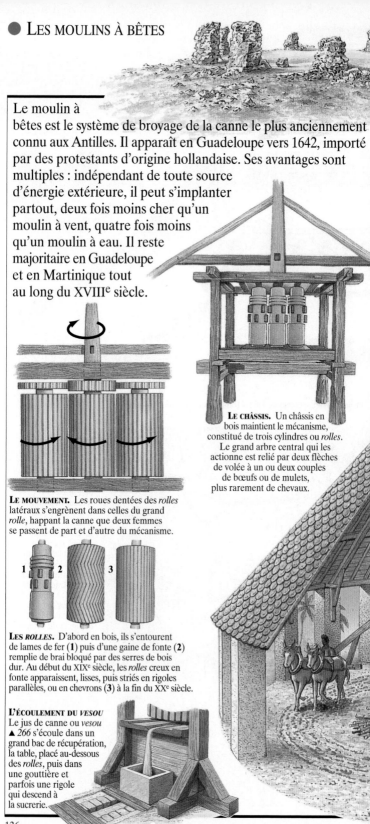

Le moulin à bêtes est le système de broyage de la canne le plus anciennement connu aux Antilles. Il apparaît en Guadeloupe vers 1642, importé par des protestants d'origine hollandaise. Ses avantages sont multiples : indépendant de toute source d'énergie extérieure, il peut s'implanter partout, deux fois moins cher qu'un moulin à vent, quatre fois moins qu'un moulin à eau. Il reste majoritaire en Guadeloupe et en Martinique tout au long du XVIIIe siècle.

LE CHÂSSIS. Un châssis en bois maintient le mécanisme, constitué de trois cylindres ou *rolles*. Le grand arbre central qui les actionne est relié par deux flèches de volée à un ou deux couples de bœufs ou de mulets, plus rarement de chevaux.

LE MOUVEMENT. Les roues dentées des *rolles* latéraux s'engrènent dans celles du grand *rolle*, happant la canne que deux femmes se passent de part et d'autre du mécanisme.

LES *ROLLES*. D'abord en bois, ils s'entourent de lames de fer (**1**) puis d'une gaine de fonte (**2**) remplie de brai bloqué par des serres de bois dur. Au début du XIXe siècle, les *rolles* creux en fonte apparaissent, lisses, puis striés en rigoles parallèles, ou en chevrons (**3**) à la fin du XXe siècle.

L'ÉCOULEMENT DU *VESOU*
Le jus de canne ou *vesou* ▲ 266 s'écoule dans un grand bac de récupération, la table, placé au-dessous des *rolles*, puis dans une gouttière et parfois une rigole qui descend à la sucrerie.

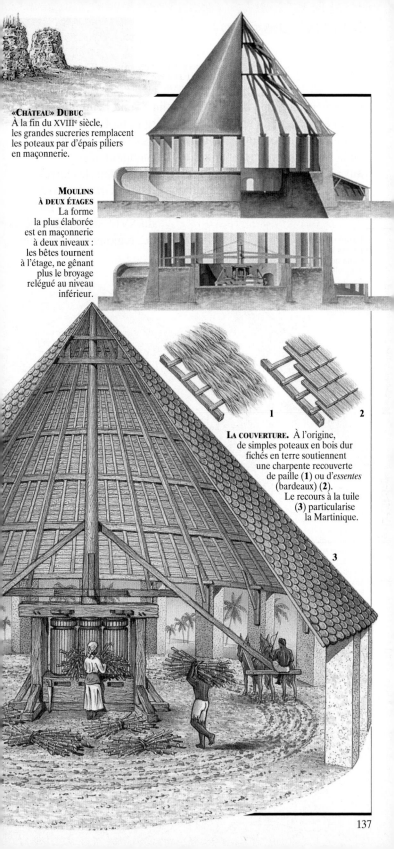

«CHÂTEAU» DUBUC
À la fin du XVIIIᵉ siècle,
les grandes sucreries remplacent
les poteaux par d'épais piliers
en maçonnerie.

**MOULINS
À DEUX ÉTAGES**
La forme
la plus élaborée
est en maçonnerie
à deux niveaux :
les bêtes tournent
à l'étage, ne gênant
plus le broyage
relégué au niveau
inférieur.

1

2

LA COUVERTURE. À l'origine,
de simples poteaux en bois dur
fichés en terre soutiennent
une charpente recouverte
de paille (**1**) ou d'*essentes*
(bardeaux) (**2**).
Le recours à la tuile
(**3**) particularise
la Martinique.

3

● LES MOULINS À EAU

Comme le moulin à bêtes et le moulin à vent, le moulin
à eau appartient à l'ensemble des énergies motrices
traditionnellement utilisées dans les îles avant l'apparition
de la vapeur. Son implantation est directement liée
aux possibilités du milieu naturel. Inexistant dans les terres
trop sèches du sud de la Martinique ou de la Grande-Terre
guadeloupéenne, il a en revanche équipé très tôt, dès la fin
du XVIIe siècle, les rivières
des régions bien arrosées.

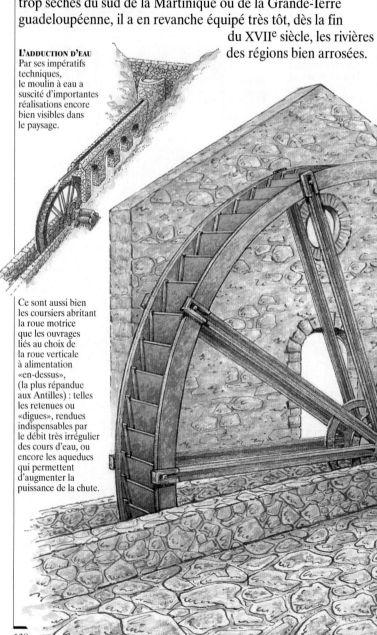

L'ADDUCTION D'EAU
Par ses impératifs
techniques,
le moulin à eau a
suscité d'importantes
réalisations encore
bien visibles dans
le paysage.

Ce sont aussi bien
les coursiers abritant
la roue motrice
que les ouvrages
liés au choix de
la roue verticale
à alimentation
«en-dessus»,
(la plus répandue
aux Antilles) : telles
les retenues ou
«digues», rendues
indispensables par
le débit très irrégulier
des cours d'eau, ou
encore les aqueducs
qui permettent
d'augmenter la
puissance de la chute.

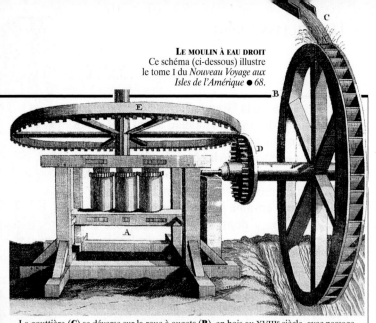

LE MOULIN À EAU DROIT
Ce schéma (ci-dessous) illustre
le tome I du *Nouveau Voyage aux
Isles de l'Amérique* ● 68.

La gouttière (**C**) se déverse sur la roue à augets (**B**), en bois au XVIIIe siècle, avec passage progressif au métal au XIXe siècle. Le mouvement est transmis au rouet (**D**) qui s'engrène dans le balancier (**E**). La canne est broyée en **A**.

La conversion au «nouveau système» énergétique s'opère lentement à partir de 1810, date de l'introduction du premier moulin à vapeur dans l'île.

**LE TRIOMPHE
DE LA VAPEUR**
Il est assuré par les usines centrales dans la seconde moitié du XIXe siècle. La vapeur opère le broyage de la canne, grâce à des *rolles* horizontaux placés en série. Elle permet aussi la cuisson sous vide. L'équipement des sucreries antillaises assure alors d'importants débouchés aux fournisseurs métropolitains ou anglais.

● LES MOULINS À VENT

Hautes de 6 m à 9 m, ces constructions pouvaient être soit en bois, soit en maçonnerie. Le blocage des moellons sous enduit l'a toujours emporté sur la belle pierre de taille.

Caractéristiques de la Grande-Terre et de Marie-Galante en Guadeloupe, les moulins à vent sont moins nombreux en Martinique, où ils sont présents dans le Sud et sur une partie de la côte atlantique. Amputés des ailes et du toit, qui ont disparu au fil des cyclones, ils n'ont gardé que leur tour tronconique, souvent envahie par les *figuiers maudits* dont les racines attaquent inexorablement les pierres.

LE CANAL À *VESOU*
Le *vesou* ▲ 266 sortait du moulin par la *goulerotte* et c'est dans de rustiques gouttières en bambou supportées par des piliers de maçonnerie qu'il dévalait la pente séparant le moulin de la sucrerie. Il était alors stocké dans des cuves avant d'être transféré vers les chaudières où commençait l'extraction du sucre.

LES ÉLÉMENTS DU MOULIN
Les tours disposaient d'une toiture pivotante qui glissait sur le rail du couronnement en bois. Les ailes, au nombre de 4 ou 6, étaient démontées à la période cyclonique ; au repos, des anneaux scellés dans la maçonnerie les immobilisaient.

Très inhabituelle est la forme octogonale de Cigy, au Vauclin, où le moulin a été transformé en citerne.

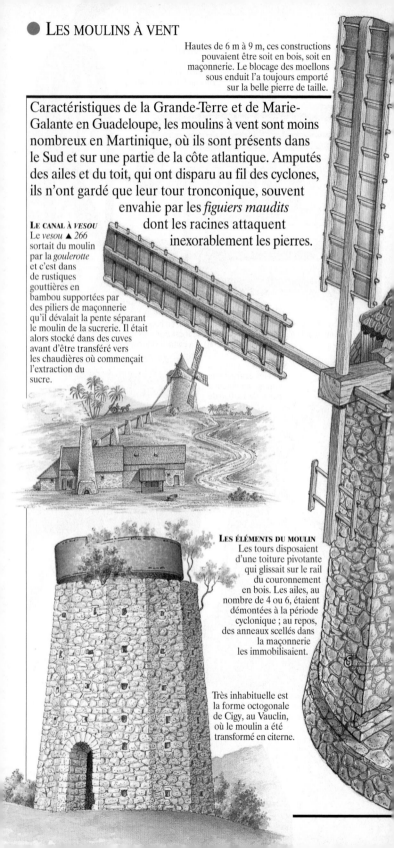

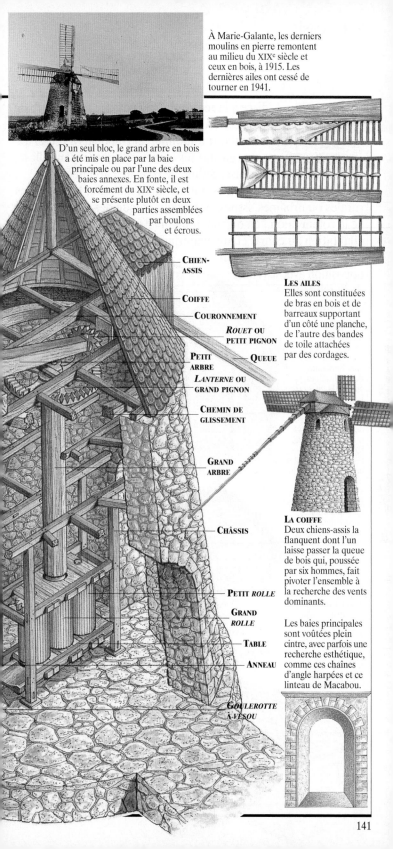

À Marie-Galante, les derniers moulins en pierre remontent au milieu du XIXe siècle et ceux en bois, à 1915. Les dernières ailes ont cessé de tourner en 1941.

D'un seul bloc, le grand arbre en bois a été mis en place par la baie principale ou par l'une des deux baies annexes. En fonte, il est forcément du XIXe siècle, et se présente plutôt en deux parties assemblées par boulons et écrous.

CHIEN-ASSIS

COIFFE

COURONNEMENT

ROUET OU PETIT PIGNON

PETIT ARBRE   QUEUE

LANTERNE OU GRAND PIGNON

CHEMIN DE GLISSEMENT

GRAND ARBRE

CHÂSSIS

PETIT *ROLLE*

GRAND *ROLLE*

TABLE

ANNEAU

GOULEROTTE À VESOU

LES AILES
Elles sont constituées de bras en bois et de barreaux supportant d'un côté une planche, de l'autre des bandes de toile attachées par des cordages.

LA COIFFE
Deux chiens-assis la flanquent dont l'un laisse passer la queue de bois qui, poussée par six hommes, fait pivoter l'ensemble à la recherche des vents dominants.

Les baies principales sont voûtées plein cintre, avec parfois une recherche esthétique, comme ces chaînes d'angle harpées et ce linteau de Macabou.

141

● LA CASE

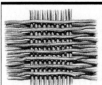

Face à la rénovation du paysage rural et urbain, particulièrement forte depuis les années 1980, l'habitat traditionnel martiniquais a réussi à sauvegarder ses caractéristiques essentielles.

La case, cellule de base de l'architecture domestique antillaise, en est l'illustration majeure. Les versions rurales ou urbaines, issues du modèle unique des débuts de la colonisation, témoignent toujours d'une remarquable adaptation au climat et aux matériaux de construction locaux, en opposition avec les choix de l'architecture contemporaine.

AUTREFOIS, UN ABRI LÉGER
L'abondance du bois, l'influence des réalisations amérindiennes et leurs propres modèles vernaculaires ont poussé les colons-défricheurs à multiplier ces abris légers que les traditions culturelles des esclaves africains ont contribué à enraciner dans l'île. Les campagnes sèches du Sud gardent encore quelques cases en *gaulettes*, ces branchages tressés de *ti-baume* ou de campêche, parfois recouverts de torchis. Le Nord a plutôt privilégié le bambou, mais partout, jusque vers 1940, le type le plus courant reste le «palissadé en planches», une ossature de poteaux fichés en pleine terre puis dans un soubassement en dur.

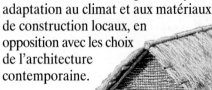

LA CASE EN PLANCHES
Type ancien comportant deux pièces, avec porte au pignon et toit de roseaux ou de cannes.

LA CASE EN MAÇONNERIE
Les logements ouvriers des usines centrales, en maçonnerie, amorcent la conversion de la case en maison, que généralise de nos jours l'emploi du parpaing et du fibrociment.

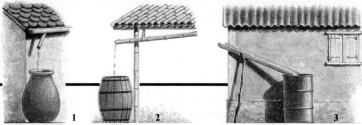

RÉCUPÉRATION TRADITIONNELLE DE L'EAU. 1. Jarre en terre cuite : *daubanne*, autrefois importée d'Aubagne. **2.** Gouttière en bambou et tonneau. **3.** Gouttière et fût métalliques.

LA VÉRANDA
Au milieu du
XIXᵉ siècle, la case
s'agrémente, sur
sa façade principale,
d'une galerie ouverte
que le toit peut couvrir
par une rupture de
pente. Cette véranda,
lieu convivial
par excellence,
devient l'espace
le plus important
de la demeure.

LES COUVERTURES
L'utilisation du
végétal en couverture,
paille de canne ou
feuilles de palmiste,
s'est maintenue
jusqu'à l'entre-
deux-guerres, mais
la tuile ronde locale,
la *tuile-pays*, est utilisée
depuis le milieu
du XVIIIᵉ siècle.
L'essente ● 137,
très répandue,
servait également
de protection au mur
pignon. Le Second
Empire amorce
le recours à la tôle,
accompagnée
de bordures
ornementales en zinc.

STRUCTURE DE LA CASE URBAINE
Dans les cases urbaines, le muret sous enduit
protège le bois de l'humidité du sol, et les
ouvertures-persiennes assurent la ventilation.
Contre le soleil et la pluie, le toit à deux
pentes déborde largement sur la façade,
toujours parallèle à la rue.
Traditionnellement, le bois reste brut.

143

● LA MAISON DE MAÎTRE

Système de récupération des eaux de
pluie dans les jarres maçonnées,
parfois abritées dans un bâtiment
spécifique, la case à eau.

Si la grande majorité des bâtiments
liés à l'économie et à la société
d'habitation a disparu, la maison
de maître en perpétue l'élément
symboliquement le
plus représentatif.
Deux grandes
familles s'opposent – celle du style
très fortement influencé par l'architecture
métropolitaine et ses modèles régionaux
(Le Gaoulé, milieu du XVIIIe siècle), et celle
où s'épanouit, lui aussi avec ses variantes dans
le temps et dans l'espace, un style propre aux
îles (Frégate, Pécoul au XVIIIe siècle ;
Acajou, au début du XIXe siècle).

La galerie (**1**) y tient
une place essentielle.
Flanquant
la maison sur deux,
trois ou quatre
côtés, elle peut être
ouverte, ou fermée
de murs aérés par
des jalousies (**2**).
Lieu de passage
obligatoire, c'est
la pièce d'accueil
de la maison, et
sa bonne ventilation
en fait un endroit
de détente et de
convivialité.

Le recours
au glacis
surélevé (**4**)
permet une
meilleure protection contre
l'eau. Dominant en général
les lieux de travail, la maison
assumait également
une fonction de
surveillance, que
rappelle la cloche
d'habitation (**5**).

La berceuse (**3**),
le plus aimé et le plus
populaire de tous
les meubles antillais,
y trouve son cadre
d'élection.

Le lit à colonnes (**6**),
réservé aux chambres,
fait également partie du
mobilier créole traditionnel.

À la différence de la Guadeloupe qui a utilisé l'ardoise et l'*essente* en couverture, la Martinique a préféré la tuile : soit mécanique (**11**) importée de France, soit ronde en écaille fabriquée aux Trois-Îlets, appelée *tuile-pays*. Les murs extérieurs en bois sont souvent protégés par des *essentes* (**12**).

Le buffet (**10**), très prisé dans la seconde moitié du XIXᵉ siècle.

À côté de multiples meubles de desserte (**7**) et guéridons (**8**), les pièces de réception disposent toujours de tables à rallonge (**9**) qui peuvent accueillir réunions de famille ou dîners de cérémonie.

● Un modèle d'habitation : Anse Latouche

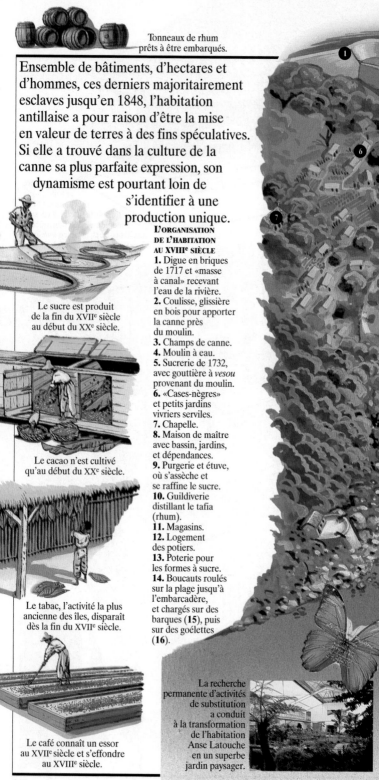

Tonneaux de rhum prêts à être embarqués.

Ensemble de bâtiments, d'hectares et d'hommes, ces derniers majoritairement esclaves jusqu'en 1848, l'habitation antillaise a pour raison d'être la mise en valeur de terres à des fins spéculatives. Si elle a trouvé dans la culture de la canne sa plus parfaite expression, son dynamisme est pourtant loin de s'identifier à une production unique.

Le sucre est produit de la fin du XVIIᵉ siècle au début du XXᵉ siècle.

Le cacao n'est cultivé qu'au début du XXᵉ siècle.

Le tabac, l'activité la plus ancienne des îles, disparaît dès la fin du XVIIᵉ siècle.

Le café connaît un essor au XVIIᵉ siècle et s'effondre au XVIIIᵉ siècle.

L'organisation de l'habitation au XVIIIᵉ siècle

1. Digue en briques de 1717 et «masse à canal» recevant l'eau de la rivière.
2. Coulisse, glissière en bois pour apporter la canne près du moulin.
3. Champs de canne.
4. Moulin à eau.
5. Sucrerie de 1732, avec gouttière à *vesou* provenant du moulin.
6. «Cases-nègres» et petits jardins vivriers serviles.
7. Chapelle.
8. Maison de maître avec bassin, jardins, et dépendances.
9. Purgerie et étuve, où s'assèche et se raffine le sucre.
10. Guildiverie distillant le tafia (rhum).
11. Magasins.
12. Logement des potiers.
13. Poterie pour les formes à sucre.
14. Boucauts roulés sur la plage jusqu'à l'embarcadère, et chargés sur des barques (**15**), puis sur des goélettes (**16**).

La recherche permanente d'activités de substitution a conduit à la transformation de l'habitation Anse Latouche en un superbe jardin paysager.

Rhum industriel, indigo à la fin du XIXᵉ siècle, comme en témoignent les vestiges des bassins conservés tout près de la distillerie, cacao jusqu'en 1946, tourisme aujourd'hui avec restaurant et papillonarium. Le nouvel essor de l'indigo, après son abandon au début du XVIIIᵉ siècle, a été ruiné par le succès des teintures chimiques.

● LES ÉGLISES

GRAND'RIVIÈRE

L'architecture des églises de Martinique a illustré à toutes les époques les contradictions de l'art colonial des îles françaises. Si la référence aux modèles savants importés de la métropole demeure constante, elle n'a jamais empêché l'affirmation d'une personnalité insulaire qui témoigne plus d'une adaptation aux contraintes locales que de la recherche d'un style propre. Manque d'hommes de l'art, maçons aussi bien qu'architectes, fragilité des matériaux face aux catastrophes naturelles, reconstructions sans fin des édifices imposent une identité du sanctuaire placée sous le signe du provisoire, tant dans son site que dans ses formes.

LE MARIN (VERS 1770)
Ordre toscan.

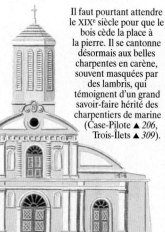

LES TROIS-ÎLETS (VERS 1840)
Cette précieuse lithographie permet de voir l'église avant l'ajout des nefs latérales en 1951-1955.

Bien des lieux de culte n'ont d'abord été que de simples cases de fortune, palissadées en planches sur fourches de bois enfoncées dans le sol, couvertes d'un toit en paille. Mais parallèlement, les grands ouvrages de prestige, en pierre, sont élevés dès le milieu du XVIIe siècle, comme l'église du Fort à Saint-Pierre ▲ 240.

Il faut pourtant attendre le XIXe siècle pour que le bois cède la place à la pierre. Il se cantonne désormais aux belles charpentes en carène, souvent masquées par des lambris, qui témoignent d'un grand savoir-faire hérité des charpentiers de marine (Case-Pilote ▲ 206, Trois-Îlets ▲ 309).

GROS-MORNE (1878) ▲ *278*
Néo-classicisme : l'archaïsme est gommé par la science de la composition.

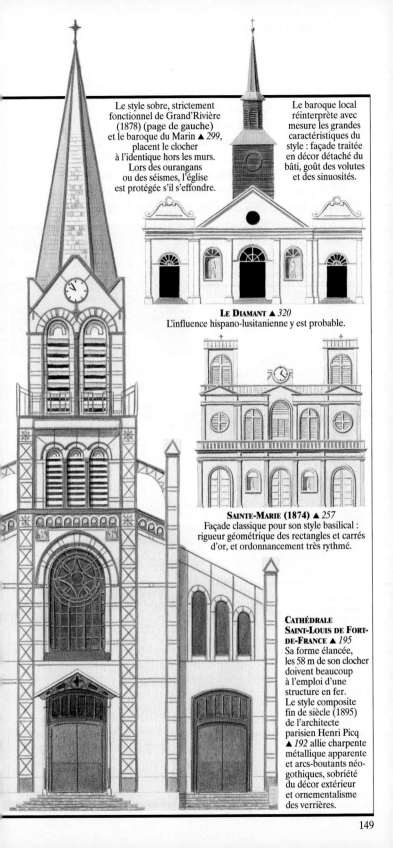

Le style sobre, strictement fonctionnel de Grand'Rivière (1878) (page de gauche) et le baroque du Marin ▲ *299*, placent le clocher à l'identique hors les murs. Lors des ourangans ou des séismes, l'église est protégée s'il s'effondre.

Le baroque local réinterprète avec mesure les grandes caractéristiques du style : façade traitée en décor détaché du bâti, goût des volutes et des sinuosités.

LE DIAMANT ▲ *320*
L'influence hispano-lusitanienne y est probable.

SAINTE-MARIE (1874) ▲ *257*
Façade classique pour son style basilical : rigueur géométrique des rectangles et carrés d'or, et ordonnancement très rythmé.

CATHÉDRALE SAINT-LOUIS DE FORT-DE-FRANCE ▲ *195*
Sa forme élancée, les 58 m de son clocher doivent beaucoup à l'emploi d'une structure en fer. Le style composite fin de siècle (1895) de l'architecte parisien Henri Picq ▲ *192* allie charpente métallique apparente et arcs-boutants néo-gothiques, sobriété du décor extérieur et ornementalisme des verrières.

● L'ARCHITECTURE MÉTALLIQUE

Comme en France,
l'architecture métallique
s'implante aux îles dans la foulée
de la révolution industrielle du XIXe siècle.
Les usines centrales, qui se développent
à partir de 1860, lui empruntent leurs volumes, ainsi
que les marchés couverts, tandis que l'architecture urbaine
y voit la parade contre
incendies, cyclones et séismes.

HALLES DU LAMENTIN
Les références au passé demeurent fortes
dans le parti pris décoratif des assemblages
que permet l'utilisation de la fonte moulée
en série, mais la modernité triomphe dans
ces structures apparentes que magnifie
l'utilisation du verre.

À l'unité des moyens, chez Picq, s'oppose
la diversité des styles, marqués par l'éclectisme
du temps. Si la cathédrale (1895), ci-dessus,
habille une structure moderne, la charpente
métallique apparente, de formes
traditionnelles, les arcs-boutants néo-
gothiques, la bibliothèque allie
à une froide volumétrie néo-
classique la polychromie
orientalisante de la façade.

HALLES DE SAINT-PIERRE

**BIBLIOTHÈQUE
SCHŒLCHER**
Une des conséquences
de cette nouvelle
architecture
est d'accentuer
la dépendance
des Antilles à l'égard
de l'extérieur, tant
pour les matériaux
que pour les styles.
La bibliothèque
Schœlcher, œuvre
de l'architecte
Henri Picq, en est
un exemple parfait :
montée à Paris
en 1887, elle fut
ensuite transportée
élément par élément
à la Martinique.

La Martinique
vue par les peintres
Louis Mézin

Longtemps illustrée par les relations de voyage aux Antilles, la Martinique fut découverte tardivement par les peintres. Dès le début de la colonisation française, la gravure se substitue à la peinture.

Les premières traces d'œuvres peintes apparaissent en 1765 avec une vue de Saint-Pierre réalisée depuis la rivière la Roxelane par un peintre obscur du nom de Bassot.

Les premières scènes se rapportant directement à la vie antillaise et à son économie de plantation sont dues à Le Masurier. En 1775, il fut amené à exécuter le portrait de Maximilien de Choiseul-Meuse, aide-major général et commandant en second sur l'île de la Martinique.

Prolongeant son séjour dans l'île, Le Masurier réalise un an plus tard *Les scènes de la vie quotidienne en Martinique* (3).

Il y représente une famille dans un intérieur qui évoque la vie coloniale, œuvre de synthèse des types martiniquais réunis dans un cadre traité à la manière des peintres hollandais. La représentation idyllique de l'île est reprise dans *Esclaves noirs de la Martinique* (détails : 1, 2 et 4), peinture également réalisée en 1775 et qui s'apparente à l'œuvre du peintre hollandais Dirk Valkenburg sur les plantations du Surinam. Il s'agit d'une scène champêtre dans laquelle l'un des esclaves se désaltère (1), tandis que l'autre porte un coutelas (4). Dans le cadre inférieur du tableau, un tout jeune enfant se nourrit d'un morceau de tige de canne à sucre (2), montrant ainsi l'importance nourricière de l'agriculture sucrière dans la vie antillaise.

1	3	4
2		

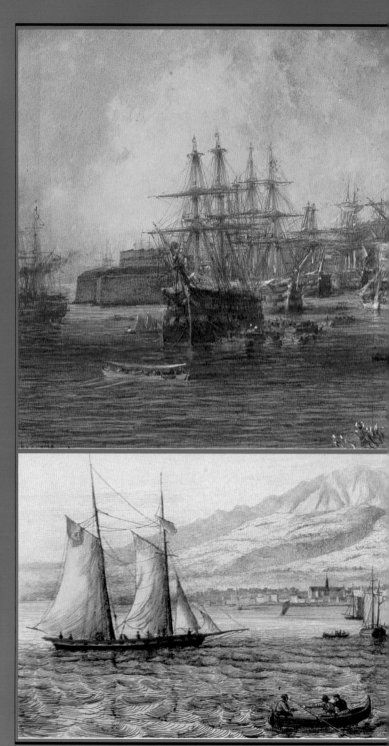

Déclarée siège du gouvernement de la Martinique depuis 1681, Fort-de-France ne deviendra un grand centre portuaire qu'à partir du milieu du XIXe siècle. La guerre du Mexique (1862-1867) en fait une base navale. Pour la première fois en 1867, Fort-de-France est constitué en escale de ligne transatlantique France-Amérique centrale. Cette importance donnée à l'activité du port et au mouvement des navires apparaît dans l'aquarelle *Vue de Fort-de-France* (1) (1866), de Vincent Cordouan. Chef de file de l'école de Toulon et spécialiste des marines, ce peintre provençal, qui ne se rendit jamais à la Martinique, recréa l'atmosphère du port d'après des documents qui lui furent fournis. Au-delà des mâtures et des hauts gréements des navires, on aperçoit le fort Saint-Louis et, à droite, les hauteurs des pitons du Carbet. Écrivain de la mer et peintre de marine, Louis Ambroise Garneray fut l'artiste officiel du duc d'Angoulême. Il réalisa de nombreuses scènes de port pour *Les vues des côtes de la France dans l'Océan et la Méditerranée*, publiées à partir de 1822. Cette *Vue de la baie de Saint-Pierre* (2) figure la ville au pied de la montagne Pelée.

1

2

Les rivages de la Martinique demeurent le lieu de prédilection des peintres voyageurs.

L'invitation au voyage est présente dans la vue de *Saint-Pierre* de Victor Fulconis (3).

Fulconis séjourna aux Antilles vers 1870. Un demi-siècle plus tard, Jules Marillac (2) s'installa à la Martinique pour y demeurer jusqu'à sa mort, en 1950. Le *Paysage de Trinité* est une gigantesque toile commandée en 1934 par le conseil municipal de la commune. Dans sa retraite martiniquaise, Marillac rencontra le peintre et navigateur Marin-Marie (1). Ce dernier exécuta en 1945 ce *Paysage des Antilles* (5), ainsi que plusieurs gouaches. Il rapporta de sa croisière aux Antilles de nombreux carnets de dessins au trait habile et vigoureux.

1		
2	3	
	4	5

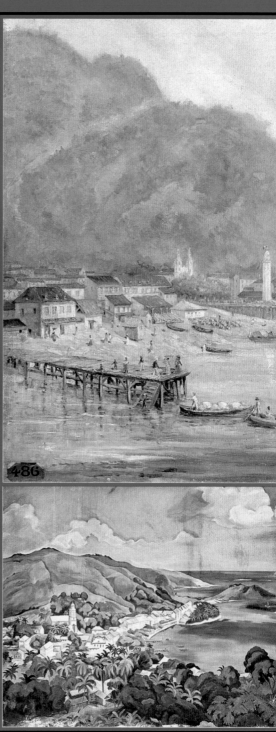

«On regarde du haut en bas
des rues teintes de citron – jusqu'à l'éblouissant
azur où se joignent le ciel et la mer, jusqu'à la verdure
perpétuelle des bois sur la montagne.»   Lafcadio Hearn

«Nous avons le droit d'emprunter des éléments de
culture à d'autres civilisations pour avancer.»

René Louise

Au-delà des tendances du début du XXᵉ siècle qui cherchèrent à faire valoir l'exotisme et le folklore, comme le montre la plaisante maquette de tapisserie *La Savane* (4) de Valdo Barbey, les peintres de la génération suivante développèrent une vision nouvelle.

Les formes récentes d'art s'intègrent aux préoccupations de l'art international et cherchent en même temps à se situer par rapport à une identité caribéenne.
Louis Laouchez (1) appartient au groupe Négro-Caraïbe qui s'est «constitué sous le signe d'un continent englouti, et qui maintenant refait surface, encore tout enrobé d'un songe : l'Afrique.»
Le propos de Victor Anicet (3) et des peintres du groupe Fwomajé, dont fait partie René Louise (5), s'enracine dans la tradition du créole. L'espace limité par le tableau est franchi par Ernest Breleur (2) qui s'oriente vers des mises en scène dans lesquelles le miroir est souvent utilisé comme objet symbolique.

1	2	3

5

4

«L'expérience que j'ai faite à la Martinique
est décisive. Là seulement je me suis vraiment
senti moi-même et c'est dans ce que
j'ai rapporté qu'il faut me chercher [...].»
Lettre de P. Gauguin à C. Morice, 1890

LA MARTINIQUE
VUE PAR LES ÉCRIVAINS
PASCAL GLISSANT

LE TEMPS DES FONDATIONS

La Martinique. Un pays généré par la conquête et projeté dans l'histoire par la violence des appétits et l'ardeur des préjugés. Pour le négoce du sucre, les Indiens Caraïbes, rétifs à toute contrainte servile, sont décimés, et les esclaves importés d'Afrique serviront de base à l'essor de l'économie coloniale en même temps que leur transplantation induit la naissance d'une civilisation nouvelle. La littérature martiniquaise, dans sa forme la plus exigeante, va naître ainsi, épique, de la conscience des tourments et des chocs originels qui constituent aujourd'hui encore le terreau privilégié de la sensibilité collective.

ÉTABLISSEMENT DES FRANÇAIS À LA MARTINIQUE

Le missionnaire dominicain Jean-Baptiste Labat (1663-1738) séjourna aux Antilles de 1693 à 1705. Il fonda en Martinique une exploitation sucrière, à Fonds-Saint-Jacques, près de Sainte-Marie et publia à son retour, en 1722, le Nouveau Voyage aux Isles de l'Amérique *qui fourmille d'informations et d'anecdotes sur les premiers temps de la conquête.*

❝Monsieur d'Enanbuc que l'on doit regarder comme le pere et le fondateur de toutes les Colonies Françoises des Isles de l'Amérique, méditoit depuis long-tems

la conquête de la Martinique, il craignoit que les Anglois ne s'en emparassent et ayant été supplanté par le sieur de Loline son Lieutenant, qu'il avoit envoyé pour conquerir la Guadeloupe, il crut qu'il ne falloit pas differer plus long-tems. Il choisit dans Saint Christophe cent vieux habitans, bons soldats, et très expérimentés dans le défrichement et dans la culture des terres, pour l'accompagner dans cette entreprise. Ceux-ci s'étant fournis de bonnes armes et de

munitions de guerre, d'instruments pour l'agriculture, comme haches, serpes, houës, scies, platines de fer, et autres ustenciles, de farine de manioc, de cassave, de plantes de manioc, de patates, de pois, de fêves, de graines de cotton, de viandes salées et d'eau-de-vie, de toiles et de traites, c'est ainsi qu'on appelle toutes les menues marchandises qu'on négocie avec les Caraïbes.

Ils partirent de Saint Christophe ayant Monsieur d'Enanbuc à leur tête, le quinziéme du mois de Juillet 1637 et arriverent à la Basse-Terre de la Martinique, le 25 du même mois.

Leur descente se fit en bon ordre, les coups de canon qu'on tira quand on prit possession de la terre au nom du Roi et de la Compagnie, et que l'on planta la croix, avertirent les Caraïbes de leur arrivée. Ils vinrent en grand nombre, soit par curiosité, soit pour s'opposer à leur établissement, s'ils se trouvoient en état de l'empêcher. Mais comme ils trouverent des gens résolus et bien armés, dont quelques uns parloient leur langue, on entra aussi-tôt en négociation, et Monsieur d'Enanbuc leur ayant dit qu'il ne venoit point pour les chasser de leur païs, mais pour s'y établir, et pour vivre avec eux en bons amis et comme freres, et les deffendre quand leurs ennemis les attaqueroient. Ce discours soutenu par l'eau-de-vie qu'on leur fit boire largement, et par les présens qu'on leur fit, changea leurs cœurs. Ils promirent d'être amis de la Colonie. Leur chef, c'est-à-dire le plus vieux de leurs Capitaines se déclara compere de Monsieur d'Enanbuc. C'est un terme qui marque une étroite alliance. Ils céderent à la Colonie toute la Basse-Terre, c'est ainsi qu'on appelle la partie de l'Isle qui est au couchant et au midy, et promirent de se retirer à la Cabesterre. On se sépara bons amis, et Monsieur d'Enanbuc qui sçavoit à quoi s'en tenir avec ces sortes de gens, fit bâtir un Fort de palissades à l'embouchure de la riviere, qui a porté long-tems le nom de Royolanne, et qu'on appelle à present la riviere Saint Pierre, comme le Fort qu'il fit bâtir. Il le munit de quelques piéces de canons, il fit faire des maisons pour loger sa Colonie, et quand il la crut en sûreté, il fit travailler à un grand défriché aux environs, et planter du manioc, des pois, des patates, du cotton, et du tabac, c'étoit alors les deux seules marchandises que l'on pouvoit commercer avec les vaisseaux qui venoient d'Europe.

Ces commencemens ne pouvoient être plus heureux. Ces terres vierges produisoient tout ce qu'on leur demandoit, avec une facilité merveilleuse. **"**

R. P. LABAT, *NOUVEAU VOYAGE AUX ISLES DE L'AMÉRIQUE*, TOME I, HORIZONS CARAÏBES, FORT-DE-FRANCE, 1972

L'HÉRITAGE AMÉRINDIEN

Le poète Arlet Jouanakaréa a publié en 1971, dans la revue martiniquaise Acoma, *des extraits de* La Roche écrite. *Il évoque ici, dans «Amérindienne», la trace que les premiers et légitimes habitants du pays ont inscrite dans l'espace martiniquais.*

– La tête amérindienne / taillée dans le grès rigide / de la rivière
– La tête taciturne / que sculpta / la race décimée / a les paupières démesurées
– Aurait-elle fonction de legs, / usance responsable ?

ARLET JOUANAKARÉA, *LA ROCHE ÉCRITE*, IN REVUE *ACOMA*, MASPÉRO, PARIS, 1971

L'AUTRE VOYAGE

Non pas la houle conquérante des grands navigateurs portant l'épée, la croix et les bannières, mais la matrice infernale des cales fétides charriant le bois d'ébène vers les rivages de servitude. Jeanne Hyvrard (née en 1945) exprime cette folie où un peuple prit naissance.

"Les marins m'ont engrossée pour doubler ma valeur. Je ne reverrai plus jamais la terre d'Afrique. Le voyage dure deux mois. Les plus décidés se sont laissés mourir de faim. Nous sommes cinquante millions de déportés. Ils nous lavent les gencives avec du vinaigre mais nous périssons quand même. Bois d'ébène, c'est la tempête. Ils hurlent dans la cale. Il faut bien les enchaîner. Les plus farouches se jettent à la mer. Mais les requins les dévorent. Tu n'arriveras pas au port. Pour quoi faire. L'été est mort. Je ne naîtrai jamais. Ils m'ont vendue comme esclave. Et j'ai plu au maître. Mais je n'ai plus ni désir ni ferveur. Les champs ne me font plus l'amour. Le sang des coquelicots, la chevelure des avoines, tout m'est étranger. Ils m'ont vendue comme esclave. La cuisse ouverte de la campagne ne m'est plus une invite. Je me souviens seulement de ma chair dans ta chair comme mon unique berceau. Mère, je veux rentrer chez moi, dans ton ventre, quand ils ne m'avaient pas encore nommée. Mais, ma petite fille, prends sur toi. Oui, mère, je prends sur moi. Je n'aurai plus jamais mal aux fleurs coupées, aux blés moissonnés, aux prairies asséchées. Mère, en dehors de ta chair, tout m'est famine. **"**

JEANNE HYVRARD, *LES PRUNES DE CYTHÈRE*, LES ÉDITIONS DE MINUIT, PARIS, 1975

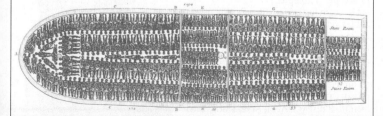

● LA MARTINIQUE VUE PAR LES ÉCRIVAINS

LE MOULIN, LA SERPE, LE FOUET

En ce temps-là le père Labat, fort de la conscience des maîtres, à peine voilée d'une nuance de compassion chrétienne, enregistre méticuleusement ses «choses vues» et, sans forcer le ton, révèle ici quelle salaison d'arrière souffrance colle à la douceur des sucres qu'on extrait des moulins.

❝La facilité que les tambours ont de mordre les cannes, dès qu'elles sont proches du point de leur jonction, et de les attirer entr'eux, fait voir combien il est important d'empêcher que les Négresses qui donnent à manger au moulin, ou qui repassent les bagaces : (car ce sont ordinairement les femmes qu'on employe à ce travail) ne puissent toucher avec le bout des doigts, à l'endroit où les tambours le touchent ; ce qui pourroit arriver, si la largeur des établis ne les en empêchoit, principalement la nuit, quand accablées du travail de la journée et du sommeil, elles s'endorment en poussant les cannes, et se penchant sur l'étabi elles suivent involontairement les cannes qu'elles tiennent en leurs mains, elles se trouvent prises et écrasées avant qu'on puisse les secourir, sur tout quand c'est un moulin à eau, dont le mouvement est si rapide qu'il est phisiquement impossible d'arrêter assez-tôt pour sauver la vie à celle dont les doigts se trouvent pris. En pareilles occasions le plus court remede est de couper promptement le bras d'un coup de serpe ; et pour cela on doit toujours tenir sur le bout de la table une serpe sans bec, bien affilée, pour s'en servir au besoin. Il est plus à propos de couper un bras, que de voir passer une personne au travers des rouleaux d'un moulin. Cette précaution n'a pas été inutile chez nous au Fond Saint-Jacques, où une de nos Négresses s'étoit laissée prendre au moulin, heureusement pour elle dans le tems qu'on venoit de détourner l'eau. Un Nègre qui tenoit une pince de fer pour lever un des rolles, quand le moulin seroit tout-à-fait arrêté, la mit entre les dents, arrêta le moulin assez de tems pour donner le loisir de couper la moitié de la main qui étoit prise, ce qui sauva le reste du corps.❞

R. P. LABAT, *NOUVEAU VOYAGE AUX ISLES DE L'AMÉRIQUE*, TOME II, HORIZONS CARAÏBES, FORT-DE-FRANCE, 1972

PLONGÉE TÉNÉBREUSE

Le fouet, les humiliations, la misère, les ténèbres répétées, c'est à tout cela qu'il nous faut consentir, affirme le poète Aimé Césaire (né en 1913) dans le Cahier d'un retour au pays natal *(1939), comme à ce qui fut le berceau commun, le pilier ancestral, le mode subi de l'initiation à l'histoire et de l'accession à la conscience de soi.*

J'accepte… j'accepte… entièrement, sans réserve…
ma race qu'aucune ablution d'hypsope
  et de lys mêlés ne pourrait purifier
ma race rongée de macules
ma race raisin mûr pour pieds ivres
ma reine des crachats et des lèpres
ma reine des fouets et des scrofules
ma reine des squasmes et des chloasmes
(oh ces reines que j'aimais jadis aux jardins
  printaniers et lointains derrière l'illumination
  de toutes les bougies de marronniers !).
J'accepte. J'accepte.
et le nègre fustigé qui dit : «Pardon mon maître»
et les vingt-neuf coups de fouet légal
et le cachot de quatre pieds de haut
et le carcan à branches
et le jarret coupé à mon audace marronne
et la fleur de lys qui flue du fer rouge
  sur le gras de mon épaule

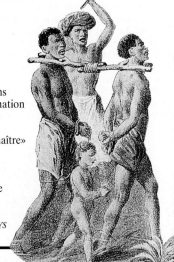

AIMÉ CÉSAIRE, *CAHIER D'UN RETOUR AU PAYS NATAL*, PRÉSENCE AFRICAINE, PARIS, 1968

> «QUAND ON LES CROISAIT DANS LES BOIS, ILS AVAIENT
> LE SOURIRE TRISTE, LES GESTES LENTS, LES YEUX HAGARDS
> DE NE PAS TROUVER DE SENS À CE QUI NOUS ARRIVAIT.»
> PATRICK CHAMOISEAU

LES MARRONS

Les fugitifs, tout simplement. Ceux qui, fuyant les villes, les plantations, l'exposition des marchés et le claquement des ordres, trouvaient refuge dans l'éloignement des mornes et la complicité de la terre, préparant les révoltes. C'est encore le père Labat qui, dans son «objectivité» particulière, les incarne.

❝ On appelle marrons les nègres fugitifs qui se sauvent de la maison de leurs maîtres, ou pour ne pas travailler, ou pour éviter le châtiment de quelque faute qu'ils ont faite. Ils se retirent pour l'ordinaire dans les bois, dans les falaises ou autres lieux peu fréquentés, dont ils ne sortent que la nuit pour aller arracher du magnoc, des patates ou autres fruits, et voler quand ils peuvent des bestiaux et des volailles. Ceux qui les prennent et les remettent à leurs maîtres ou dans les prisons, ou entre les mains des officiers des quartiers, ont cent cinq livres de sucre de récompense. Quand on les surprend dans les bois, ou en volant, on peut tirer dessus, s'ils ne veulent pas se rendre ; si on les prend après les avoir blessés, pourvu que ce ne soit pas mortellement, on a la même récompense. Si on les tue, on en est quitte, en faisant la déclaration à l'officier du quartier, ou au greffe de la juridiction, et en l'affirmant par serment. **❞**

R. P. LABAT, *NOUVEAU VOYAGE AUX ISLES DE L'AMÉRIQUE,* TOME I,
HORIZONS CARAÏBES, FORT-DE-FRANCE, 1972

REFUGE DU REFUS

Le romancier Raphaël Confiant a traduit du créole un poème de Monchoachi, «Camarade de la rosée», dont ce fragment évoque les premières formes de résistance à l'esclavage. Aujourd'hui, la notion de marronnage symbolise toute tentative de sédition, de subversion ou de transgression d'un ordre contraire.

LANNÉ BWAZAJ	L'ANNÉE DU MARRONNAGE
Lanné mawonnaj koumansé limen :	L'année du marronnage alluma ses feux :
sik po té ko an sak,	le sucre n'avait pas encore été mis en sacs,
nasyon poko menm té brasé	les différentes nations ne s'étaient pas encore entremêlées,
ki nèg té ja ka bwazé nan mon.	que les nègres gagnaient les collines.
Dépi anlè chimen bitasyon,	Dès le chemin de la plantation,
mèt savann té ja wè wotè konba yo	les plus vaillants avaient déjà pris la mesure du défi
pas ou té ni véyé pou té véyé	car il leur fallait épier
lè koumandè ka vini gaga	le moment où le contremaître devenait fou
anba solèy cho a	de chaleur
(anba wonm-lan, tou…)	(ou d'ivresse…)
épi bwa pou nou alé !	et hop, en avant !

LITTÉRATURES DE MARTINIQUE ET DE GUADELOUPE, IN REVUE *EUROPE,* AVRIL 1980

SEMENCES DES RÉVOLTES

L'acte pur du refus par quoi l'esclave se saisit de lui-même comme d'une torche pour éclairer l'antre obscur et y chercher l'issue, Édouard Glissant (né en 1928) en rappelle ici la fonction inaugurale : ce sont les accordailles de l'homme avec la terre que ses pas ont mesurée, que ses mains ont fouillée, que sa conscience a dévoilée.

❝C'était donc la situation sur les deux domaines, quand éclata partout la révolte. Il n'y a rien à en dire, sinon que c'était l'esclavage : la révolte est normale, là où l'esclave trouve un coutelas, une houe, un bâton. De même qu'on ne peut tout à fait décrire l'état d'esclavage [...], de même il n'y a rien à dire d'une révolte de cette sorte sinon qu'elle est le cheval-de-bois de la souffrance. La révolte d'un esclave n'est pas d'espoir, elle ne s'alimente d'aucun espoir, et il arrive qu'elle dédaigne les vengeances (qui pourraient être le haut cri de l'espoir) ; elle préfigure, elle inaugure l'action (l'opération) la plus sourde et la plus pénible : d'enracinement. Aucun des révoltés ne se souciait que des courants d'idées, des pétitions, des nuits d'Assemblées, des banquets avaient longtemps, et ailleurs, précédé leur déferlement. Ni que les mulâtres, à demi affranchis du joug terrifiant de cette société, allaient prendre part à l'affaire, mais dans leur seule perspective : n'hésitant pas quand il le faudrait à donner de la voix avec les chiens. Le seul souci était la bande de terre qui brûlait là sous les pieds, où il fallait trouver de quoi se couvrir, de quoi frapper quand on surgirait dans l'éclat rouge. Les villes, les bourgs, les communes, l'homme asservi à la terre des maîtres ignorait leur agitation. Son acte était dégagé de l'entrain des mots.❞

ÉDOUARD GLISSANT, *LE QUATRIÈME SIÈCLE*, SEUIL, PARIS, 1964

NAISSANCE DU NOM

Et la révolte, c'est aussi le patient cheminement qui tire ici l'esclave de la transparence anonyme de celui qui erre, privé d'état-civil et de nom propre, et l'élève au choix d'une identité sienne qu'il léguera après lui et qui inscrira sa généalogie dans le sillon du temps.

❝Il grandit ainsi, acquérant à cause de sa masse et de son silence une réputation de sagesse et, plus encore, de «puissance». Longoué vieillissant n'acceptait pas que son fils le surpassât dans le mystère et l'inconnu. Il insistait pour que le garçon prenne une femme et travaille un coin de terre dans la forêt. Mais l'autre secouait la tête sans dire un mot et continuait ses randonnées. Il s'était armé d'un solide bâton qu'il avait taillé (un boutou) et muni d'un vieux sac de grosse toile qu'il passait dans le bâton. Le sac et le boutou étaient déjà légendaires. Nul ne savait ce qu'il enfouissait dans le sac, mais certains habitants du bois murmuraient que c'était l'âme d'un mort, engagé à le servir tant que le sac serait suspendu au boutou et que le boutou serait prêt à repousser ceux qui tenteraient d'ouvrir le sac. Autant dire toujours. Les femmes ne semblaient pas intéresser ce jeune homme, ni le tafia. Si massif et tranquille, un soir devant la case, dans l'obscurité totale sous les branches, il déclara soudain (lui qui jamais n'ouvrait la bouche) : «Man-Louise, à partir du présent je ne suis pas Ti-Lapointe. Mon nom c'est Longoué. Melchior Longoué.» Puis il rentra se coucher sur la planche qui lui tenait lieu de grabat. «Est-ce que tu as vu ça ?» demanda Longoué. Et Man-Louise répondit, après un long silence : «C'est parce que j'ai regardé dans la nuit.»❞

ÉDOUARD GLISSANT, *LE QUATRIÈME SIÈCLE*, SEUIL, 1964

«SIMÉON PIQUINE, QUI NE S'ÉTAIT JAMAIS CONNU NI PÈRE
NI MÈRE ; QU'AUCUNE MAIRIE N'AVAIT JAMAIS CONNU ET QUI
TOUTE UNE VIE S'EN ÉTAIT ALLÉ – CHERCHANT SON NOM.»
AIMÉ CÉSAIRE

LE REBELLE

*Le rebelle, le héros mystérieux, errant, magique, assassiné. Avec lui la mémoire se dresse
et prend stature prophétique. Il entre, mythologique, dans toute la culture antillaise,
fabuleusement humain et animal, guettant nos songes, nos mensonges.*

Je cherche les traces de ma puissance comme un dans la brousse les traces perdues
    d'un grand troupeau et j'enfonce à mi-jambes dans les hautes herbes du sang.
pauvres dieux faces débonnaires, bras trop longs chassés d'un paradis de rhum,
    paumes cendreuses visitées de chauves-souris et de meutes somnambules
Montez, fumées, éclairez le désatre...
j'ai saigné dans les couloirs secrets, sur le sol grand ouvert des batailles
Et
j'avance, mouche dédorée grand insecte malicorne et vorace
attiré par les succulences de mon propre squelette en dents de scie,
legs de mon corps assassiné violent à travers les barreaux du soleil

AIMÉ CÉSAIRE, *ET LES CHIENS SE TAISAIENT*, PRÉSENCE AFRICAINE, PARIS, 1956

L'AUTRE HÉRITAGE

*La parole des écrivains avance ses antennes dans l'inouï des géhennes, des
refus et des luttes au milieu des supplices. Elle a vocation à transmettre,
à donner à voir ce que furent les origines, à corriger ce que telle mémoire
volontaire a déformé. Ainsi Patrick Chamoiseau (né en 1953) rappelle que
les nègres-marrons ont pu aussi faire figure de dévoyés, de délinquants avant la lettre.*

66 Aux enfants qui demeuraient en sa compagnie durant le jour, Pipi contait ses
histoires d'esclaves, citait des noms et des lieux. Il leur décrivait l'ancienne vie des
habitations maintenant déglinguées, les héroïsmes sans histoire des nègres,
négresses et négrillons dans le plus terrible des tiroirs de la vie. Yeux agrandis, les
enfants buvaient ses paroles et, quand il leur en donnait le signal, l'accablaient de
questions : C'est des chaînes de bœufs ou des chaînes de cabris qu'ils avaient aux
pieds ? Mais Manman disait que les nègres-marrons étaient malfaisants ?... Le soir
à table, devant la soupe-de-pieds, Pipi reprenait ses histoires de la grande nuit. Trop
sensible, Marguerite Jupiter sanglotait sans retenue. Les enfants, fauves cruels,
se délectaient à l'écoute des tortures ou des abîmes de détresse, et dansaient fréné-
tiquement quand Pipi, ses effets soigneusement dosés, assassinait le méchant
maître et dévastait l'habitation... 99

PATRICK CHAMOISEAU, *CHRONIQUE DES SEPT MISÈRES*, GALLIMARD, PARIS, 1986

● La Martinique vue par les écrivains

LES GARDEURS DE MÉMOIRE

Déportés, esclaves, marrons, suicidés, révoltés, ils furent les ancêtres. À la fois levain de la terre, ferments de nos mémoires, pères de nos gestes, directeurs de l'humaine distribution. Ils président aujourd'hui à l'administration de ce legs. Ils veillent dans les grandes salles souterraines où poussent les ignames.

L'ANCÊTRE. – NON !
Non fils
n'écoute pas leurs livres
n'écoute pas n'écoute pas !
N'écoute pas eux qui clament
que la libération
nous fut un fruit tombé de leurs républicains principes.
Nous l'avons
arraché tu entends arraché
ce fruit dont la saveur a la saveur de notre sang.
N'écoute pas
ceux qui levant leurs coupes
disent que LIBERTÉ
n'est qu'un glaïeul offert parmi les roses.

LES AUTRES. – N'écoute pas
                            n'écoute pas !

L'ANCÊTRE. – Nous avons creusé les sillons
                            où sommeillent des semences prometteuses.
                            Alors fils

DANIEL BOUKMAN, *LES NÉGRIERS*, P.-J. OSWALD, PARIS, 1971

ÉCHOS DU LIEU – VIVIER DES SONGES

TOPONYMIE

En 1941, quittant la France occupée et le régime de Vichy, André Breton (1896-1966) et André Masson se rendent aux États-Unis. Une escale forcée les amène à passer quelque temps en Martinique où ils ont l'occasion de découvrir la splendeur tropicale du pays et les misères de l'univers colonial. C'est aussi la rencontre avec le poète Aimé Césaire et les animateurs, autour de lui, de la revue Tropiques. *Les notes et les dessins qu'ils ramèneront de ce séjour feront la matière d'un ouvrage dont nous tirons ce poème, «La carte de l'île», où la simple énonciation des communes, rivières, mornes et autres lieux-dits compose un merveilleux patchwork.*

La Jambette, Favorite, Trou-au-Chat, Pointe La Rose, Sémaphore de la Démarche, Pointe du Diable, Brin d'Amour, Passe du Sans-Souci, Piton Crève-Cœur, Île du Loup-Garou, Fénelon, Espérance, Anse Marine, Grand'Rivière, Rivière Capot, Rivière Salée, Rivière Lézard, Rivière Blanche, Rivière La Mare, Rivière Madame, Les Abîmes, Ajoupa-Bouillon, Mont de la Plaine, Morne des pétrifications, Morne d'Orange, Morne Mirail, Morne Rouge, Morne Folie, Morne Labelle, Morne Fumée.

ANDRÉ BRETON, *MARTINIQUE, CHARMEUSE DE SERPENTS*, PAUVERT, PARIS, 1972

> «La nature imprévoyante, toujours penchée vers
> quelque extravagance dispendieuse, farce ou tragédie,
> toujours ruisselante de la sueur robuste du jeu.»
>
> René Ménil

La forêt génésique

Particularité de la forêt tropicale dont l'ordre procède ici de l'échevêlement sans mesure, de l'ivresse baroque, de la folie ténébreuse traversée çà et là d'indicibles éclairs. Elle est certainement, avec la mer, l'une des matrices essentielles de l'âme antillaise. Les esclaves rebelles s'y enfouissaient. André Breton s'est penché au-dessus du gouffre d'Absalon, un jour de pluie.

Et les grandes orgues c'est la pluie comme elle tombe ici et se parfume : quelle gare pour l'arrivée en tous sens sur mille rails, pour la manœuvre sur autant de plaques tournantes de ses express de verre ! À toute heure elle charge de ses lances blanches et noires, des cuirasses volant en éclats de midi à ces armures anciennes faites des étoiles que je n'avais pas encore vues. Le grand jour de préparatifs qui peut précéder la nuit de Walpurgis au gouffre d'Absalon ! J'y suis ! Pour peu que la lumière se voile, toute l'eau du ciel pique aussitôt sa tente, d'où pendent les agrès de vertige et de l'eau encore s'égoutte à l'accorder des hauts instruments de cuivre vert. La pluie pose ses verres de lampe autour des bambous, aux bobèches de ces fleurs de vermeil agrippées aux branches par des suçoirs, autour desquelles il n'y a qu'une minute toutes les figures de la danse enseignées par deux papillons de sang. Alors tout se déploie au fond du bol à la façon des fleurs japonaises, puis une clairière s'entr'ouvre : l'héliotropisme y saute avec ses souliers à poulaine et ses ongles vrillés. Il prend tous les cœurs, relève d'une aigrette la sensitive et pâme la fougère dont la bouche ardente est la roue du temps. Mon œil est une violette fermée au centre de l'ellipse, à la pointe du fouet.

André Breton, *Martinique, charmeuse de serpents*, Pauvert, Paris, 1972

Tropical geyser

La forêt vierge. Comme un grand fauve silencieux, elle rôde dans nos villes. Elle pousse son énergie verte dans nos repos, nos attentes. Elle mesure nos drames, nos gaietés. Elle s'installe dans notre langue. Elle inonde le soleil. Elle investit, ici, le rythme du poème.

À midi gardé par les euphorbes fétiches le soleil le bourreau la poussée des masses la routine de mourir et mon cri de bête blessée de bête ce n'est pas la peine de l'achever ni de l'adorer de bête incompatible les jours y approvisionnent le fait-divers incompréhensible de l'équinoxe jouant sur l'automatisme des élections sanglantes et du rhum à bon marché de villes-de-caves où les habitacles du salpêtre déclinent leur nom aux carrefours enténébrés de fer-de-lances de lovées d'instants de charrascal des câbles à haute tension des forêts du ciel chargé des épis de la pluie avec l'embouteillage systématique des ruts jusqu'à ce que mort s'ensuive et c'est ainsi jusqu'à l'infini des fièvres la formidable écluse de la mort bombardée par mes yeux à moi-même aléoutiens qui de terre de ver cherchent parmi terre et vers tes yeux de chair de soleil comme un négrillon la pièce dans l'eau où ne manque pas de chanter la forêt vierge jaillie du silence de la terre de mes yeux à moi-même aléoutiens et c'est ainsi le saute-mouton salé des pensées hermaphrodites des appels de jaguars de source d'antilope de savanes cueillis aux branches de mes yeux pour toi aussi aléoutiens lancés à travers leur première grande aventure : la cyathée merveilleuse sous laquelle s'effeuille une jolie nymphe parmi le lait des mancenilliers et les accolades des sangsues fraternelles.

Aimé Césaire,
«La Forêt vierge»,
in *Les Armes miraculeuses*,
Gallimard, Paris, 1946

LA MER EN MIROIR

Berceau iliaque par excellence. En qui toujours s'enfoncent les rames de l'esprit. D'où sont venus les hommes et par quoi ils s'en retournent. La mer, libératrice et geôlière, ramenant sans fin sur les rivages la métaphysique du temps, de l'attente, de songes sans repos.

❝Celui qui découvre la mer sait qu'il n'est plus un fleuve […], mais une nappe, un plan immobile, une patience, le temps fini, l'espace éteint dans sa propre grandeur. Celui-là pesamment se couche près de l'eau, et s'il est triste c'est peut-être à cause des oiseaux dans le ciel, malfinis, cayalis, ailes muettes et lointaines. Ici meurt le fleuve, dans les boues et l'odeur fétide. Plus rien n'avance, sinon le sable qu'on voit au loin marcher dans le soleil. Ici le temps patient vous guette, rien ne peut qu'il ne vous mène. Où ? Vers la mer sans achèvement.❞

ÉDOUARD GLISSANT, *LA LÉZARDE*, SEUIL, PARIS, 1958

SAVANTES RIVIÈRES

Dans le roman d'Édouard Glissant, la rivière, singulièrement ici la Lézarde, symbolise une conscience qui va, déroulant sa coulée depuis la pointe des mornes jusqu'à la bouche de l'Océan. Elle traverse l'étendue, connaît la terre en son menu, en ses principes. Elle dénombre les hommes en leurs activités, leurs jeux ou leurs errances. Celui qui la contemple, jusqu'au soir, comprend.

❝Oui, voici le lieu : l'amas de tôles au centre de cette boucle d'eau. L'immobile aridité au beau mitan de ce cercle où la fécondité passe à jamais. Et aux abords de la ville, la Lézarde s'humanise. Elle aménage des bassins et des criques (oui), bordés de roches. Les femmes viennent y laver le linge : elles s'en vont en procession, longeant la voie ferrée qui ne sert qu'à l'usine, elles s'installent près d'une pierre de table, l'eau sur leurs jambes noires se vêt de transparence. Et moi, enfant (l'enfant de cette histoire, et qui grandit à chaque mot) j'accompagne les femmes, je me roule sur le sable, je pêche sous les roches mon écrevisse du jour, que j'irai brûler sur un petit boucan, dans la savane. Je connais cette Lézarde des lessives : à deux heures de l'après-midi, je m'allonge dans l'eau, la tête soigneusement à l'écart du courant, tandis que le linge sèche sur l'herbe. Je ne roule plus dans le flot, j'attends que la Lézarde ait peu à peu tiédi mon corps. J'ai peur des congestions, et le déjeuner fut tardif. Je suis immobile, le faible courant de la rive me rassure, je ne crie plus. Et moi, enfant de cette histoire, je ne sais pas encore que la Lézarde continue vers le soir et la mer noire, ainsi accomplissant sa mort et sa science ; qu'à six heures, lorsque va tomber le serein, la fine humidité de l'avant-nuit, la Lézarde n'a plus de secrets ; que son delta de boues, occupé d'énormes sangsues, se peuple sur les bords de taureaux placides. Je ne sais pas (je vais grandir en cette histoire) qu'en la rivière est signifié le vrai travail du jour ; que cette courbe autour de la cité est pour cerner un peu d'humanité, pour rassurer les hommes, les aider.❞

ÉDOUARD GLISSANT, *LA LÉZARDE*, SEUIL, PARIS, 1958

MAISONS PALMÉES

En ce temps-là, temps d'autrefois, avant que ciments et bétons ne soient venus asphyxier les villes, étouffer l'envol des pensées et des gestes, assécher l'arôme du vent, les maisons, fragiles réseaux de vie, s'accordaient comme des fleurs aux résonnances de la nature, et l'homme qui regardait les lignes et les flétrissures du bois dont elles étaient construites pouvait encore y suivre, rêveusement, détours de son âme.

“ C'était une longue bâtisse de bois immortel, environnée d'épineux pieds-citrons, de glycérias et d'orchidées. Dans son carrelage d'argile se lovaient des fraîcheurs et plongeaient sans fournaise les rayons du soleil. Piégés par les persiennes, les cloisons ajourées, les vents la traversaient en un aléliron. Une galerie couverte, longée de jarres à pluies, lui filtrait les effluves du sucre et des fleurs du jardin. En plein jour, une pénombre emplissait l'intérieur, accusant la rougerie-acajou des meubles aux formes massives. Il se vit fasciné par un buffet à marbre qui semblait une personne, par des lits aux colonnes ondulantes dessous des moustiquaires. Une magie diffuse naissait, lui sembla-t-il, de l'amarre des poteaux et des planches. Il se demandait quelle qualité de force avait pu élever cela, associer ces essences, domestiquer ces vents, ces ombres moelleuses et ces lumières. Cette admiration atteignit un sommet dans l'oublié grenier où une géométrie de poutrelles nouait l'ensemble de la Grand-case. Cette vue de la

charpente détermina sans doute les tracées de sa vie, de son destin et finalement du mien. Mais rien de l'avenir n'allant à découvert, il n'en sut la musique qu'une fois violon dans sac. **”**

PATRICK CHAMOISEAU, *TEXACO*, GALLIMARD, PARIS, 1992

LA RAISON MAGIQUE

La sensibilité martiniquaise ne tire pas seulement ses pulsations de la densité naturelle – épaisseur de la nuit, mythologie de la forêt, courses du vent, touffeur de l'air –, elle puise aussi ses sources dans la prééminence du sacré, synthèse ici de légendes laissées par les Caraïbes, de croyances venues d'Afrique, de pratiques héritées du christianisme et d'une culture de contes merveilleux transmis par la tradition orale. D'où un ensemble de comportements, rumeurs et attitudes pour se protéger, guérir, séduire, exorciser, jeter un sort, avoir chance, conduites relayées ici par les séanciers, quimboiseurs, jeteurs de sorts, organisateurs des grands mystères de la vie et de la mort. Lafcadio Hearn(1850-1904), qui a recueilli un ensemble de contes martiniquais dont plusieurs constituent l'ouvrage Trois fois bel conte *(1939), esquisse ici une définition du zombi, si redouté.*

“ Zombi : ... l'heure où Zombi galope dans les halliers (Pé-la-man-lou) Zombi ! Le mot est plein de mystère, même pour ceux qui le créent. Les explications de ceux qui le prononcent ne sont jamais bien lucides ; ce mot semble éveiller des idées sombrement impossibles à définir – des imaginations appartenant à l'esprit d'une autre race, et d'une autre ère, inconcevablement ancienne. – *Zombi...* ... *Lutin,* l'un n'est pas entièrement traduit par l'autre. Tous deux ont cependant un point commun : cette région du surnaturel qui est le plus primitif et le plus vague... Ces craintes que nous disons puériles, de l'obscurité, des ombres et des choses rêvées. Cette forme de cauchemar dans laquelle les personnes qui vous sont les plus familières se transforment, lentement, hideusement, en des êtres malveillants. En conséquence, le nègre créole redoute tout ce qu'il rencontre de vivant sur une route déserte, après la tombée de la nuit : un cheval errant, une vache, un chien. **”**

LAFCADIO HEARN, *TROIS FOIS BEL CONTE*, RÉÉD. DÉSORMEAUX, FORT-DE-FRANCE, 1977

RECETTES POUR LE JOUR ET LA NUIT

Croire, ne pas croire ? Mieux vaut se mettre en règle avec les grands mystères. Joseph Zobel (né en 1915) rapporte ici les sages principes que José, son héros, reçoit de ses aînés.

❝ Nous connaissions encore une foule de choses importantes [...] :
– Ne jamais dire bonsoir à une personne que l'on rencontre en chemin lorsqu'il commence à faire nuit. Parce que si c'est un zombi, il porterait ta voix au diable qui pourra venir t'enlever à n'importe quel moment.
– Toujours fermer la porte lorsqu'on est à l'intérieur de la case, le soir. Parce que des mauvais esprits pourraient lancer après toi des cailloux qui te laissent une douleur pour toute ta vie.
– Et quand, la nuit, tu sens une odeur quelconque, ne pas en parler, car ton nez pourrirait comme une vieille banane. [...]
– Ne pas te laisser fixer par un chien lorsque tu manges. Donne-lui une miette et chasse-le, afin que tu n'aies pas des clous à la paupière.
Moi qui savait tant de contes et de «titims», je me gardais bien de les dire en plein jour, car je savais que je risquerais alors d'être «tourné en panier».
Et tous, nous nous gardions bien d'approcher Mam'zelle Abizotye, la «quimboiseuse», afin d'éviter ses attouchements maléfiques. ❞

JOSEPH ZOBEL, *LA RUE CASES-NÈGRES*,
PRÉSENCE AFRICAINE, PARIS, 1974

AU COMMENCEMENT

Dans La Case du commandeur, *Édouard Glissant recourt au surnaturel du conte pour traduire cette quête lancinante de la connaissance des origines. Le récit d'Ozonzo rappelle la fable biblique de Jonas dans le ventre de la baleine.*

❝ Tourmenté du besoin d'éclairer les origines de Cinna Chimène, il ne réfléchissait pas qu'il n'en savait guère plus sur les siennes propres ni sur celles d'Ephraïse Anathème. Le poids n'en était que plus lourd à porter. Aussi, faute de partir en guerre contre Guillaume, tentait-il d'entraîner l'enfant dans la tempête de quel ressouvenir, douloureux et incertain. C'était surtout par un conte qu'il chantait à chaque fois qu'ils étaient seuls et auquel Cinna Chimène trouvait un plaisir sans fond : comme d'un savant qui n'eût cessé de s'émerveiller des détails d'une récente découverte. Ozonzo tout en maladresse avait adapté le conte pour l'enfant ; disant que : «À ce qui paraît qu'il y avait un «gros poisson si gros si gros que la terre entière entrait dedans. La gueule de «ce poisson-là était en balustrades comme la Grande Maison sur la hauteur, et «tu peux défiler dedans et t'assoir par terre pour attacher ta guêtre et brosser ton «panama. Qui l'eût cru ? Nul n'eût cru. La dent de devant taillée en marbre, les «dents derrière poussaient en barrière plus que du fer. Eh bien bon, ce poisson-là «mangeait tabac, il fumait un cigaro tellement gros que l'eau de mer avait bouilli «devant sa bave pendant trente-six années de suite. On n'a rien dit de son ventre «pour la cause que pas un n'était entré dedans pour ressortir. Mais un jour j'ai «roulé dans la larme de l'Océan ; je suis entré dans son boyau, et me voici pour «te dessiner le monument. Qui l'eût cru ? Nul n'eût cru. Il était si noir dans son «boudin que tu pouvais tricoter dedans l'abat-jour de minuit. Mais j'avais porté «les besicles de l'aurore astrale, celles-là mêmes qui ont six arcs-en-ciel pour «branches, la lune à droite devant ton œil droit et le soleil à gauche devant ton œil «gauche, un astre dans un œil, et comme ça j'ai vu à l'aise dans le poisson. Dans «le poisson il y avait une grande chambre avec tout le détail de la richesse, un lot «de tafia et combien de chemises de nuit sans compter les salles de commodité. «Qui l'eût cru ? Nul n'eût cru. ❞

ÉDOUARD GLISSANT, *LA CASE DU COMMANDEUR*, SEUIL, PARIS, 1981

> « J'AI SOIXANTE ET ONZE ANS, C'EST LA SEMAINE DERNIÈRE
> QU'UNE CHOSE BIZARRE M'A ÉTÉ RÉVÉLÉE.
> SI J'ÉTAIS MORT LA SEMAINE PASSÉE, JE N'EN AURAIS RIEN SU. »
> ANONYME

MOURIR

Au cours des missions qu'il a effectuées en Martinique et en Guadeloupe pour l'Unesco, en 1948 et en 1952, le romancier, essayiste et ethnologue Michel Leiris (1901-1990) a notamment repéré, dans les usages et coutumes du folklore martiniquais, les éléments d'un brassage culturel qui emprunte ses formes aussi bien au christianisme européen qu'aux traditions africaines. Il évoque ici la manière dont ce syncrétisme opère dans les rites de célébration de la mort.

" L'importance extrême que revêtent, en Martinique et en Guadeloupe, les coutumes relatives à la mort n'est pas non plus sans rappeler le rôle capital que joue le culte des ancêtres dans l'ensemble des religions négro-africaines : des dépenses assez élevées relativement pour qu'on puisse les qualifier d'outrancières sont faites d'ordinaire à l'occasion d'un décès et, à la campagne tout au moins, les veillées funèbres prennent l'allure de fêtes au cours desquelles se consomme force rhum, dont le défunt lui-même a souvent sa part ; dans ces réunions à la fois graves et animées se pressent de nombreuses personnes venues pour saluer le mort, assister les deuilleurs, voire simplement se divertir en écoutant les conteurs spécialisés – ceux qu'à la Martinique on appelle des « craqueu's », diseurs de cracs – débiter en créole les récits et devinettes destinés à tenir en éveil les membres de l'assemblée. Lors de la fête de la Toussaint, qui est l'une des principales de l'année pour la ville comme pour la campagne, parents et amis venus parfois de fort loin se réunissent dans les cimetières et y séjournent longtemps, auprès des tombes décorées, brillamment éclairées et devenues de véritables lieux de réception. "

MICHEL LEIRIS, *CONTACTS DE CIVILISATIONS EN MARTINIQUE ET EN GUADELOUPE*, GALLIMARD/UNESCO, PARIS, 1955

LE DIT DE LA MORT

Ina Césaire et Joëlle Laurent ont fait le récit d'une veillée funéraire à laquelle elles ont assisté en 1971 dans un quartier populaire de la plaine du Lamentin, en Martinique.

" Devant la maison de bois au toit recouvert de tôle et entourée par une haie d'hibiscus, un cercle d'hommes et de femmes s'est formé sur l'esplanade de terre battue. Quelques bancs ont été disposés en cercle, sur la place. Les assistants, environ une vingtaine, sont assis. Au milieu du cercle, le conteur se tient debout. Deux hommes, également debout, participent au conte de façon plus active que les autres ; ils assistent le conteur en entonnant les chants et en répondant les premiers aux devinettes. Tous les participants sont vêtus de leurs plus beaux habits. Les hommes portent le chapeau bakoua. Parmi les femmes, seules se trouvent vêtues de noir, celles de la famille proche du défunt. Les autres, cependant, ne portent aucun bijou. Cette assistance est composée par les parents, les voisins, les amis, mais aussi par tous les gens qui, attirés par le bruit de la veillée, se mêlent aux proches. Trois flambeaux éclairent la scène. Le mort repose à côté, dans la pièce principale dont les fenêtres, largement ouvertes, donnent sur l'esplanade.
[...] Les femmes de la famille du défunt font le service. On sert du rhum, des vins cuits, du « chaudeau », du punch au lait, de la « soupe-pieds ». La veuve ne sert pas les veilleurs. Elle se tient, avec sa plus jeune fille, dans la pièce où se trouve le mort ; là, accoudées à la fenêtre, l'une et l'autre écoutent les contes.
[...] Après que le premier conteur eut donné deux contes et dit quelques anecdotes humoristiques vécues, un autre conteur prend spontanément le relais. Il ne connaissait pas le mort, mais il habite au Lamentin. Il a entendu le bruit d'une

veillée et est venu voir. Il commence un conte ; mais l'auditoire, qui l'estime trop long, manifeste bruyamment sa désapprobation. Le conteur alors s'interrompt, puis entame une sorte de mime chanté, accompagné de deux auxiliaires qui tiennent deux branches par chaque extrémité. Le conteur s'étend sur cette couche improvisée et, tout en chantant, mime l'accouchement d'une femme en douleurs, tandis que l'assistance reprend en chœur le refrain de la chanson :

Viv ma vi,	Vive ma vie,
Mà pe ka rivini !	Je n'y reviendrai pas !
Viv ma vi,	Vive ma vie,
Se denie màmay la !	C'est le dernier enfant !
Viv ma vi,	Vive ma vie,
Nòm mwè, se à buro !	Mon homme est un bourreau !

Puis le conteur imite les vagissements d'un nouveau-né, ce qui provoque l'hilarité de l'auditoire. Alors, sans interrompre son chant, il s'agenouille et courbe sa tête entre ses mains, comme pour embrasser la terre. Enfin, il s'allonge, face au sol, les pieds et les avant-bras touchant seuls celui-ci ; et il mime les gestes de l'amour comme si, réellement, il faisait l'amour avec la terre.
Ainsi, tout au long de la nuit, les narrateurs se relaient, entremêlant chants et contes. Quand point l'aurore, les flambeaux s'éteignent, et chacun se retire après un bref passage dans la chambre du mort. **99**

Ina Césaire et Joëlle Laurent, *Contes de mort et de vie aux Antilles*,
Nubia, Paris, 1977.

La fête : adhésion populaire ou exutoire collectif ?

C'est peu dire que le Martiniquais a le sens, le don de la fête. Les réjouissances populaires, à la période du Carnaval, représentent un sommet dans cette hiérarchie des célébrations. Pourtant certains, comme le sociologue Frantz Fanon (1925-1961), voient dans cette liberté festive une sorte d'exutoire entretenu par une société dont l'essence reste la dépendance, et qui n'est pas sans rappeler que les trafiquants, à bord des navires négriers, faisaient danser les esclaves sur les ponts afin de libérer l'énergie musculaire contenue dans les cales.

66 Sur un autre versant, nous verrons l'affectivité du colonisé s'épuiser en danses plus ou moins extatiques. C'est pourquoi une étude du monde colonial doit obligatoirement s'attacher à la compréhension du phénomène de la danse et de la possession. La relaxation du colonisé, c'est précisément
cette orgie musculaire au cours de laquelle

«Que veut l'homme noir ?»

Frantz Fanon

l'agressivité la plus aiguë, la violence la plus immédiate se trouvent canalisées, transformées, escamotées. Le cercle de la danse est un cercle permissif. Il protège et autorise. À heures fixes, à dates fixes, hommes et femmes se retrouvent en un lieu donné et, sous l'œil grave de la tribu, se lancent dans une pantomime d'allure désordonnée mais en réalité très systématisée où, par des voies multiples, dénégations de la tête, courbure de la colonne, rejet en arrière de tout le corps, se déchiffre à livre ouvert l'effort grandiose d'une collectivité pour s'exorciser, s'affranchir, se dire. Tout est permis... dans le cercle. [...] Tout est permis car, en réalité, l'on ne se réunit que pour laisser la libido accumulée, l'agressivité empêchée, sourdre volcaniquement. Mises à mort symboliques, chevauchées figuratives, meurtres multiples imaginaires, il faut que tout cela sorte. Les mauvaises humeurs s'écoulent, bruyantes telles des coulées de lave. 99

Frantz Fanon, *Les Damnés de la terre*, Maspéro, Paris, 1967

Voix et silhouettes mêlées

Horizon créole

Dans l'ouvrage qu'ils ont intitulé à l'Éloge de la créolité, Jean Bernabé, Raphaël Confiant et Patrick Chamoiseau reconnaissent au créole, comme langue et comme sensibilité, la capacité d'exprimer la plénitude du réel antillais et de promouvoir une personnalité culturelle originale qui, sans renier les héritages européen, asiatique et africain, les accomplisse et les dépasse. Dans le roman qu'il a consacré à l'évocation de la société coloniale au temps de Vichy et du gouvernorat de l'amiral Robert, Raphaël Confiant (né en 1951) rappelle que l'école fut souvent ici l'instrument privilégié de l'étouffement de la personnalité créole.

66 Petit nègre, ouvre bien tes oreilles. Tu es sorti de rien mais Dieu a mis une «étincelle dans ta caboche. Pourquoi ? Je n'en sais trop la raison. En tout cas, sache «en profiter désormais et n'imite plus tes camarades. Ne t'abaisse plus à parler «créole, ne perds pas ton temps à jouer aux agates toute la sainte journée, ne mets «pas tes mains dans la terre : ça salit le dessous des ongles, ne va pas à la pêche aux «écrevisses le jeudi : ouvre plutôt tes cahiers. C'est ta seule et unique chance «d'échapper à la déveine, mon petit. Toi au moins tu mérites le titre de Français. «Lamartine, Victor Hugo ou Verlaine n'auraient pas eu honte de toi. Je vais te «pousser au maximum.»

Et l'on se cotisait pour lui acheter livres, souliers, chemises. On l'envoyait au coiffeur deux fois par mois afin de dompter les grains de poivre de ses cheveux et l'on rendait visite de temps en temps à la mère pour lui rappeler qu'elle possédait un prodige dans sa couvée et qu'il fallait absolument qu'elle aide les autorités à lui donner le balan qui le propulserait aux plus hautes marches possibles pour un nègre dans cette société, à savoir au grade d'instituteur. **99**

RAPHAËL CONFIANT, *LE NÈGRE ET L'AMIRAL*, GRASSET, PARIS, 1988

FEMMES ARABESQUES

La femme martiniquaise, si souvent invoquée, chantée en Martinique par le poète Joby Bernabé. Suffit-il, sans tomber dans les clichés faciles, d'en dire l'allure, le port, la savante et pénétrante présence et de rappeler que Paul Éluard y voyait «la plus belle femme du monde» ? Elle est aussi souffrance, attente, folie, connaissance et gardienne souveraine du lieu. Elle passe ici, dans l'œil de Placoly (1946-1992), sensitive et nacrée comme une vibration d'aile.

66Seulement, ce que l'imagination peut se permettre, c'est de se la représenter […]. Décolletés de son âme aux fenêtres. Des manières de princesse, sans grande agitation. Des sourcils fournis comme une forêt vierge, sur des yeux ronds et fixes, des yeux qui ressemblent à une termitière d'argent. De toute façon, rien qui la différenciât du commun des mortelles et de son innocence intarissable. Percale, qui est la plus légère des toiles. La soie, qui signifie richesse et sensualité. La tête, de la couleur et des motifs de la jupe. Une pluie de lingerie sur des souliers de cuir verni. Le costume n'ajuste pas le corps comme les souliers ou les bas, il se drape, il se porte, il vit sa vie somptueuse, maniérée, sensitive, joueuse. Jarretières, épingles, mouchoirs… rien qui pût la rendre autre de tournure que la plus commune des mortelles sauf que, de ses lèvres qui respiraient l'air, des feuilles prenaient leur vol quand elle se mettait à parler, frou-frous, passages, frégates, ramiers, des aigles pour les pensées fortes, des vautours y faisaient la ronde aux instincts de cruauté, ooouuuu comme la chouette en ce qui concernait les pensées de la nuit. **99**

VINCENT PLACOLY, *L'EAU-DE-MORT GUILDIVE*, DENOËL, PARIS, 1973

TOUJOURS LA POÉSIE

La Martinique est une terre qui semble devoir s'ouvrir par et pour la poésie. Tout concourt ici aux frémissements et aux délires du Verbe : la terre et ses tumultes, l'air en ses effluves, la foule et ses bruissements, ses rites, ses sortilèges. La poésie plonge ses sondes au cœur de cette lave et ressort trempée de soleils, d'éclats, de miracles, de mystères. Elle cherche à atteindre, selon la belle formule de René Ménil dans Tropiques, *«la saison des hommes».*

Qui guettes-tu
     Dans l'éclaboussement de ton attente
       Couple immobile
Les mains sur le ventre
Palpent le soleil du sexe luxuriant
Les corps diversement pétris
         Se résorbent
Les pieds deviennent cette jungle énorme
          Qui bouge

HENRI CORBIN, *PLONGÉE AU GRÉ DES DEUILS*, LE CORMIER, BELGIQUE, 1978

ITINÉRAIRES EN MARTINIQUE

▲ La montagne Pelée et au loin la Dominique.

▼ La baie des Anglais.

La ville de Saint-Pierre. ▼

▲ Bateaux à Grand'Rivière.　　　　　　　　　　Filets de senne à Schœlcher. ▼

Retour de pêche à Sainte-Luce. ▼

▲ Le Morne Vert.

Fonds-Saint-Denis. ▼

▼ L'anse Dufour et la pointe Martineau.

Fort-de-France

Léo Elisabeth

A vant de prendre définitivement le nom de Fort-de-France, l'actuel chef-lieu de la Martinique ne cessa d'en changer. La ville, appelée Fort-Royal jusqu'en 1793, fut rebaptisée République-Ville ou Fort-de-la-République de février 1793 à mars 1794, puis à nouveau Fort-Royal jusqu'en 1802. Nommée Fort-de-France de 1802 à 1809, elle redevint Fort-Royal jusqu'en 1848, date à laquelle le nom se fixa en Fort-de-France. Mais ses habitants, les Foyalais, héritent tout de même de la première appellation de Fort-Royal.

LES ORIGINES DE LA VILLE

Le fort Royal, aujourd'hui fort Saint-Louis, n'était au XVIIe siècle, qu'un petit éperon volcanique qui surnageait entre des marécages encombrés de palétuviers et la mer. Cette espèce de forteresse naturelle offrait alors un abri apprécié contre les cyclones et les raz-de-marée, dans la zone

dite du Carénage. C'est là que les navires étaient hissés à terre afin d'être nettoyés et leur coques réparées. Du Parquet, gouverneur puis seigneur propriétaire de la Martinique de 1636 à 1658, entreprit d'aménager cette zone. Mais ce «quartier» était né avant la ville et, mis à part l'éperon rocheux, toutes les terres voisines appartenaient à la famille Goursolas qui freina les initiatives de défrichement. Par ailleurs, n'ayant pas les moyens de mener à bien les travaux du fort, Du Parquet

en janvier 1658, Jacques Dyel Du Parquet est le fils de Pierre Dyel de Vaudroque et d'Adrienne Belain, sœur de d'Esnambuc. Gouverneur de la Martinique depuis 1636, il en devint le seigneur-propriétaire par achat de la Compagnie des Isles d'Amérique, en septembre 1650.

s'efforça d'y intéresser la Compagnie des Isles de l'Amérique. Un jésuite, le père Hampteau, fut sollicité par François Fouquet afin d'obtenir un rapport sur la viabilité du site. En 1640, ce dernier émit un avis négatif : la difficulté de se ravitailler en eau était trop grande et le voisinage des marais rendait le séjour malsain. Il fallut attendre plus de deux siècles pour voir ces obstacles surmontés. Les rivières encadrant la zone du Carénage prirent les noms de Monsieur et Madame, en hommage à Du Parquet et à sa femme.

Plan du Cul-de-Sac Royal au XVIIIe siècle (ci-dessus).

LE SIÈGE DU GOUVERNEUR

Après le rattachement des îles au domaine royal, le lieutenant général de Baas-Castelmore, qui représenta Louis XIV de 1668 à 1677 du temps de la Compagnie des Indes occidentales, trouva peu sûr de maintenir le siège du gouvernement général à Saint-Christophe et l'installa à la Martinique. Bien qu'habitant à Saint-Pierre ▲ 223, Baas réussit à faire du fort Royal le site le mieux

pourvu en canons après Saint-Pierre. En cas d'alarme,
les habitants des environs s'y réfugiaient. L'échec de l'amiral
Ruyter ● 63 en juillet 1674 confirma la valeur de ce choix.

BLÉNAC, FONDATEUR DE FORT-ROYAL

Charles de Courbon, comte de Blénac, gouverneur général
des îles du Vent de 1677 à 1683, de 1684 à 1690, et de 1691
à sa mort, en juin 1696,
fut le véritable fondateur
de la ville du Fort-Royal.
Les nombreuses difficultés
rencontrées pour obtenir
les autorisations des
propriétaires, les Goursolas,
compliquèrent la mise en
œuvre des premiers travaux
de drainage des surfaces
marécageuses. On s'attacha
donc à une conception

d'ensemble de la ville avant d'entreprendre les premières
constructions. Prévues pour s'étendre jusqu'aux alentours
de l'actuel boulevard du Général-de-Gaulle, les premières
rues partaient du rivage. Pendant un siècle, elles s'arrêteront
au niveau du premier canal de drainage qui deviendra
la rue des Fossés, aujourd'hui rue Moreau-de-Jonnès. Dans
la direction de la rivière Madame, l'ensemble s'arrête à
la Petite-Rue-Neuve, l'actuelle rue Isambert. À l'opposé, vers
le fort, la Savane était si mal égouttée que, jusqu'au XIXe siècle,
un fossé naturel passant près de l'entrée du fort, relia la baie
des Flamands au Carénage. La ville s'ordonna peu à peu
autour de l'église sur une sorte d'îlot volcanique. Au-delà,

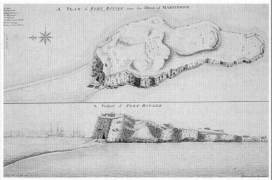

on ne trouvait que le presbytère des pères capucins qui disposaient d'un espace équivalent à celui de la Savane. En 1692, Blénac eut beau obtenir l'autorisation d'ôter à Saint-Pierre son statut de capitale, la ville demeura le pôle commercial et intellectuel de l'île. La ville du Fort-Royal existait si peu que le gouverneur fit construire sa maison dans le fort.

ESSOR DE LA VILLE SOUS LOUIS XV

Après la guerre de Sept Ans (1756-1763), parallèlement au mouvement de rénovation urbaine qui se faisait jour en France,

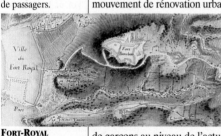

la bourgade du Fort-Royal connut un essor lié à la fois au dynamisme local et à une forte intervention de l'État. Le père Charles François de Coutances, supérieur général des capucins, soutenu par les notables locaux, utilisa des terrains appartenant à son ordre pour établir un collège

de garçons au niveau de l'actuelle mairie, et une école de filles dont l'emplacement est occupé aujourd'hui par le palais de justice. La future impératrice Joséphine y fit des études secondaires peu poussées. Le cimetière, situé primitivement au chevet de l'église, fut transféré hors de la ville, au-delà du canal de la Levée, longtemps sillonné par les barques transportant les malades ou le ravitaillement. On peut encore deviner sa trace le long du boulevard du Général-de-Gaulle. L'actuelle place Fabien s'appela longtemps place des Quatre-Noirs, à cause de la couleur des quatre pièces que les militaires touchaient à titre de gratification. Un nouveau quartier, le Petit-Brésil, se développa vers le nord et l'ouest, entre ce qui est aujourd'hui l'espace compris entre la place Fabien, le cimetière, le canal Levassor et la rue Blondel. Un autre quartier naquit alors, en arrière du Carénage.

Plus loin, un canal, suivi maintenant en partie par la rocade, apporta une eau qui semblait alors abondante et pure. Enfin, pour protéger la citadelle, l'armée s'installa sur le morne Tartenson, et surtout sur le morne Garnier. La fortification de ce dernier site devint le fort Bourbon, puis fort de la Convention et enfin fort Desaix. L'essor se poursuivit sous Louis XVI. La Révolution arrêta tout.

LA SECONDE MOITIÉ
DU XIXᵉ SIÈCLE

Dès le début du règne de Louis-Philippe (1830-1848), les autorités avaient commencé à se préoccuper de l'extension de la ville. Celle-ci se développait alors de façon anarchique au-delà du canal de la Levée. Le nom d'un nouveau quartier, le Marais du Misérable, suffit à dire l'état d'abandon et de précarité du lieu. En dépit des énormes destructions

du tremblement de terre de 1839, il fallut attendre le Second Empire pour que la ville change de visage. L'extension fut alors marquée par l'ouverture d'un nouveau cimetière, celui du Trabaud, situé au-delà de la rivière Madame, où se trouvait le carré militaire. Le Marais du Misérable fut asséché. On ouvrit la route de Didier pour aller chercher une eau qui, longtemps, émerveilla la population depuis ce jour du 13 juillet 1856 où elle coula pour la première fois à la fontaine Gueydon, située au nord du canal Levassor, face à l'actuelle rue

Antoine-Siger. Ville d'avenir et base arrière de l'expédition du Mexique, Fort-de-France vit s'installer en 1856 un bassin de radoub qui resta longtemps le seul des Antilles. La toute nouvelle Compagnie générale transatlantique y installa son dépôt de charbon. Sous la Troisième République, le grand incendie de 1890 et le cyclone de 1891 engagèrent résolument la ville dans la voie de la modernisation. Des matériaux nouveaux, fer et verre, remplacèrent le bois, trop inflammable, ainsi que la pierre, trop sensible aux séismes sur ce sol alluvionnaire qui amplifie les vibrations. L'architecte Picq, chargé des bâtiments publics, érigea alors la nouvelle cathédrale ▲ 195, le marché couvert – récemment reconstruit – et la bibliothèque Schœlcher ▲ 192. Le 8 mai 1902, la destruction de la ville rivale, Saint-Pierre, fit de Fort-de-France la capitale économique et intellectuelle de la Martinique. Tout s'ordonna alors autour de ce nouveau centre.

DE L'APRÈS-GUERRE À NOS JOURS

En vingt ans la ville et son agglomération absorbèrent le tiers de l'accroissement total de la population de l'île. Les nouveaux arrivants s'installèrent en masse sur des terrains municipaux ou domaniaux, provoquant le besoin d'une politique d'expansion qui se mit progressivement en place à partir 1958, et ne prit une allure vraiment rationnelle qu'avec le plan directeur de 1965, le plan d'aménagement urbain de 1971, et enfin les projections prévues pour la fin du XXe siècle. L'agglomération a si bien proliféré que, de nos jours, il faut être très attentif aux panneaux de signalisation pour savoir que l'on sort de Fort-de-France pour passer à Schœlcher ou au Lamentin.

L'INCENDIE DE 1890
Commencé à 8 h du matin le 22 juin 1890, l'incendie n'a pu être éteint que le 23. Le désastre menaçant la ville dans sa totalité, l'armée fit sauter des rangées entières de maisons.

Le Petit Parisien

LE CYCLONE DE 1891
Le cyclone du 18 août 1891 acheva l'œuvre de l'incendie de 1890 qui avait détruit 1 700 immeubles causé 25 morts et laissé 5 000 personnes sans abris. Situé entre les actuelles rues Isambert, Antoine-Siger et Blénac, le marché couvert, entièrement métallique, inauguré en 1886, avait d'autant mieux résisté en 1890 que le feu avait progressé en direction du nord-est. En 1891, le vent balaya tout, sauf les grilles du marché, et ces maisons de bois, par ailleurs si fragiles devant les insectes, l'humidité et le feu.

187

▲ FORT-DE-FRANCE

POINTE SIMON
RIVIÈRE MADAME
FONTAINE GUEYDON
MARCHÉ AUX LÉGUMES
GRAND MARCHÉ
PARC FLORAL
CIMETIÈRE DE LA LEVÉ

🚶 1 journée

Commerçant «syrien» de la rue François-Arago (ci-dessus).

RUE ERNEST DEPROGE

Le débarcadère au début du XXe siècle (ci-contre).

Taxi-pays sur la place de l'Obélisque (ci-dessous).

Visiter Fort-de-France à la recherche de souvenirs historiques, c'est avant tout parcourir le centre ville. À cause du tremblement de terre du 11 janvier 1839, du grand incendie du 22 juin 1890 et du cyclone du 18 août 1891, les vestiges du XVIIe siècle ne se trouvent qu'au fort Saint-Louis, dans le tracé de la Savane, et dans le plan en damier, hérité du projet initial du gouverneur général de Blénac ▲ *185*. Blénac, seul à avoir encore une rue à son nom avec le chevalier de Sainte-Marthe et le père Labat, avait fait tracer les premières rues dans le sens nord-sud à partir de la Savane, et selon une orientation est-ouest, en partant de la mer. Encore largement présent au fort Desaix, le XVIIIe siècle a disparu du centre-ville dont les monuments les plus anciens ont été terminés, construits ou reconstruits, après les grandes catastrophes du XIXe siècle.

LES RUES

Depuis la fin du XIXe siècle, l'usage s'est développé de modifier les noms des rues pour faire place à des personnalités connues pour leur antiesclavagisme, leur attachement à la république ou leur anticléricalisme, etc. Tout commence en 1885 quelques mois après le décès de Victor Hugo, républicain et incroyant. On a donné

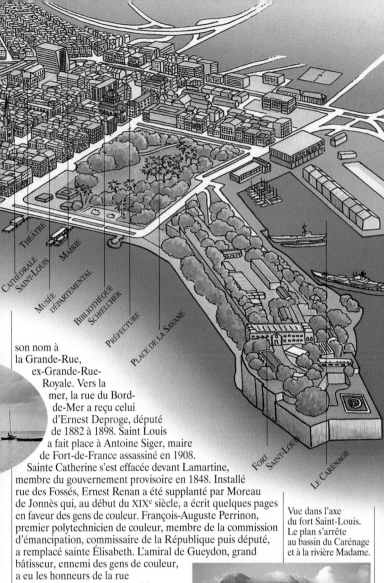

THÉÂTRE

CATHÉDRALE SAINT-LOUIS

MAIRIE

MUSÉE DÉPARTEMENTAL

BIBLIOTHÈQUE SCHŒLCHER

PRÉFECTURE

PLACE DE LA SAVANE

FORT SAINT-LOUIS

LE CARÉNAGE

son nom à la Grande-Rue, ex-Grande-Rue-Royale. Vers la mer, la rue du Bord-de-Mer a reçu celui d'Ernest Deproge, député de 1882 à 1898. Saint Louis a fait place à Antoine Siger, maire de Fort-de-France assassiné en 1908. Sainte Catherine s'est effacée devant Lamartine, membre du gouvernement provisoire en 1848. Installé rue des Fossés, Ernest Renan a été supplanté par Moreau de Jonnès qui, au début du XIXe siècle, a écrit quelques pages en faveur des gens de couleur. François-Auguste Perrinon, premier polytechnicien de couleur, membre de la commission d'émancipation, commissaire de la République puis député, a remplacé sainte Élisabeth. L'amiral de Gueydon, grand bâtisseur, ennemi des gens de couleur, a eu les honneurs de la rue du Gouvernement avant de céder la place à Victor Sévère, maire de Fort-de-France de 1900 à 1945. En suivant les rues perpendiculaires à la mer, la Liberté a chassé l'impératrice Joséphine, Victor Schœlcher a évincé saint Denis. La rue Saint-François a été quant à elle rebaptisée Ferdinand-de-Lesseps puis République. François Arago, savant et ministre de la Marine et des Colonies en 1848, a eu droit à la rue Neuve. François Isambert, défenseur des gens de couleur libres sous la Restauration puis antiesclavagiste, a succédé à l'intendant Blondel. Vincent Allègre, député de Toulon, puis gouverneur républicain et sénateur de la Martinique a été préféré à Donzelot, gouverneur sous la Restauration. Près du Carénage, après saint Joseph et Lazare Carnot, Villaret de Joyeuse, envoyé de Bonaparte, a laissé place à la redoute du Matouba (en Guadeloupe) où Delgrès se fit sauter en 1802 pour défendre l'héritage de la Révolution, au cri de «Vivre libre ou mourir !».

Vue dans l'axe du fort Saint-Louis. Le plan s'arrête au bassin du Carénage et à la rivière Madame.

LA RADE DE FORT-DE-FRANCE Fermée à l'est, elle s'étend vers l'ouest. L'espace primitif, grignoté par des remblaiements, est réservé à la navigation de plaisance et aux liaisons maritimes avec la Pointe du Bout.

189

L'ARCHITECTURE

Contrairement à Saint-Pierre, ville où la pierre triomphe précocement et se maintient grâce à la stabilité du sol, Fort-de-France, bâtie sur des terrains marécageux qui amplifient les secousses sismiques, a longtemps préféré le bois, matériau sensible à l'humidité, favorisant la prolifération des *ravets*, et aux incendies. En 1779, un officier du régiment de Champagne, décrit ainsi la ville : «Les rues bien alignées, toutes les maisons basses, en bois [...] les fenêtres sans vitraux, des jalousies en tiennent lieu ; les maisons en grande partie peintes en rouge en dehors, en dedans selon le goût.» La pierre commença à séduire au XIXe siècle. Le tremblement de terre du 11 janvier 1839 mit fin à cet engouement. Le bois redevint roi jusqu'au grand incendie du 22 juin 1890, dont l'œuvre fut parachevée par le cyclone du 18 août 1891. On rebâtit en tôle ondulée qui fit alors concurrence à la tuile, tandis que les édifices publics et les maisons les plus riches optèrent pour l'armature métallique. Depuis, l'absence de grande catastrophe a permis la conservation d'un grand nombre de maisons, peu différentes de celles du XVIIIe siècle aux Terres-Sainville, plus hautes dans le centre ville, mais toujours avec ces jalousies, ces persiennes dont André Breton a noté la présence insistante dans un poème écrit avec ce seul mot : «persiennes, persiennes, persiennes, persiennes [...]».

à se débarrasser du fer. Dans la rue Blénac, balcons de fer forgé, renforts métalliques en forme de X, persiennes et façades exiguës se pressent du côté impair. Une fois passée la cathédrale, les numéros impairs de la rue de la République retiennent l'attention jusqu'à la rue Antoine-Siger où le Petit Printemps, œuvre de Picq, a conservé son dôme. Cette rue conduit au grand et au petit marché. Le n° 104 a conservé les plaques de fibrociment de la première moitié du XXe siècle. Sur le boulevard Allègre, entre les années 1930 et 1950, les n°s 70 et 72 ont abrité un dancing où les maris n'amenaient pas leurs épouses. Passé le marché aux poissons, le Parc floral, un nouveau détour à droite amène à la place de la Croix-Mission, puis à la rue Victor-Sévère. À l'angle de la rue Gallieni, et ses balcons, on parvient à la maison Bougenot, au n° 82, à la préfecture et à la bibliothèque Schœlcher.

Depuis les années 1970-1980, les nécessités du commerce et l'attrait du confort apporté par la climatisation ont entraîné un renouveau de l'emploi du verre, allié à l'aluminium et non plus au fer comme à la fin du XIXe siècle. Les années 1930 sont marquées par l'avènement du béton armé dans les grandes constructions publiques comme le lycée Schœlcher et l'hôpital Clarac. C'est après la Seconde Guerre mondiale, que ce type de construction, d'un entretien plus facile, plus sûr, plus sain, et permettant de construire des immeubles de plus en plus importants, s'est vraiment popularisé. La ville a perdu une grande partie de sa fonction résidentielle au profit de lotissements situés dans la fraîcheur des hauteurs environnantes ou de villas construites près des plages les plus prisées. Dans ces nouvelles zones de résidence, noyées dans les fleurs, les arbres et le gazon, le béton et ses accessoires prennent de nouvelles qualités architecturales. Menacée par cette évolution et le développement des grands complexes commerciaux, Fort-de-France a cherché à préserver ses activités en construisant de grands parkings-silos dont les façades soignées ne dénaturent pas l'environnement. Un ouvrage souterrain est à l'étude. Les grands projets de résorption de l'habitat insalubre risquent de faire regretter le charme touristique des cases. Les résultats de cette politique sont visibles dans le quartier du Morne Pichevin où des immeubles collectifs d'allure soignée et des rues larges ont remplacé un fouillis de maisons individuelles plus ou moins viabilisées et les petits établissements louches fréquentés par les marins en goguette.

«JE FAIS DE L'ARCHITECTURE, ET JE TÂCHE QU'ELLE NE SOIT PAS TROP NÈGRE, QUOIQU'EXÉCUTÉE PAR DES NÈGRES.»

PIERRE HENRI PICQ

FAÇADES DE MAISONS TRADITIONNELLES
Les maisons basses, à un ou deux étages, sont généralement surmontées d'un galetas. Le balcon en fer forgé est un signe d'aisance. Les petits losanges colorés de fibrociment protègent le bois des façades contre l'humidité.

BAS-RELIEF
Il orne le socle de la statue de Pierre Belain d'Esnambuc, installée sur la place de la Savane.

RUE LAMARTINE

RUE PERRINON

RUELLE DU PERE LABAT

UN CENTRE VILLE INCHANGÉ
Sauf quelques ajouts marginaux intéressant surtout les zones gagnées sur la mer, le tracé des rues du centre ville respecte le plan initial de Blénac ▲ 185. Les éléments qui se trouvent entre la cathédrale et la rivière Madame, ou en bordure du boulevard du Général-de-Gaulle, se sont précisés au cours du XVIIIe siècle. Leurs noms, en revanche, se sont fait l'écho de l'histoire du pays et de ses hommes ▲ 188.

Cartouche portant
les dates de construction
de la bibliothèque.

**ANNEES
1886 - 87**

PIERRE HENRI PICQ
Fils d'un boulanger,
Pierre Henri Picq,
né en 1833 à Saint-
Cloud (Seine-et-Oise,
aujourd'hui Hauts-
de-Seine), meurt
à Paris en 1911.

Inspecteur des
travaux de la ville de
Paris sous le Second
Empire, il devient
un architecte
important
sous
la IIIe
République.
Lors de l'Exposition
universelle de 1878,
à Paris, on lui confie
l'édification de
la maison égyptienne.
Ami de Schœlcher,
il a épousé Lucie
Brière de l'Isle,
femme de couleur
du Vauclin, d'une
branche illégitime,
mais reconnue,
parente du général
Brière de l'Isle.
Après le grand
incendie de 1890,
Picq vient promouvoir
le fer et la brique.
Il dessine et bâtit
la cathédrale,
la bibliothèque
Schœlcher (ci-contre),
le marché, des maisons
particulières et
les églises du François
▲ *291* et de Ducos.

LA BIBLIOTHÈQUE SCHŒLCHER ♥

À l'angle nord-ouest de la Savane, on ne peut que
tomber en arrêt devant l'un de ces édifices de fer
et de verre si décriés lors de leur apparition.
Les temps ont changé. Aujourd'hui, la bibliothèque
Schœlcher est en effet inscrite à l'inventaire
supplémentaire des Monuments historiques.
Le 13 juin 1883, Victor Schœlcher, ancien député
de la Guadeloupe et de la Martinique, sénateur inamovible
depuis 1875, offrit au Conseil général de la Martinique
environ dix mille volumes tirés de sa bibliothèque
personnelle. Alors qu'elle est provisoirement installée
dans un édifice situé à l'angle de la Grande-Rue et de la rue
Saint-Denis, rebaptisée rue Schœlcher, cette collection,
unique dans les Antilles pour la richesse et le caractère
international de ses titres littéraires et musicaux,
est détruite à 90 % lors du grand incendie de 1890.
Pourtant, en 1884, les Martiniquais avaient
commandé à la Maison Moreau un bâtiment
préfabriqué fait de pierres, de briques, de fer
et de tôles pour mettre ce don précieux
à l'abri des tremblements de terre,
des cyclones et du feu. L'architecte
Pierre Henri Picq, époux
d'une Brière de l'Isle,
née à la Martinique, avait été
chargé de la mise au point

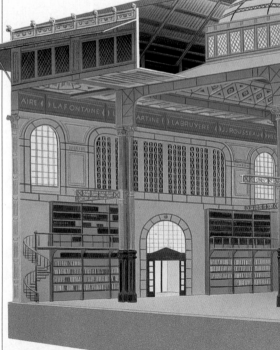

du projet. Dépassant largement le cahier des charges, Picq présente un projet audacieux et novateur où le verre joue un rôle important. En 1887, l'édifice est prêt. Pour le faire connaître, on le monte provisoirement dans le jardin des Tuileries, non loin de l'arc du Carrousel. C'est en partie pour cette raison qu'une légende tenace veut faire croire que cette présentation a été faite lors de l'Exposition de 1889 ou même lors de celle de 1900. En réalité, Picq ayant conçu la bibliothèque Schœlcher en 1887, celle-ci est plus ancienne que la tour Eiffel. Elle est antérieure aussi au Grand Palais, qui date de 1900. C'est le pavillon du Chili que Picq conçut pour l'Exposition de 1889. Démontée après sa présentation aux Parisiens, la bibliothèque fut expédiée et remontée à l'emplacement du Petit Gouvernement, ancien immeuble administratif où la future impératrice Joséphine avait séjourné lors de son retour en 1788-1790.

Le grand incendie de 1890 et le cyclone de 1891 ayant par deux fois endommagé le chantier, le bâtiment ne fut finalement livré qu'en juillet 1892.

VICTOR SCHŒLCHER
Né à Paris en 1804, Victor Schœlcher est fils d'un fabricant de porcelaine originaire du Haut-Rhin. Envoyé par son père pour promouvoir sa production au Mexique, à Cuba et aux États-Unis, il y découvre l'esclavage et revient plus préoccupé de refaire le monde que de négoce. Après le décès de son père il mène une vie de rentier fortuné, voyage, écrit. Franc-maçon, il adhère à la loge des «Amis de la Vérité», orientée vers l'incroyance, le républicanisme et la justice sociale. Secrétaire d'État à la Marine et aux Colonies, en 1848, et président de la commission d'émancipation, il devient sénateur inamovible sous la IIIᵉ République. Il meurt à Houilles en 1893. Son corps a été transporté en 1949 au Panthéon.

Plaque commémorative
de l'esclavage.

LE TREMBLEMENT DE TERRE DE 1839

Moins dévastateur que celui qui a ruiné Pointe-à-Pitre en 1843, le tremblement de terre du 11 janvier 1839 a durement éprouvé le Fort-Royal. Vers six heures du matin, les secousses ébranlent la ville. Ceux qui peuvent s'extraire de leurs maisons ne sauvent que leurs vêtements de nuit. Environ quatre cents personnes périssent. Transportées sur la Savane pour être identifiées, elles sont enterrées le lendemain dans une grande fosse commune. La population est

LA RUE VICTOR-SÉVÈRE

La rue qui passe devant la mairie a reçu en 1957 le nom

de Victor Sévère (1867-1957). Au séminaire collège de Saint-Pierre, son indiscipline provoqua un incident qui attira l'attention de Schœlcher. Devenu avocat, il exerça en Guyane où il fut élu au Conseil général de 1893 à 1896.

Il retrouva ces deux fonctions une fois de retour à la Martinique. Maire de Fort-de-France à partir de 1900, il occupa ce poste jusqu'en 1945 avec quelques interruptions (1907-1908 ; 1919-1924 ; 1941-1943). Il fut aussi député à trois reprises : de 1906 à 1914, de 1924 à 1928 et de 1936 à 1945.

LA PRÉFECTURE ET LA MAISON BOUGENOT

Remontant la rue Victor-Sévère en tournant le dos à la Savane, on tombe sur la préfecture (en haut de la page, dans le texte). Situé face à la bibliothèque Schœlcher, ce bâtiment était l'ancien palais du Gouvernement.

Sa construction connut plusieurs étapes.

MARTINIQUE
FORT-de-FRANCE - Le Nouveau Palais de Justice

La pierre et le béton triomphèrent. Le fer est ici supplanté, pour reparaître quelques mètres plus loin dans la maison Bougenot, exemplaire aujourd'hui rarissime d'une résidence urbaine de style

requise pour déblayer les rues. Mais l'on peut se faire remplacer ou payer une taxe compensatrice. Par la suite la pierre ayant mal résisté, seul le bois sera autorisé… jusqu'au grand incendie de 1890.

«Louisiane» de la fin du XIXe siècle.

LE PALAIS DE JUSTICE

En reprenant la rue de la République, en direction de la mer, un détour sur la gauche, vers la Savane, par la rue Moreau-de-Jonnès – qui s'appelait autrefois rue des Fossés car elle marquait alors la limite de l'extension réelle de la ville jusque dans la seconde moitié du XVIIIe siècle – conduit au palais de justice (ci-dessus), dont la façade donne sur la rue Schœlcher. La statue du libérateur (ci-contre) inaugurée en 1904, a été taillée dans du marbre de Carrare par le sculpteur Marquet de Vasselot. Le palais, dont le style rappelle très nettement celui de la préfecture, a été bâti après la grande époque du fer et du verre, de 1906 à 1907.

L'HÔTEL DE VILLE

La remontée de la rue Victor-Sévère conduit rapidement à la mairie. Cet emplacement avait été concédé par Blénac aux pères capucins, lors de la fondation de la paroisse. Il en fut de même pour toute la zone qui s'étend jusqu'au bout de la rue. Le père Charles François, leur supérieur et préfet apostolique, y édifia en 1765 le collège Saint-Victor, premier établissement secondaire destiné aux garçons dans les Petites Antilles. Commencé quant à lui en 1884, l'hôtel de ville échappa de justesse à l'incendie de 1890, car les destructions préventives d'immeubles, opérées par l'armée, avaient réussi à arrêter le feu qui progressait vers l'est, au niveau de la rue Amiral-de-Gueydon. Le cyclone de 1891 ayant contribué à retarder les travaux, ne serait-ce que parce que les caisses publiques étaient exsangues, l'édifice n'a été terminé qu'en décembre 1901 (ci-dessous). Un théâtre, achevé en 1912, lui fut adjoint. Le fer, la tôle, la pierre et le béton apparaissent, mais le bois, qui avait mieux résisté que la pierre au tremblement de terre de 1839, joua encore un rôle important. Le théâtre fonctionne encore. Classé à l'inventaire des Monuments historiques, le bâtiment de la mairie, ne sert plus que pour des expositions. L'hôtel de ville fut installé en 1980, dans une construction située dans son prolongement.

LA CATHÉDRALE SAINT-LOUIS

Une centaine de mètres séparent la façade du palais de justice de la cathédrale Saint-Louis. La petite église, bâtie vers 1675 et remaniée en 1703, tombait tellement en ruine en cette première moitié du XIXᵉ siècle que l'on projetait de la reconstruire, en l'agrandissant, sur l'emplacement du vieux cimetière abandonné qui la jouxtait. Quand survint le tremblement de terre de 1839, ce fut pourtant l'une des rares constructions qui resta debout, grâce à la solidité de ses murs et du soubassement rocheux qui les supportait. Sa toiture menaçant de s'écrouler, le gouverneur ordonna son évacuation en 1841. On installa une petite

LE BALCON DE L'HÔTEL DE VILLE
C'est du haut de ce balcon que le général de Gaulle et le maire Aimé Césaire s'adressèrent à la population en mars 1964. C'est aussi sur ce balcon que le maire Antoine Siger fut assassiné d'un coup

de revolver le 29 avril 1908, en pleine campagne électorale. L'ambiance était si chaude que l'on n'a jamais réussi à identifier le meurtrier. Le jour des funérailles, la tension monta si fort, que sur une fausse alerte, le cortège se dispersa. Pris de panique, les porteurs abandonnèrent le cercueil en pleine rue.

C'est dans un climat passionnel que les républicains et anticléricalistes de la fin du XIXᵉ siècle ont rebaptisé la rue Saint-Denis, qui se trouve devant la cathédrale, en rue Schœlcher.

RUE SCHOELCHER

SQUARE DE LA CATHÉDRALE
Avant l'incendie de 1890, la fontaine était entourée de végétation tropicale.

LA CATHÉDRALE
La Martinique ne fut érigée en évêché qu'en 1850 après plusieurs tentatives de révision du traité de Tordesillas ● 60. Et elle dut attendre 1895 pour avoir sa cathédrale. Aujourd'hui la façade qui se reflète dans les vitres des immeubles modernes est pratiquement identique à l'originale (ci-contre). Seul le clocher a été surélevé.

construction provisoire dans la rue du Gouvernement (rue Victor-Sévère) et la nouvelle église, devenue cathédrale en 1850 lors de la création de l'évêché, fut inaugurée en 1854. Le 22 juin 1890, l'incendie prit naissance dans la rue Blénac, à deux pas de la cathédrale. Le tocsin ébranla vite la ville, mais les sonneurs durent battre précipitamment en retraite lorsque le feu les rejoignit. Les cloches s'écroulèrent dans un fracas épouvantable. Cette fois la cathédrale provisoire fut installée sur la Savane, en face de la bibliothèque Schœlcher en cours de construction et le salut vint de l'architecte Henri Picq, qui reçut pour mission d'édifier un lieu de culte capable de résister au feu, aux tremblements de terre et aux cyclones. Seuls le mobilier et les portes sont en bois. Verrières, vitraux, murs de pierres, toit de tôles sont supportés par une armature entièrement métallique. Inaugurée le 2 juillet 1895 par Mgr Carméné, la cathédrale Saint-Louis, a depuis, bien résisté aux éléments. De mémoire de fidèle, le seul jour de panique ayant entraîné une évacuation précipitée se situe au matin du 8 mai 1902. Brusquement, un bruit épouvantable venant du toit fit lever les yeux au ciel : la partie de la nuée ardente qui s'était élevée à la verticale se débarrassait de ses éléments les plus pondéreux. En 1971, le clocher a été démonté. Reconstruit dans un style proche de l'original, il a été légèrement surélevé. Entre-temps, les efforts ont porté sur l'aménagement intérieur : adjonction de chapelles

latérales, installation des grandes orgues, peintures. La décoration du chœur, entreprise à la demande du chanoine Bouyer à la veille de la guerre 1914-1918, a été interrompue par le départ forcé de l'artiste. La transformation en trois étapes du petit édifice d'environ 42 m sur 10 m – visité au début du XVIIIᵉ siècle par le père Labat ● 68 – en une cathédrale de 77 m sur 24,5 m, a fait perdre le souvenir de l'emplacement exact des tombes des personnages illustres qui y avaient été enterrés au XVIIᵉ siècle. Celle du gouverneur général Blénac se trouvait dans le chœur, occupé primitivement par l'autel. Il n'est pas dit que les archéologues ne l'exhumeront pas un jour car, au XIXᵉ siècle, les bâtisseurs ont découvert les fondations et une partie des murailles de l'ancien chœur si solides qu'ils se sont contentés de les surélever. L'année 1868 a vu l'inauguration du premier orgue, par l'organiste Antzenberger. Entièrement refait à plusieurs reprises, cet instrument a une durée de vie relativement courte sous les climats tropicaux, au grand dam des Foyalais, qui l'apprécient autant pour les cérémonies que pour les concerts.

**L'INTÉRIEUR
DE LA CATHÉDRALE**
Les vitraux et
les ornements
polychromes donnent
une belle luminosité
à la structure
métallique.

L'ancien marché
couvert construit
par Henri Picq.

LES MARCHÉS

L'animation et le spectacle dans les marchés couverts – surtout en ce qui concerne les poissons et la viande – ne sont plus ce qu'ils étaient. Boucheries et poissonneries modernes ainsi que la reconstruction et la restructuration du grand marché sont en partie responsables de cette évolution. La façade du grand marché donne sur la rue de la République. L'ensemble actuel a été reconstruit en 1989 dans un style proche de celui érigé en 1901 par Picq pour remplacer l'édifice tout neuf que le cyclone de 1891 avait renversé. On n'a pas su, hélas, restituer l'harmonie et le charme de l'ancien édifice. Au 104 de la rue Antoine-Siger, le petit marché, construit en 1901 sur l'emplacement de l'ancien commissariat de police, n'a pas été remanié. Destiné initialement aux fleurs, il est, depuis, occupé par les bouchers. Aujourd'hui, si le grand marché a gardé une animation toujours capable d'offrir le dépaysement aux visiteurs, il faut un effort d'imagination pour retrouver l'ambiance, les couleurs et les cris décrits par Patrick Chamoiseau dans la *Chronique des sept misères*. Fleurs, fruits et légumes, que l'on peut encore marchander, ont déserté les étals de l'allée centrale pour laisser la place aux produits de l'artisanat local. Ce changement provient peut être aussi de la grande expansion de la place tenue par la pharmacopée traditionnelle.

RIVIÈRE MADAME
Gommiers et
canots accostent,
devant le marché
aux poissons.

LE SERMAC
Cet organisme se veut
au croisement
des activités culturelles
de Fort-de-France.

MUSÉE RÉGIONAL D'HISTOIRE ET D'ETHNOGRAPHIE DE LA MARTINIQUE ♥
Installé dans une des plus anciennes villas du centre ville, au n° 10 du boulevard du Général-de-Gaulle, ce musée a été inauguré en 1999. Au premier étage, sont présentées les collections permanentes : mobilier, objets usuels, costumes traditionnels, bijoux créoles. Sur les cimaises, de nombreuses gravures tableaux et photographies anciennes évoquent l'histoire de Saint-Pierre et de Fort-de-France.
Le rez-de-chaussée accueille des expositions temporaires.

Celle-ci étant indissociable d'une série d'ingrédients plus ou moins étranges exigés par les *quimboiseurs* ● *118*, les acheteurs négocient sans cris et sans gestes pour éviter de se faire remarquer.

LE PARC FLORAL

En 1722, l'hôpital militaire du Fort-Royal, situé jusque-là près de l'embouchure de la rivière Madame, fut transféré en dehors de la ville. En face, fut installé le premier cimetière. Agrandi en plusieurs étapes, l'hôpital fut aussi plusieurs fois rebâti, en particulier à la fin du XIXe siècle, époque de ces armatures métalliques, que l'on peut encore entrevoir sur les plus anciens bâtiments. D'autres, plus récents, ont parfois été construits dans un style proche. En 1935, les militaires ayant transporté leurs services médicaux à Clarac, l'hôpital fut utilisé pour les festivités du troisième centenaire de la colonisation de la Martinique et devint le parc du Tricentenaire. À cette occasion, l'entrée qui donne sur la place de la Croix-Mission fut remaniée. Après la fête, l'armée y installa une caserne dite quartier du maréchal Gallieni, mais le public connaît plutôt le parc Gallieni. Après avoir été vendu à la municipalité de Fort-de-France, l'ensemble prit le nom de Parc floral à cause des premières Floralies internationales, organisées à la Martinique. Cette vocation culturelle est renforcée par l'appellation municipale de Parc floral et culturel. Au début des années 1970, la mairie y installa l'OMDAC (Office municipal d'action culturelle), remplacé en 1973 par le SERMAC (Service municipal d'action culturelle), célèbre au moins pour son festival annuel. Le Parc floral et culturel abrite aussi depuis 1981 une très belle galerie de géologie où le visiteur découvre la place du volcanisme dans la région, le passé géologique de l'île, les formes littorales, et de très belles pierres taillées et polies par des artistes locaux. À ce premier élément a été ajoutée une galerie de botanique.

Concurrent du SERMAC, le CMAC, Centre martiniquais d'action culturelle, est situé avenue Frantz-Fanon.

Fragment de poterie arawak présenté au Musée départemental.

LE MUSÉE DÉPARTEMENTAL

À l'angle des rues Blénac et de la Liberté, le Musée départemental a pris la succession de l'intendance militaire qui, en 1898, avait fait construire ce bâtiment de pierre supporté par une armature de fer à l'emplacement de l'ancienne Inscription maritime. Ouvert en 1971, comme musée de la Préhistoire, de l'Histoire et des Arts et Traditions populaires, il ne conserve depuis 1983 que l'archéologie précolombienne.

Un bas-relief
en bronze représentant
le couronnement
orne le piédestal de la statue
de Joséphine.

La visite débute par les Précéramiques qui apparaissent vers 4 000 av. J.-C. Elle se termine par la découverte de l'art moins raffiné des Caraïbes. Entre les deux, c'est l'enchantement de la période arawak qui va d'environ 100 à 750 ap. J.-C. Les haches de pierre, si nombreuses en Guadeloupe, sont rares en Martinique. En revanche, aucun musée des Antilles ne possède un aussi bel ensemble de céramiques et d'adornos (modelages décoratifs anthropo-zoomorphes) ● 57. À cause de la division sexiste du travail à cette époque, on a là un véritable musée des activités de la femme arawak à la Martinique.

LA SAVANE

La place d'Armes, dont les limites du côté du fort et de la ville furent fixées par Blénac, a été progressivement asséchée et étendue en direction de la mer. Sous le Second Empire, les travaux permirent de planter quelques rangées d'arbres supplémentaires et, en 1859, d'installer la statue de l'impératrice Joséphine au centre de la Savane. Elle a été sculptée dans du marbre de Carrare par Vital Dubray. Sur le piédestal, un bas-relief de bronze illustre la cérémonie du couronnement. La municipalité dirigée par Aimé Césaire, qui reproche à Joséphine d'avoir été l'épouse de celui qui a défait l'œuvre émancipatrice de la Convention, a profité d'un grand remodelage du site pour la reléguer dans une allée latérale. En 1935, la Savane a pris ses dimensions actuelles avec l'édification d'une digue, la Jetée. Remblayée avec des madrépores dragués dans la baie, l'espace conquis a donné le boulevard Alfassa et les terre-pleins qui le bordent. Ces travaux, liés au tricentenaire de la prise de possession de la Martinique par d'Esnambuc, ont été complétés

par l'installation de la statue du colonisateur inaugurée par le ministre Albert Sarraut. Œuvre de Gaumont, ce bronze est réclamé par les Pierrotins. La Savane était alors fréquentée chaque soir par une grande partie de la population de la ville. Aujourd'hui, hormis les jours de défilé militaire ou de toute autre manifestation exceptionnelle, l'endroit attire principalement les touristes et une faune interlope.

LE FORT SAINT-LOUIS

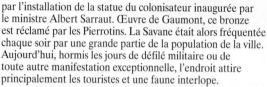

Élément dominant du paysage, le fort Saint-Louis, ancien fort Royal, fournit un remarquable exemple de l'architecture militaire des XVIIe et XVIIIe siècles. Ce monticule volcanique a été taillé, habillé de pierre et retaillé pendant trois siècles. Les derniers travaux séparant le fort des ouvrages avancés bastionnés qui le fermaient au nord-est – et dont les vestiges sont visibles du côté de la Savane – datent de la Seconde Guerre mondiale. Une partie de l'ancienne courtine, érigée face au Carénage pour relier les bastions, a été détruite. En suivant la voie principale d'accès, le visiteur en retrouvera les traces à une cinquantaine de mètres de là, puis un ancien fossé du XVIIe siècle, dominé, à gauche en entrant par le grand cavalier, et bordé, du même côté par un mur d'escarpe. À l'opposé, du côté de la mer, se trouve la contrescarpe, surmontée de son chemin couvert et prolongée par un glacis. Blénac avait commencé à creuser galeries et escaliers, dont celui qui conduit à l'esplanade des Hollandais. Il avait aussi fait surélever le monticule dans sa partie la plus haute par un cavalier : la portée des canons ne permettait en effet pas à un ennemi éventuel de dominer le fort sauf s'il s'installait sur les collines situées à l'est, au-delà du Carénage. Blénac avait aussi édifié sa résidence dans le fort, face à la baie des Flamands. Suivant un plan que nous retrouvons à Cayenne, la plus haute autorité des îles françaises du Vent dormait, sans crainte, juste au-dessus de la poudrière. Située dans le sous-sol, celle-ci était bien protégée, mais la réserve de poudre n'était séparée des feux de la cuisine que par deux portes et un étroit couloir. Les premiers plans

LES IGUANES DU FORT
Zone protégée, le fort
Saint-Louis offre
un refuge aux derniers
iguanes de l'île.

d'une fortification cohérente ont été établis en 1665 par Blondel.
Devenu membre de l'Académie des sciences et directeur
de l'Académie royale d'architecture, cet ingénieur s'est aussi fait
connaître à Rochefort et a érigé la porte Saint-Denis
à Paris. L'édification de la maison du gouverneur, à l'ouest,
indique que le danger ne peut alors provenir que du nord
et du nord-est, au niveau de l'entrée. En outre, jusqu'au
XIXᵉ siècle, les canons tournent le dos à la baie. L'actuel
bastion royal, à l'est, et, au sud, la batterie basse de la pointe
– dont les premiers aménagements datent du XVIIᵉ siècle –
ont pour mission de protéger l'entrée du Carénage.

LE PORT

Si Fort-de-France doit son existence à l'abri que constituait
le port du Carénage, la baie des Flamands, spécialisée
aujourd'hui dans les liaisons locales, la navigation de plaisance
et le tourisme de croisière, était naguère un point de
déchargement des comestibles. Le véritable essor du port
du Carénage commence sous le Second Empire avec
la construction du bassin de radoub, inauguré en 1856.
L'ouverture en 1862 de la ligne transatlantique de bateaux
à vapeur France-Antilles-Mexique, par la Compagnie générale
transatlantique (redevenue Compagnie générale maritime),
entraîne le dépôt de charbon. Aussi, jusque dans la première
moitié du XXᵉ siècle, les charbonnières deviennent un
élément typique du port. Détrônés par
les avions, les paquebots n'amènent plus
que des touristes. Certains accostent
encore au Carénage, mais la construction
d'un quai en eau profonde dans la baie
des Flamands retient les autres près de
la rivière Madame. Les cargos, devenus
désormais porte-conteneurs, exigent des
structures et des espaces adaptés, aussi
le port de marchandises s'est-il déplacé vers l'est,
sur l'emplacement de l'ancienne base d'hydravions.
Le trafic, extrêmement déséquilibré, est constitué surtout
par des importations.

**MAISON DE LA MODE
ET DU CARNAVAL** ● *116*
Situé à proximité de
la Baie des Flamands
et de la Pointe Simon,
ce lieu consacré
aux costumes et
parures créés
pour le carnaval
présente des œuvres
de couturiers et de
créateurs et fait
revivre les festivités
du carnaval par
des expositions
permanentes.

**LES DÉPÔTS
DE CHARBON**
Ils ont disparu
un siècle après
leur création.

LES CHARBONNIÈRES
Elles ont su s'immiscer
dans le monde très
fermé des travailleurs
du port.

«Lieu de misères, de marginaux,
de rêveurs d'étoiles, de maîtres des hautes mers,
de rebelles à l'ordre colonial.»
Patrick Chamoiseau

La banane fournit un fret de retour apprécié. Mais pour combien de temps encore ?

LES QUARTIERS PÉRIPHÉRIQUES

LES PENTES DE TRÉNELLE
Contrastant avec l'ordonnancement géométrique des Terres-Sainville, elles traduisent l'improvisation. Eau, électricité, rocade permettent d'éviter les embouteillages de la ville. Les rues étroites, montueuses et tortueuses, d'où l'on peut avoir de très belles vues sur la ville, sont venues après les cases. Encore aujourd'hui, beaucoup n'ont pas de fosse septique. Pourtant, c'est un quartier en voie de mutation rapide qui n'est plus habité que par les laissés-pour-compte de la croissance.

TRÉNELLE. Ces pentes qui dominent la ville faisaient partie de l'habitation de la famille Goursolas ▲ 184, dont une branche donna les Sainville. Après la guerre de Sept Ans, un officier nommé Trénelle fut chargé d'y faire passer l'eau de la rivière Madame jusqu'à l'hôpital militaire. Le canal alimenta ensuite le port, puis la ville. La municipalité a laissé des occupants sans titre s'installer de façon anarchique dans cette zone.
LES TERRES-SAINVILLE. En 1920, la municipalité acheta l'ancienne habitation Goursolas pour aménager un quartier ouvrier dans la partie basse. Sur des lots exigus, les classes laborieuses construisirent de petites maisons de bois dont la plupart n'avaient pas l'eau courante.

LE QUARTIER DE BELLEVUE
Il est dominé par l'imposante silhouette du lycée Schœlcher qui fut inauguré en 1935. Jusque-là, on traversait la rivière Madame au niveau de l'embouchure grâce à un bac. Proche d'un bois redouté

Aujourd'hui, les amoureux du passé y contemplent avec nostalgie quelques vestiges qui rappellent la finesse du travail des artisans du bois.
DIDIER. Le Second Empire ouvre la route de Didier pour aller chercher une eau plus abondante que celle du canal de Trénelle. Grâce au pont Damas, la ville progresse déjà le long de la route allant de Fort-de-France à Case-Navire (aujourd'hui Schœlcher). Dans la première moitié du XIXe siècle, les gouverneurs élirent résidence à Bellevue, sur le site actuel du lycée Schœlcher. Le séminaire collège

à cause des serpents, la résidence du gouverneur (ci-dessus) se trouvait dans la partie ouest du site du lycée.

se développe ensuite en arrière de la fontaine Gueydon. En 1913, l'évêque s'installe sur les pentes conduisant au plateau Didier. Après 1918, pendant que les pauvres demeurent aux Terres-Sainville, les riches se font construire des villas sur le plateau. Malgré la prolifération des bureaux, restaurants et logements collectifs, ce quartier a tout de même gardé une partie de sa splendeur d'antan.

MAISONS DE STYLE «COLONIAL»
C'est dans le quartier de Didier que l'on rencontre la plus grande variété de ce type de maisons.

LE NORD-CARAÏBE

▲ DE FORT-DE-FRANCE VERS LE PRÊCHEUR

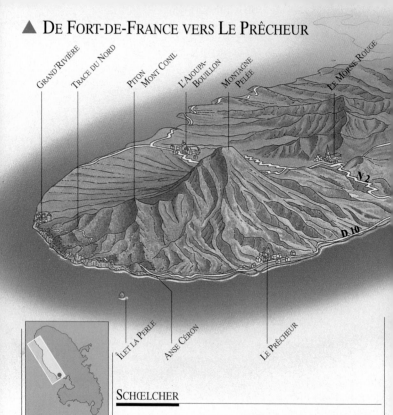

GRAND'RIVIÈRE • TRACE DU NORD • PITON MONT CONIL • L'AJOUPA-BOUILLON • MONTAGNE PELÉE • LE MORNE ROUGE

N 2

D 10

ILET LA PERLE • ANSE CÉRON • LE PRÊCHEUR

🕒 1 journée

🚌 60 km

HABITATION FONDS-ROUSSEAU (ci-contre).

DÉBARQUEMENT ANGLAIS À CASE-NAVIRE
"Une escadre de douze vaisseaux, six frégates, quatre galiotes à bombes et quatre-vingt transports [...] opéra [...] deux débarquements à Case-Navire et à la pointe des Nègres."
E. Boyer Peyreleau (1823)

SCHŒLCHER

La commune s'appelait autrefois Case-Navire et prit le nom de Schœlcher en 1889, en hommage au célèbre artisan de l'abolition de l'esclavage
● *193*. Elle fut, au XVIIIᵉ siècle, le théâtre d'affrontements franco-anglais sanglants. La commune de Schœlcher commence à la pointe des Nègres. Sur le rocher se trouvant du côté de Fort-de-

France un phare renommé et des ruines de fortin dominent une crique où venaient autrefois mouiller goélettes et caravelles. Une légende dit que l'on hâtait le pas au début du XXᵉ siècle, en traversant la ravine qui sépare la pointe des Nègres de la Batelière, de peur d'y rencontrer des prisonniers évadés qui s'y réfugiaient.

204

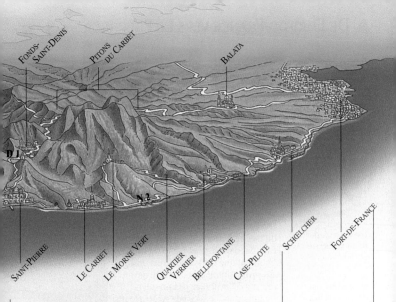

FONDS-SAINT-DENIS PITONS DU CARBET BALATA

D 1

N 2

SAINT-PIERRE LE CARBET LE MORNE VERT QUARTIER VERRIER BELLEFONTAINE CASE-PILOTE SCHŒLCHER FORT-DE-FRANCE

C'est à la fin du XIXᵉ siècle que fermèrent les sucreries
de cette commune. Il ne subsiste que des ruines de distilleries,
des pans d'aqueducs, du métal rouillé et quelques rails
de l'ancienne industrie de la canne, qu'on transportait
par voie ferrée. Dans la vallée de la rivière Case-Navire
et à Fonds-Rousseau, on continua à fabriquer du rhum
jusqu'après la dernière guerre. Puis, les propriétaires fonciers
remplacèrent les industriels, et la commune connut
une expansion immobilière spectaculaire. L'habitation
Case-Navire fut achetée par un mulâtre du Lorrain qui croyait
en la terre. Bien lui en prit car bientôt ces terrains contigus
à la commune de Schœlcher s'arrachèrent à prix d'or.

STATUE DE SCHŒLCHER. Exécutée par
Marie-Thérèse Julien Lung-Fou,
dressée à l'entrée du bourg
en venant de Fort-de-France,
elle représente le sous-
secrétaire d'État
à la Marine, chargé
des Colonies, brisant
les chaînes de l'esclavage.
Sur le piédestal décoré
d'une fresque en bas-relief,
est gravée la célèbre phrase :
«Nulle terre française ne
peut plus porter d'esclaves».

**STATUE DE VICTOR
SCHŒLCHER** ▲ *193*
Elle a été installée
à l'entrée du bourg
qui porte son nom.

LA BATAILLE DE TARTENSON. En 1762,
pendant la guerre de Sept Ans, les Anglais réussirent enfin
à se rendre maîtres de la Martinique. Trois ans auparavant,
dans des champs de canne à sucre et les bois, remplacés
aujourd'hui par les quartiers de la Pointe des Nègres,
de Clairière, Tartenson, Cluny, ils avaient subi un échec
d'autant plus cuisant qu'il était inattendu. Le gouverneur
général, le marquis de Beauharnais, futur beau-père
de Marie-Josèphe Rose Tascher de La Pagerie ▲ *310*,
n'ayant à sa disposition qu'un peu plus de deux cents
hommes, dont beaucoup pouvaient à peine tenir debout,
tout reposait donc sur la milice. Celle-ci avait été créée par
les Français pour se défendre des Caraïbes, des pirates,
des Anglais ou des Espagnols. Le 16 janvier 1759, en un tour
de main, les vaisseaux britanniques réduisirent au silence

**PÊCHE À LA SENNE
À SCHŒLCHER**
Les piquets de bois
servent à faire sécher
les filets qui mesurent
250 m de longueur
et 6 m de hauteur.
Avant d'être
étendue, la senne
est débarrassée
des pierres qui jouent
le rôle de lest. Après
séchage, le filet est
plié, déposé sur
des *trays* (plateaux)
et mis à l'abri.

DEBARQUEMENT DES PASSAGERS EN PROVENANCE DU NORD CARAIBE

ICONOGRAPHIE DE LA LIBÉRATION
De nombreuses fresques représentent des esclaves libérés et s'émancipant de leurs chaînes.

PILOTE ET ARLET
Ces deux chefs caraïbes sont décrits en 1640 par le père Bouton : «Quand celui que nous appelons le Pilote, qui est parmi eux l'un des premiers capitaines et ancien ami et fidèle aux Français, vint voir le gouverneur, il avait sur la tête un chapeau pour marque qu'il aime et estime les Français, les autres vont tête nue comme le reste du corps. Ils lient leurs cheveux qui ne sont pas trop grands derrière la tête et y passent des plumes d'aras, de flamants et autres oiseaux [...]. Ils s'arrachent la barbe. Arlet, frère de Pilote, aussi capitaine, avait des petites pièces d'airain pendues aux lèvres, au menton, et au nez.»

les batteries de la pointe des Nègres et de Case-Navire. Duprey de la Ruffinière, propriétaire de l'habitation de la pointe des Nègres, et capitaine de milice de Case-Navire, se replia sur le morne Tartenson. Une partie des cinq mille huit cents hommes du général Hopson débarquèrent tranquillement. Le 17 janvier, au petit jour, trois colonnes anglaises remontèrent la pente en direction du morne Tartenson, où la milice campait dans le plus grand désordre. Estimant que tout choc direct entre ces professionnels et la milice devait tourner à l'avantage des premiers, Beauharnais s'efforça de mettre le fort Royal, aujourd'hui fort Saint-Louis, en état d'offrir quelque résistance. Sur le morne Tartenson, les défenseurs, blancs et de couleur, libres et esclaves, engagés dans des opérations de harcèlement, tinrent toute la journée. Le lendemain, alors qu'ils se préparaient à recommencer, ils s'aperçurent que l'ennemi avait décampé.

HABITATION FONDS-ROUSSEAU ♥.
Nichée entre Grand Village et la rivière Case-Navire, l'habitation qui fait actuellement l'objet de fouilles, surprend par son caractère fonctionnel et sa miniaturisation. Classée Monument historique, elle illustre la vie quotidienne des plantations depuis le XVIIIᵉ siècle.
FONDS-LAHAYE. Après la catastrophe de 1902 ▲ *232*, on construisit des cases en paille pour les nombreux sinistrés de Grand'Rivière, du Prêcheur et du Carbet qui trouvèrent refuge dans ce hameau de pêcheurs, rattaché à la commune de Schœlcher dès 1898. On pratique toujours la pêche à la senne ● *126* dans ce village au marché pittoresque.

CASE-PILOTE

Cette commune tient son nom du chef caraïbe surnommé Pilote, qui accueillit les Français avec beaucoup d'égards et qui permit, avec son frère Arlet, l'installation des jésuites à Rivière-Pilote. Case-Pilote est l'un des plus anciens villages colonisés de l'île. Comme sur toute la côte caraïbe, de violents affrontements s'y déroulèrent. Le 16 janvier 1762, les Anglais brûlèrent entièrement le bourg. Le 17 juin 1793, soutenant les royalistes, les Anglais débarquèrent sur la côte où ils furent repoussés par les républicains commandés par Rochambeau. En 1847, un autre drame frappa la mémoire des Pilotins : neuf esclaves, surpris en train d'embarquer pour Sainte-Lucie où l'esclavage était

> «ET LE SABLE EST NOIR, FUNÈBRE, ON N'A JAMAIS VU UN SABLE
> SI NOIR, ET L'ÉCUME GLISSE DESSUS EN GLAPISSANT, ET LA MER LA
> FRAPPE À GRANDS COUPS DE BOXE, OU PLUTÔT LA MER EST UN GROS
> CHIEN QUI LÈCHE ET MORD LA PLAGE AUX JARRETS.» AIMÉ CÉSAIRE

aboli depuis 1833, furent fouettés publiquement (page précédente à gauche) et emprisonnés. Enfin, en 1933, une affaire criminelle non élucidée rendit célèbre la plage de Fonds-Bourlet, où fut trouvé mort André Aliker, journaliste de *Justice* (l'organe du Parti communiste martiniquais).

COURSE DE YOLES
Les yoles rondes ont aujourd'hui remplacé les gommiers d'autrefois.

PILOTE ET ARLET. À la suite de contacts répétés avec les marins de passage, beaucoup de Caraïbes prirent le prénom d'un «compère», d'un Européen avec lequel ils se sentaient des affinités. Salomon, dont le nom survit au cap Salomon, à la Grande Anse des Anses-d'Arlets en est un exemple. Ils choisirent aussi des surnoms, comme celui de Pilote. En outre les chefs étaient dits capitaines. Chef important de la côte occidentale de la Martinique, le capitaine Pilote était connu bien avant la colonisation officielle. En 1620, il avait même un esclave noir qui ne dut qu'à son ardeur au travail de ne pas avoir été enterré avec ses maîtres précédents. Après entente avec Du Parquet, Pilote s'installa dans ce lieu qui prit le nom de Rivière-Pilote. Demeurant d'abord dans les anses qui portent son nom, Arlet, quant à lui, se replia vers 1650 sur l'emplacement actuel de la commune de Sainte-Luce ▲ *321*, à l'intérieur de la zone laissée aux Français.

ÉGLISE DE CASE-PILOTE
Située près des fonts baptismaux, une mosaïque, en tessons de vaisselle brûlée lors de l'éruption de la montagne Pelée, représente le baptême du Christ. Elle est l'œuvre d'un moine d'origine hollandaise qui la réalisa entre 1953 et 1957.

La falaise séparant Bellefontaine de Fonds-Capot.

ÉGLISE. C'était à l'origine une simple paillote qui fut édifiée à son emplacement actuel entre 1640 et 1645 par Monsieur de La Vallée. C'est l'une des plus anciennes églises de la Martinique. Du XVIIᵉ au XIXᵉ siècle, elle fut plusieurs fois réparée à la suite de violents ouragans. Mais l'eau y pénétrait en temps de pluie et le clocher finit par être en très mauvais état. En 1863, l'artiste Daymier décora le plafond d'une grande peinture en bleu, beige et or représentant la Sainte Famille. En 1903, de nouveaux travaux s'imposaient. Le lambrissage et la voûte furent remis à neuf. Deux vitraux et un grand lustre vinrent orner l'église. L'édifice, construit par les jésuites et détruit en 1762, fut rebâti par des dominicains. Pour cette raison, la coquille Saint-Jacques, leur emblème, est sculptée au fronton. La charpente, en forme de carène renversée, soutient un toit aux tuiles plates. La façade de l'église est classée Monument historique. Devant l'édifice où s'élève le monument aux morts se trouvait au XVIIᵉ siècle le cimetière des esclaves. À deux pas, la place de la Mairie, du début du XXᵉ siècle, est superbe.

LE *TORGILÉO*
Cette maison en forme de proue de bateau, campe dans la verdure son image insolite.

Au cours d'une belle prise les pêcheurs bellefontainois, peuvent ramener dans leurs filets des *coulirous* et des *balaous queue jaune* ● 126 (ci-contre).

Paysage de *cactus-raquette* (ci-dessous) au début du XXᵉ siècle.

BELLEFONTAINE

Le nom semble provenir d'un colon du XVIIᵉ siècle, Guillaume Michel, dit Bellefontaine. Dépendant de Case-Pilote, Bellefontaine ne fut érigée en commune qu'en 1950. Ce serait dans l'un de ses hameaux, Fonds-Lafayette, qu'auraient débarqué L'Olive et Du Plessis, le 25 juin 1635. On raconte que, terrorisés par les serpents venimeux, ils auraient rembarqué pour la Guadeloupe. En fait, comme c'est bien cette île qu'ils voulaient coloniser, ils ne firent qu'une brève escale à la Martinique.

Case populaire
caractéristique ● *102*
à Bellefontaine : le bois
n'est pas peint et
le toit est en tôle ondulée.

Sous Louis XIV, le sieur Clodoré s'arrêta à Fonds-Lafayette afin de prendre ses dispositions pour mettre fin au soulèvement de la population de Bellefontaine. La commune encadrée par les mornes Covin, Lacroix et aux Bœufs, est un petit village de pêcheurs où la pêche à la senne ● *126* se pratiquait il y a encore peu de temps toute l'année. Sur la plage, près des gommiers aux couleurs vives, sèchent des sennes ou *ti-sennes* qui peuvent mesurer jusqu'à 300 m de longueur. Des agriculteurs vivent aussi à Bellefontaine où les anciennes distilleries ont été remplacées par des cultures vivrières et maraîchères, florissantes sur cette terre volcanique. Le sable noir des plages rappelle aussi la proximité de la montagne Pelée. Avant d'arriver au bourg, on est surpris par l'imposante centrale EDF construite dans la vallée de Fonds-Laillet. En traversant le village, on ne peut manquer la célèbre maison-bateau, le *Torgiléo* (page précédente), qui n'est malheureusement plus un hôtel, ni les impressionnantes falaises situées après Bellefontaine, qu'on aménage pour éviter les éboulements.

QUARTIER VERRIER. On accède, sur la droite, par une route très raide, au quartier Verrier, situé à 600 m d'altitude. Le bourg jouit d'un climat exceptionnel, et d'un magnifique panorama sur la côte caraïbe. Avant d'y parvenir, on pourra s'arrêter à un belvédère aménagé. De là, le regard embrasse les pitons du Carbet et la montagne Pelée.

HABITATION FONDS-CAPOT. Au croisement de la D 20 et de la N 2 se trouve la tombe où fut enterré le marquis de Baas ▲ *184*, le 16 janvier 1677. Louis XIV avait donné à ce premier gouverneur général des Antilles cette belle habitation de Fonds-Capot. Le peintre Jules Marillac ● *156*, qui est enterré au cimetière de Bellefontaine, y vécut les dernières années de sa vie, de 1935 à 1950.

LE MORNE VERT

Pour atteindre ce village verdoyant, il faut, après Bellefontaine, prendre la D 20 à droite. Niché au pied des pitons du Carbet, ce joli hameau où les vaches paissent tranquillement porte le surnom justifié de «Suisse martiniquaise». Son climat frais et sec en fait un lieu de villégiature recherché par les malades et les convalescents. La beauté majestueuse des paysages est évoquée par les noms de ses quartiers blottis dans les ravines et les mornes : Montjoly, Canton Suisse, Beauvallon. C'est le point de départ d'excursions pédestres ombragées, parfois ardues : l'une relie les quartiers Montjoly et Caplet en passant

LE BAMBOU
C'est une graminée géante omniprésente dans le paysage martiniquais.
Ses bouquets ornent les bords de route et les forêts. Il pousse jusqu'à 800 m en altitude. On l'emploie aussi bien en artisanat que dans la construction. Il est également utilisé pour ses vertus curatives.

"Morne Vert, c'est l'oasis de ce monde. Une eau mystérieuse lui permet de verdoyer dans cette aridité. Les pitons du Carbet (les louves de ces nuages, dirait Césaire) détiennent dans leurs échos le secret de quelques pluies. Cela nourrit une bénédiction de verdure humide, éclatante, enveloppant les cases et les inévitables blockhaus du béton des maçons. La situation chaotique de Morne Vert en alimente la poésie."
Patrick Chamoiseau

l'anec Magon

la carrier

RHUM NEISSON
Cette petite distillerie familiale produit l'un des meilleurs rhums agricoles de la Martinique. Les cannes proviennent des propriétés de la rhumerie, situées sur des terres volcaniques.

CHRISTOPHE COLOMB ET SES DEUX FILS
Il aurait débarqué sur le territoire de l'actuelle commune du Carbet, le 15 juin 1502. La côte nord-caraïbe est considérée comme le creuset de la colonisation de l'île.

par le piton Lacroix ; une autre va de Verrier à Absalon ; une troisième va de Caplet à Fonds-Saint-Denis ; une quatrième enfin parcourt les pitons du Carbet. On peut aussi découvrir les forêts et les rivières, bordées de verdure, qui ont remplacé la végétation tropicale.

LE CARBET ♥

L'origine du mot est amérindienne, il signifie «grande case» ● 54, c'est-à-dire la case où les chefs se rassemblaient lorsqu'il fallait prendre des décisions. Certains estiment qu'en 1502, Christophe Colomb, lors de son quatrième voyage, s'arrêta à la plage du Carbet. Un monument, édifié à cet endroit, commémorait l'événement, mais il a été emporté par la mer.

INSTALLATION DES PREMIERS COLONS. Ce n'est qu'en 1635, que Belain d'Esnambuc ● 62 et son lieutenant Du Pont débarquèrent et s'établirent à l'embouchure de la Roxelane, où le premier fort Saint-Pierre fut construit. Auparavant, des colons français comme L'Olive et Du Plessis, venus de Saint-Christophe, avaient fait escale à la Martinique, pour se ravitailler en eau et en bois. Nommé gouverneur en 1636 par son oncle d'Esnambuc, Du Parquet s'établit d'abord au Carbet et fit construire, au grand étonnement des Indiens, la première maison de pierre de la Martinique, dans l'îlot formé par les deux bras de la rivière du Carbet. En 1650, il acheta la Martinique ▲ 184. Il sut intelligemment gagner la confiance des colons, vaincre leur peur viscérale des serpents dont une légende dit que ce sont les Arawaks ● 52 qui les auraient introduits pour se débarrasser des Caraïbes. Les Français vinrent de plus en plus nombreux s'installer en Martinique et créèrent des milices pour assurer leur protection.

LA MILICE DU CARBET. En 1664, le Carbet possédait deux compagnies de milice, l'une couvrant un territoire allant de Fonds-Capot à Grande Anse, l'autre, appelée la Colonelle de la rivière du Carbet à l'Anse Latouche. En 1667, tous ces braves miliciens firent leurs preuves en repoussant les Anglais à Grande Anse. En octobre 1822, Le Carbet fut

Bourg du Carbet

CARTE DU CARBET
VERS 1785
Elle est tirée des *Cartes des chemins vicinaux de la Martinique* ▲ 186.

le théâtre d'une violente insurrection d'esclaves. Plusieurs propriétaires blancs et de couleur furent tués ou blessés.

Le bourg du Carbet s'étend en longueur sur la côte caraïbe, offrant de longues plages de sable brun, le Coin et Grande Anse, dominées par les pitons du Carbet. Autrefois, il était difficile de se rendre à pied du bourg à Saint-Pierre ; aussi, en 1854, l'abbé Goux insista-t-il pour qu'on élargisse le passage du Trou Caraïbe dans la falaise volcanique. Les trous que l'on aperçoit dans la falaise, avant d'arriver au tunnel, ont été causés par des boulets de canons et témoignent des multiples affrontements franco-anglais qui se sont déroulés à cet endroit au XVIIe siècle. Des nombreuses distilleries installées autour du Carbet, surtout au XIXe siècle, il n'en subsiste qu'une : Neisson.

UNE BELLE ARCHITECTURE DE BOURG. L'OMACS (Office municipal de l'action culturelle et sportive du Carbet) mène une action dynamique pour promouvoir cette commune et développer son tourisme. Une priorité est accordée à la valorisation architecturale

LE TROU CARAÏBE
La côte carbétienne voit alterner zones plates et falaises surplombant la mer. Celles-ci sont constituées de pierre et de tufs, à l'instar du Trou Caraïbe, tunnel taillé à même la roche, dont on voit ici les travaux d'élargissement à la fin du XIXe siècle.

▲ DE FORT-DE-FRANCE
VERS LE PRÊCHEUR

C'est par cette affiche que se signalaient
il y a peu de temps encore
les établissements autorisés à vendre du rhum.

du Carbet : les anciennes cases créoles de travailleurs
ainsi que les «ruelles de cases» sont préservées, les maisons
du village sont repeintes à l'ancienne avec les techniques
traditionnelles de chaux. Une signalisation touristique
est mise en œuvre pour que les visiteurs puissent découvrir
les nombreux lieux historiques de la commune.

ÉGLISE. Comme celles de Case-Pilote et du Prêcheur ▲ *220*,
c'est l'une des premières églises de l'île. En 1640, le père
Du Tertre écrit : «Après avoir mouillé l'ancre, nous mîmes pied
à terre vis-à-vis du logis de Monsieur Du Parquet, gouverneur
de la Martinique et fûmes rendre grâce à Dieu dans sa petite
chapelle bâtie à la mode du pays,
c'est-à-dire de fourches et de roseaux.»
En 1776, l'église est bâtie en dur et
«les murs du chœur sont revêtus
de peintures sur toile, grossièrement
faites, représentant divers sujets
de l'Ancien et du Nouveau Testament.»
De 1835 à 1861, le curé du Carbet
n'est autre que l'abbé Goux,
dont la forte personnalité marqua
la paroisse. C'est lui qui a écrit un livre
de catéchisme en créole, créé une école pour les filles et
une autre pour les garçons, envoyé une lettre au gouverneur
pour que soit élargi le Trou Caraïbe, œuvré pour qu'un pont
soit construit sur la rivière qui descend des deux pitons. Grâce
à lui, l'église, très endommagée
par le tremblement de terre
du 11 janvier 1839, fut réparée.
Épargnée par la nuée ardente
de 1902, elle a gardé sa façade
baroque du XVIIIe siècle ;
le clocher est rehaussé
d'une flèche qui porte une croix
plantée dans un bulbe doré. Le plan de l'édifice, en forme
de croix latine, possède trois nefs. Le presbytère et l'église
sont classés Monuments
historiques.

ÉGLISE DU CARBET
Elle est placée sous
la protection de saint
Jacques. En 1846,
l'abbé Goux reçut
des reliques de saint
Jacques le Majeur,
rapportées de Rome
par le curé de Case-
Pilote. Ce dernier en
fit don à la paroisse du
Carbet. Comme celle
de Case-Pilote, son
architecture relève
du style baroque.

La place Grévy
du Carbet.

CIMETIÈRE. La tombe la plus célèbre est celle de dame Caffiolo et de ses enfants, enterrés au cimetière du Carbet après avoir fait naufrage à la suite d'un cyclone ; on l'appelle également «la tombe de la dame espagnole». Malheureusement, l'épitaphe en espagnol est à moitié effacée. Une croix de fer forgé est posée sur le caveau mortuaire des prêtres. C'est celle que fit venir de France l'abbé Goux, connu pour ses opinions légitimistes. Elle ne fut pas érigée à Saint-Pierre comme prévu, car elle arriva en juillet 1830, au moment de l'abdication de Charles X. Elle fut transférée au Carbet en 1848, sans ses ornements de fleurs de lys d'or.

GALERIE D'HISTOIRE ET DE LA MER. Dans l'ancien marché restauré du bourg a été aménagée avec goût cette galerie où une exposition permanente retrace l'histoire du Nord-Caraïbe, berceau de l'histoire martiniquaise. On y découvre l'évolution du Carbet, de l'époque amérindienne jusqu'à nos jours. On apprend qu'une partie de la famille de l'impératrice Joséphine ▲ 310 était native de la commune, et que le premier gouverneur de l'île, Jacques Du Parquet ▲ 184, neveu de d'Esnambuc, s'établit quelques mois après son arrivée, entre les deux bras de la rivière du Carbet. Des planches architecturales et des maquettes reconstituent les batteries, habitations sucrières, distilleries et maisons typiques de l'architecture du Carbet. Des objets de la vie quotidienne – embarcations, *boutou* (massue), *coui* (demi-calebasse) ● 102, nasses ● 124 – et même le nom des poissons témoignent de la transmission des traditions liées à la mer et à la pêche.

HABITATION DARISTE. Située derrière le cimetière, cette habitation sucrière possède encore une maison de maître ● 144, la maison de l'économe, les anciennes cases de travailleurs et un hangar. Datant du XVIIᵉ siècle, la maison de maître a subi de nombreuses modifications dont les dernières remontent à 1940, date à laquelle le propriétaire était Jacques Bally. En février 1920, la distillerie de l'habitation Dariste fut transférée sur autorisation du gouverneur à l'habitation Lajus. Ce transfert marque la fin de l'activité sucrière de l'habitation Dariste qui se tourne alors vers d'autres cultures : les cocotiers, puis les bananiers de 1950 à 1954. De 1975 à 1978, on plante des aubergines et des poivrons, puis des avocats jusqu'en 1983. De nombreux terrains furent vendus à la commune : la purgerie est devenue la caserne des pompiers. Sur des anciens terrains d'élevage de bœufs et de moutons s'élèvent l'imprimerie et une maison de retraite.

MUSÉE PAUL-GAUGUIN. Ce centre d'art mémorial a été édifié par Maïotte Dauphite près de l'endroit où vécurent Paul Gauguin et son ami Charles Laval ▲ 214. Créé en 1979, il évoque la vie de l'artiste et présente des reproductions photographiques de son œuvre martiniquaise, comme *La Cueillette des mangots*, *La Vie de Saint-Pierre*, *La Plage et les Raisiniers*, *Végétation tropicale* ● 160.

PÊCHE À LA SENNE
«Je me souviens de ces grandes saisons / où le poisson revient / de l'arrivée des thons sur la rade / en bataille / quand le cri du guetteur / comme un vol de gibiers / se répand au pays pour les sennes impatientes.»
Raymond Joyeux

RHUM BALLY
Le domaine de Lajus, créé en 1766 au Carbet, a échappé à l'anéantissement de 1902, tout comme la famille Bally qui l'administrait. Jean Bally a toujours cru en l'avenir du rhum agricole. Il inventa une colonne spéciale destinée au vieillissement du rhum. Il fut ainsi à l'origine de ce qui devint la caractéristique du rhum Bally : le vieillissement, dont ces bouteilles de la réserve «1929» témoignent.

213

De juin à novembre 1887, après la décevante aventure au Panama et avant son séjour à Tahiti, lieu de la parfaite éclosion de sa personnalité, Paul Gauguin fait à la Martinique l'expérience concrète de l'exotisme.
Près de la ville de Saint-Pierre étirée au pied de la montagne Pelée, il puise dans l'éclat de la végétation tropicale et les suaves nuances colorées du paysage les éléments d'une peinture renouvelée.

CHARLES LAVAL
Né en 1862, le peintre Charles Laval (4) accompagne Gauguin à la Martinique. Arrivé après avoir contracté un accès de fièvre jaune, de santé fragile, Laval produit peu. Par quelques œuvres comme ce *Paysage de la Martinique* (5), il offre un souvenir de l'île peint à son retour en France en 1888.

«CE QUI ME SOURIT LE PLUS, CE SONT LES FIGURES.»
Embarqués au port atlantique de Colon et arrivés en juin 1887 à la Martinique, Paul Gauguin et Charles Laval s'installent dans une modeste habitation du nord de l'île. Le cadre des environs du village du Carbet va offrir à Gauguin l'occasion de parfaire son désir

d'exotisme. *La mare* (2), œuvre peinte d'après nature à proximité de l'habitation Anse Latouche, à quelques lieues de Saint-Pierre, illustre un moment d'émerveillement du peintre devant un morceau de paysage de l'intérieur de l'île. D'autres fois, telle *La Récolte des mangos* (3), ce sont les attitudes de femmes, le port des cueilleuses de fruits qui attirent l'œil observateur et tendre du peintre. Parfois encore, un jeune enfant, un animal *Au bord de l'étang* (1), offrent une facture nourrie de réminiscences armoricaines. Non loin de l'anse Turin a été édifié, en 1979, un centre d'art qui évoque le séjour du célèbre peintre sur l'île.

1	2	
5	3	4

HABITATION ANSE LATOUCHE ♥. Elle fut un important centre de la production sucrière, du début du XVIIIᵉ siècle jusqu'à la fin du XIXᵉ siècle ● 146. Créée par sieur Banchereau qui, pour cela, avait réuni plusieurs propriétés et installé des jardins à la française, un barrage et un aqueduc, elle fut le théâtre du dénouement de l'affaire du Gaoulé ● 71, en 1717. Le gouverneur de La Varenne et l'intendant Ricouart, envoyés par le roi de France pour remettre au pas les colons, furent saisis au Diamant par les révoltés, conduits au Lamentin puis à Case-Pilote, et furent embarqués pour Le Carbet escortés par sept ou huit chaloupes pleines de miliciens. On les fit débarquer à l'habitation Banchereau où ils furent gardés à vue et, le 23 mai, on les obligea à partir pour la France sur le *Gédéon* qu'on avait fait mouiller à l'Anse Latouche. «Ainsi le Carbet fut-il mêlé, une fois de plus, à un épisode important de l'histoire locale» (*Histoire des communes*). Au XIXᵉ siècle fut installée l'indigoterie, mais l'habitation fut détruite par l'éruption de la Pelée ▲ 232. Elle fut reconstruite et s'orienta avec succès vers la production de café.

Sur ce domaine de l'Anse Latouche, restauré et ouvert au public, on peut visiter les ruines du viaduc et du barrage, mais aussi celles de l'indigoterie et de la manioquerie. C'est également dans ce site que l'on peut découvrir une riche collection de papillons naturalisés qui rassemble plus de 2 000 espèces.

CHEMINÉE DE SUCRERIE
La cheminée est souvent le dernier vestige d'une activité aujourd'hui disparue. Traditionnellement, elle est de forme carrée et ne fait pas plus de 10 m de hauteur.

Son rôle est essentiel car de son bon tirage dépend le système de chauffage nécessaire à la fabrication du sucre. Afin d'assurer son efficacité, on l'oriente le plus souvent sud-est ou nord-est. La cheminée figurant sur cette photographie est celle de l'ancienne habitation Dariste.

INDIGOTERIE
L'indigo, originaire d'Asie et d'Afrique tropicales, a été cultivé dès le XVIᵉ siècle et jusque vers 1730 aux Petites Antilles. C'est la matière première du colorant bleu-violacé qui porte son nom. Ce pigment s'obtient par fermentation des feuilles dans l'eau, et passage du liquide dans trois cuves en cascade.

ANSE TURIN. Cette anse n'a guère changé depuis que Paul Gauguin (1848-1903) ▲ 214, en 1887, en a rendu célèbres les couleurs et la lumière. Son immense plage de sable noir offre une vue magnifique sur la montagne Pelée.

TOMBEAU DES CARAÏBES OU COFFRE À MORT. Une légende, sans doute inspirée par un événement qui eu lieu au XVIIᵉ siècle à la Grenade, raconte que les derniers chefs caraïbes, plutôt que de subir l'humiliation de la colonisation, préférèrent sauter du rocher. Ils auraient demandé à la montagne de les venger. C'est peut-être ce qu'elle fit en 1902. À cause de cette légende, certains y cherchent des trésors. Mais essayez donc de sauter dans la mer du haut du Coffre à Mort !

SAINTE-PHILOMÈNE. Ce joli village de villégiature où les

habitants de Saint-Pierre possédaient des maisons de plaisance fut totalement anéanti par la catastrophe de 1902. Une plaque commémorative rappelle ce terrible drame. Une autre rapelle le début de l'insurrection qui conduisit à l'abolition de l'esclavage sur l'île, le 23 mai 1848.

LE PRÊCHEUR

Le nom du village vient d'un rocher, aujourd'hui disparu, dont la forme rappelait un prédicateur en chaire.
Dès le XVIIe siècle, le village bénéficia de l'activité de Saint-Pierre, et les Anglais tentèrent plusieurs fois d'y débarquer. D'abord en 1666, où ils furent repoussés par les colons, puis en 1693, où trois mille hommes débarquant à Fonds-Canonville furent refoulés par les milices de Saint-Pierre et du Prêcheur. Au cours de ce combat, les Anglais perdirent, dit-on, six cents hommes et abandonnèrent trois cents prisonniers. Les habitants du Prêcheur seraient à l'origine de révoltes contre le gouverneur Du Parquet. Une stèle à la mémoire du premier gouverneur est pourtant élevée dans le bourg.

FRANÇOISE D'AUBIGNÉ. C'est au Prêcheur que l'une des «quatre reines de la Martinique» (les trois autres étant l'impératrice Joséphine ▲ 310, Aimée Dubuc de Rivery devenue soi-disant «sultane Validé», et Hortense de Beauharnais, mère de Napoléon III), Françoise d'Aubigné, passa son adolescence. La future marquise de Maintenon, veuve à vingt-cinq ans, fut tout d'abord chargée de l'éducation des enfants que Louis XIV eut avec sa favorite, Madame de Montespan. Elle devint l'épouse morganatique du Roi-Soleil à la mort de Marie-Thérèse.

HABITATION ANSE LATOUCHE
Le paysagiste du jardin de Balata a repris en main ces vestiges. En les réduisant au rang de décor pour compositions végétales, il les a libérés de leurs ruines (ci-dessus). Une maquette, à la Maison de la Canne ▲ 308, restitue la grandeur passée de ce jardin magnifique qu'est ainsi devenu l'Anse Latouche.

PAPILLONS
Quelques-uns de ces spécimens naturalisés sont visibles à l'habitation Anse Latouche.

▲ LA TRACE DU NORD

BIENVENUE A GRAND RIVIÈRE

GRAND'RIVIÈRE
ANSE MORNE ROUGE
FONDS-MOULIN
MORNE CITRON
POINTE DU SOUFFLEUR

UNE EXCURSION EN 1935
«L'extrême nord de la Martinique, de Grand-Rivière au Prêcheur, avec ses nombreux et hauts pitons, ses multiples et profonds ravins, ses forêts touffues, ses côtes déchiquetées, ses falaises à pic et ses anses solitaires, offre au regard du touriste qui parcourt l'ancienne piste tracée non loin du littoral […], un ensemble tout à la fois sauvage et émouvant, austère et séduisant, sévère et captivant. […] Il n'est pas jusqu'au bruit infernal des vagues déferlant furieusement sur la côte qui ne nous donne l'impression d'un singulier concert par sa variété même et les échos prolongés qu'il provoque dans la forêt.»
Césaire Philémon

Cette randonnée, qui relie l'anse Couleuvre à Grand'Rivière en près de 20 km, permet de découvrir des sites entièrement sauvages de la côte caraïbe (on traverse le domaine forestier du conservatoire de l'Espace littoral et des Rivages lacustres, réserve protégée). En même temps qu'on assiste à une étonnante confrontation entre la forêt sèche et la forêt humide, ce trajet représente une sorte de pèlerinage où l'imagination trouve son compte. Il suit la trace de l'ancien chemin départemental qui reliait jadis une dizaine d'habitations entre l'anse Couleuvre et Fonds-Moulin. Jusqu'au début du XXe siècle, les grincements de roue du *cabrouet* ● *110* se sont fait entendre à travers cette nature aujourd'hui inhabitée. Çà et là, un petit pont, une section pavée, et même un tunnel rappellent l'existence de cette voie de communication. La végétation possède elle aussi ses vestiges : un manguier, un caféier, un cacaoyer témoignent d'une activité agricole disparue. Ce parcours est donc particulièrement attractif. Seule sa longueur demande une bonne condition physique (il faut compter entre 6 h et 8 h de marche), un départ tôt le matin, quelques aliments substantiels, deux litres d'eau par personne et… de quoi se protéger du soleil. La vigilance à l'égard des serpents n'est pas inutile non plus. Non loin de l'espace aménagé de l'anse Couleuvre où on laisse la voiture, et auquel on accède par un chemin délicat, les ruines d'une distillerie signalent une ancienne habitation. De l'anse Couleuvre au point de vue magnifique de l'anse Capot, le sentier traverse la forêt de tendance sèche peuplée de *bois-savonnette* ■ *45* et de *mapous*. Des sentiers secondaires rejoignent les anses

RIVIÈRE TROIS-BRAS · CAP SAINT-MARTIN · ANSE CAPOT · ANSE DES GALETS POINT DE VUE · ANSE À VOILE · ANSE LÉVRIER · ANSE COULEUVRE

sauvages, l'anse de Lévrier, l'anse à Voile et, plus loin, de l'anse des Galets, où viennent pêcher les tortues de mer : ce sont des «suppléments» de marche de 20 mn à 1 h. Au-delà d'un tunnel, le sentier atteint la rivière Trois-Bras. On peut la remonter en empruntant le sentier des Cascades, malaisé et délicat dans des passages verticaux (il y en a trois, équipés de cordes), pour avoir la récompense d'une vasque féerique couronnée de superbes chutes d'eau. Mais la prudence s'impose, car le site est dangereux, en raison de brusques montées des eaux. Le détour nécessite tout de même une grande heure de marche, et l'excursion n'est qu'à mi-parcours du trajet principal. Celui-ci, longeant le pied du morne Citron, aborde à ce niveau la section la plus enfouie à l'intérieur des terres. Là, plus de vestiges de présence humaine. La végétation y est de basse altitude, sans âge. Puis, plus on se rapproche de la côte, plus la forêt est humide : palmistes et *bois-rivière* ■ *44* y trouvent un milieu de prédilection. Ainsi, depuis le départ, l'alternance de zones climatiques et la diversité de la végétation correspond à une succession de ravines. À cette variété végétale, la faune elle-même fait écho : le *manicou* (ou opossum) et la mangouste ■ *45*, peut-être même l'un des très rares iguanes survivants ou éventuellement le *matoutou-falaise* (mygale) ■ *44* sur quelque bois mort, et le très venimeux trigonocéphale (bothrops) qu'il vaut mieux laisser filer… Des oiseaux, tourterelle, perdrix, *malfini* ■ *42*, et des échassiers qu'on voit rarement ailleurs. Deux kilomètres avant Grand'Rivière, les champs cultivés de Fonds-Moulin préparent le retour au monde des hommes. Au départ de Grand'Rivière, deux pêcheurs assurent pendant les week-end et les vacances d'été le transfert des randonneurs entre Le Prêcheur (anse Couleuvre) et Grand'Rivière. À bord de leurs yoles, ils joignent les deux pôles de l'itinéraire en une quinzaine de minutes. Une réservation par téléphone permettra de fixer le point de départ ; mais, en choisissant de naviguer dans le sens du courant, pour plus de confort, il est préférable de partir de Grand'Rivière par la mer et d'effectuer le trajet de retour par le sentier. À la demande, les pêcheurs organiseront une escale dans l'une des nombreuses anses désertes qui jalonnent le parcours (anse Dufour, anse des Galets, anse à Voile…). Peut-être aura-t-on alors la chance, à la fin de l'été, d'y croiser une tortue marine venue pondre. Par beau temps, un détour par l'îlet la Perle donnera l'occasion de plonger dans les eaux les plus transparentes de la Martinique.

LA MANGOUSTE
Son introduction occasiona de graves déséquilibres dans la faune. Sensée détruire serpents et rats, elle s'en prit aux oiseaux et aux iguanes.

Ces ruines d'habitation témoignent de l'activité qui s'exerça dans une région désormais déserte.

ANOLI ■ *34*
Ce lézard peut avoir des formes très diversifiées d'une île des Antilles à l'autre. Ses principaux prédateurs sont les merles et la crécerelle d'Amérique, ou *gri-gri*.

≈ Ravine Fainéant ◉

PAILLOTE
EL COCO NÉGRO

LE *MANICOU* ■ 45.
Ce petit marsupial omnivore est un animal nocturne dont la chair est fort appréciée. On le chasse la nuit, sur les hauteurs du Prêcheur dès la fin de l'année.

HABITATION ANSE CÉRON
Sur cette photographie ancienne, deux types de toiture sont visibles. L'une, à gauche, est en paille ; la seconde, à droite, est faite d'*essentes* ● 144. Toutes deux étaient réservées aux bâtiments industriels et domestiques, alors que la tuile, qu'elle soit mécanique ou ronde ● 145, était généralement destinée à couvrir les constructions nobles.

ÉGLISE. La première église fut édifiée en 1640 environ. Plusieurs fois remaniée, il ne reste plus de ce premier édifice qu'un clocher classé par les Monuments historiques, le plus ancien de la Martinique. Une cloche offerte par Louis XIV en 1712 fait partie de la fierté du bourg. Le père Du Tertre, célèbre chroniqueur du XVIIᵉ siècle et auteur de *L'Histoire générale des Antilles*, fut l'un des premiers curés de la paroisse.

ANSE CÉRON ♥. C'est l'une des dernières plages de la côte caraïbe. Les paysages deviennent de plus en plus sauvages, les cases de pêcheurs se raréfient. Avec son galon de cocotiers, c'est l'une des plus belles anses de sable noir de l'île. Pour les amateurs de plongée sous-marine, les alentours de l'îlet la Perle, surmonté d'un calvaire qui guide les pêcheurs, sont recommandés.

HABITATION ANSE CÉRON. Datant du XVIIᵉ siècle, l'habitation se situe entre le rivage et les flancs de la montagne Pelée. Ses constructions sont très homogènes car on ne voit pas ici l'habituelle séparation entre la partie domestique et la partie industrielle. Dans la vallée qui remonte les flancs de la Pelée, subsistent les vestiges d'une «rue Cases-Nègres». Puis apparaissent les ruines des activités qui se sont succédées au cours des siècles : la sucrerie avec son dallage de pierre, ses quatre chaudières pour les étapes successives de la cuisson, le moulin, le coursier hydraulique, la purgerie transformée en hangar à bananes, la manioquerie. Des logements et des dépendances s'intercalent entre ces bâtiments industriels. L'espace est rythmé par des jardins bordés de balustrades et aux arbres centenaires ; l'eau court par des canaux jusqu'à deux grands bassins qu'elle alimente

par la tête de lions en fonte. Comme l'habitation Dariste au Carbet, celle-ci s'est adaptée aux transformations économiques qui ont eu lieu au cours des siècles. L'habitation a été relativement épargnée en 1902.

ANSE COULEUVRE ♥. La route s'arrête à cette anse dont la beauté dépasse celle des autres. C'est ici que vivait, enfant, le célèbre romancier Raphaël Tardon qui a si bien décrit la vie de Saint-Pierre avant l'éruption de 1902.

SAINT-PIERRE
Léo Elisabeth

Saint-Pierre
(Martinique)

SAINT-PIERRE : DE SA FONDATION À 1902

D'abord simple quartier rural, Saint-Pierre devint la principale agglomération de la Martinique au début de la seconde moitié du XVIIᵉ siècle. Au XVIIIᵉ siècle, sa réputation égala et dépassa celle de Bridgetown à la Barbade. Ni les guerres, ni l'évolution technologique, ni les catastrophes naturelles ne semblaient pouvoir arrêter sa notoriété jusqu'à ce matin du 8 mai 1902.

JUILLET OU SEPTEMBRE 1635 ? Il est sûr que les premiers colonisateurs se sont installés en 1635 entre le site actuel de Saint-Pierre et celui du Carbet ▲ *210*, sans qu'on puisse savoir avec certitude si c'était en juillet ou en septembre, ni connaître l'origine exacte du nom donné au site. Le père Breton, qui accompagnait L'Olive et Du Plessis, fondateurs de la colonie de Guadeloupe en 1635, et participa dans cette île à la fondation d'un éphémère Saint-Pierre le 29 juin, propose aussi le mois de juillet. Le père Du Tertre, qui écrivit une vingtaine d'années après l'événement, avance des hypothèses contradictoires : Pierre Belain d'Esnambuc quitte bien Saint-Christophe au début de juillet. Mais le nom, plutôt que pour honorer le saint patron de d'Esnambuc, pourrait avoir été donné pour commémorer la prise de possession le jour de la fête des saints Pierre et Paul qui se tient le 29 juin ! Il semblerait donc justifié de retenir le 25 juillet proposé par le père Labat même si l'acte de prise de possession signé de la main de d'Esnambuc n'était daté du 15 septembre. Après tout, un détachement précurseur a fort bien pu être envoyé en juillet avant un bref séjour de d'Esnambuc en septembre.

MONSIEUR ET MADAME. Dupont, le premier gouverneur nommé par d'Esnambuc, fut vite capturé en mer par les Espagnols et remplacé par Du Parquet, neveu du fondateur. Il exerça cette charge de 1636 à 1650 avant de devenir seigneur-propriétaire jusqu'à son décès en 1658. Son épouse était appelée Madame. Aujourd'hui, les rivières Madame et Monsieur,

qui encadrent la ville de Fort-de-France, sont nommées ainsi en l'honneur de Du Parquet qui avait commencé à fortifier le fort Royal, l'actuel fort Saint-Louis. Installé d'abord au Carbet, Du Parquet transféra quelques années avant sa mort sa résidence à Saint-Pierre, sur l'habitation La Montagne. Ce déplacement favorisa le développement du bourg. En 1658, celui-ci comprenait déjà deux petites agglomérations

situées de part et d'autre
de la rivière Roxelane et reliées
par un chemin : au nord, le quartier du
Fort, comprenant un fortin (ci-dessous), l'église,
la résidence du père supérieur des jésuites et quelques
maisons ; au sud, le futur quartier du Mouillage ▲ 236 prenait
forme autour de la chapelle des dominicains, de leur résidence
et de quelques magasins. Les navires préférant mouiller
de ce côté, les gens de commerce s'y fixèrent peu à peu.

SAINT-PIERRE CAPITALE DES ÎLES DU VENT. C'est tout naturellement que les représentants de la Compagnie des Indes occidentales s'installèrent à Saint-Pierre après le rachat de l'île en 1660 aux héritiers de Du Parquet. Un pas de plus fut franchi lorsque, en 1668, le représentant du roi, le comte de Baas-Castelmore ▲ 184, y transféra le gouvernement général des îles, au détriment de Basse-Terre de Saint-Christophe, trop exposée, et excentrée par rapport aux nouveaux pôles de développement, de la Martinique et de la Guadeloupe. Ainsi, Saint-Pierre devint la capitale d'un empire qui s'étendait des parages de Saint-Domingue à la Guyane. Le gouverneur général Blénac obtint que, pour des raisons militaires et une certaine vision de l'avenir, Saint-Pierre perdît son statut de capitale au profit de Fort-Royal, en 1692. Le bourg se défendit en restant la capitale des affaires, et, à ce titre, un séjour apprécié des intendants. Principal point d'arrivée des navires en provenance de l'Europe, de l'Afrique ou des Antilles, port de redistribution, même en temps de guerre,

223

où affluent les flibustiers, Saint-Pierre s'affirme au
XVIIIe siècle comme capitale économique de la Martinique,
des Antilles françaises et des îles du Vent.

LA VILLE ET LE PORT. De nos jours, Fort-de-France semble
située dans une position idéale, au centre de l'île, avec de plus
grandes possibilités d'extension et des qualités portuaires
incomparables. Pourtant, jusqu'au milieu du XIXe siècle,
ce site marécageux et malsain est si peu engageant, qu'en 1820,
plus des trois quarts de la taxe sur les maisons sont encore
collectés à Saint-Pierre contre moins de 20 % au Fort-Royal.
Du temps de la marine à voile, les marins préféraient un port
en eau profonde. À Saint-Pierre, ils trouvent, de plus,
des infrastructures et des commodités qui ne seront installées
que tardivement à Fort-Royal : eau abondante et proche
des rivières des Pères et Roxelane, hôpital, magasins,
marchands pour les capitaines pressés, marché pour
les matelots soucieux d'écouler leur pacotille à bon compte
et désireux de trouver le plus près possible les cabarets
et les maisons closes où ils pourront dépenser leurs gains.

LES COMMISSIONNAIRES. Au début du XVIIIe siècle,
la puissance de Saint-Pierre s'organise autour d'un personnage
nouveau : le commissionnaire. Négociant indépendant
ou représentant d'une maison de commerce métropolitaine,
le commissionnaire offre aux capitaines et aux équipages
la possibilité de profiter des douceurs de Saint-Pierre
tout en abrégeant un séjour coûteux et dangereux à cause
de la fièvre jaune. Jusque-là les affaires se traitaient en général
directement avec l'habitant et il fallait installer une cabane
de feuillages au bord de la mer pour attendre les clients.
Plusieurs mois de patience étaient ainsi nécessaires
pour embarquer le sucre échangé. En relation constante
avec les ports d'Europe et les principaux propriétaires

de la Martinique ou des îles voisines, le commissionnaire achète désormais en gros, entrepose dans ses magasins et redistribue progressivement. Il peut offrir rapidement des quantités importantes de sucre provenant de ses différents clients. Ceux-ci n'ont jamais de mots trop durs pour critiquer cet intermédiaire qui détient rapidement des créances importantes. Mais, notamment à cause de la rareté du numéraire et de l'absence de banque jusque sous le Second Empire, le commissionnaire reste incontournable. Sans les avances en marchandises, et plus tard en argent, par le commissionnaire, le planteur ne peut nourrir, soigner et habiller ses esclaves ou entretenir son matériel.

LE PARIS DES PETITES ANTILLES. Saint-Pierre devint très tôt une capitale du luxe, de la vie culturelle et du confort. C'est ici que s'installent les premières institutions destinées à l'éducation des jeunes filles. Les veuves, très recherchées, aiment s'y retirer et la densité féminine y a toujours été plus importante que dans le reste de l'île.
Centres de réflexion philosophique et lieux d'échanges sociaux, les loges maçonniques s'y développent très tôt. En 1738, alors qu'il n'est qu'un bourg où résident en permanence environ trois mille Blancs, la ville de Saint-Pierre a déjà une loge reconnue. Paris n'en recense alors que cinq. Les divertissements sont à proportion. Pour toutes les catégories sociales, le Carnaval signifie bals, chansons, et jeux effrénés. Si le premier théâtre date de 1770, la publication deux ans plus tôt de la première comédie écrite à Saint-Pierre, *Les Veuves créoles*, donne à croire à une activité théâtrale plus précoce.

SAINT-PIERRE, CAPITALE DU RHUM. Après la fabrication du sucre, il reste un résidu que l'on appelle la mélasse ▲ *266*. Une fois distillée, cette substance donne le tafia, ou guildive, dit, au XIXᵉ siècle, rhum d'usine, par opposition au rhum obtenu pour sa part par distillation directe du jus fermenté de la canne. Dans la seconde moitié du XIXᵉ siècle, profitant de tarifs avantageux et de la pénurie d'alcools provoquée par les ravages du phylloxéra de la vigne, les industriels de Saint-Pierre importent des mélasses de toutes les Petites Antilles. À la veille de l'éruption de 1902, on compte en tout vingt-deux distilleries dans la ville tandis que treize autres fument dans les environs.

▲ Saint-Pierre
de Lafcadio Hearn

❝ Nous avons débarqué à Saint-Pierre, la plus bizarre, la plus amusante et cependant la plus jolie de toutes les villes des Antilles françaises. Elle est entièrement construite de pierre, pavée de pierre, avec des rues très étroites, des auvents en bois ou en zinc, des toits pointus de tuiles rouges percés de lucarnes à pignons. La plupart des maisons sont peintes d'un jaune clair qui contraste délicieusement avec le brûlant ruban bleu du ciel tropical qui les domine : aucune rue n'est absolument plate, presque toutes escaladent des collines, tournent, s'entrelacent et décrivent des angles brusques.**❞**

❝ Une population fantastique, surprenante – une population des *Mille et Une Nuits*.**❞**

❝ Les anciennes danses africaines, la *calenda* et la *bélé* [...] se dansent le dimanche au son du tambour dans presque toutes les plantations de l'île.**❞**

Les Adieux de la Créole

à dieu foulard à dieu madras à dieu grains d'or a

"Et partout et toujours, au soleil et à l'ombre, l'odeur de la ville parvient jusqu'à vous

– l'odeur caractéristique de Saint-Pierre ; odeur composée qui rappelle un mélange d'ail et de sucre, et ces étranges mets tropicaux si chers aux créoles.**"**

"Les rues descendent vers le port par de vieux degrés de pierre moussue et elles sont si escarpées, qu'en regardant en bas vers l'eau bleue, on a l'impression d'être sur une falaise. Par certaines échappées dans la rue principale – la rue Victor-Hugo – on a une vue à vol d'oiseau du port et des navires. Les toits de la rue voisine sont à la hauteur de vos pieds, et d'autres rues grimpent derrière vous à la rencontre des sentiers de montagne. Elles montent très escarpées et se terminent parfois en des degrés de rochers de lave tout moussus et touffus d'herbe."**

dieu colliers choux Doudou a moin kale pati hélas hélas

"L'artiste observateur qui visite la Martinique sera surtout frappé par le port droit et la démarche rapide et régulière des femmes qui portent des fardeaux.

[...] Presque tout le transport des marchandises légères – et aussi celui de la viande, des fruits, des légumes – s'effectue de l'intérieur du pays à la côte et vice-versa, sur des têtes humaines. [...] Ceux qui affirment que la plus grande résistance et l'énergie physique n'existent pas dans les tropiques ne connaissent certainement pas la porteuse créole. Dès l'âge le plus tendre – vers cinq ans – elle apprend à porter de petits objets sur la tête – un bol de riz, une *dobanne* de terre rouge remplie d'eau, ou une orange placée sur une assiette. Bientôt elle sait équilibrer ces objets parfaitement, sans l'aide de ses mains. J'ai souvent vu des enfants qui couraient portant sur la tête des seaux remplis d'eau dont ils ne renversaient pas une goutte."

cc pou toujou Doudou a moin kalé pati hélas ce pou toujou

"La ville a un aspect de grande solidité ; c'est une création de roc ; on dirait presque qu'elle a été taillée dans un fragment de montagne, au lieu d'avoir été construite pierre à pierre. Les maisons ne comprennent en général que deux étages et un grenier [...]. Dans une des rues, [...] les murs sont encore plus épais et s'avancent comme des remparts, de sorte que les recoins perpendiculaires des portes et des fenêtres donnent l'impression de s'ouvrir entre des arcs-boutants. Ce fut peut-être comme précaution contre les tremblements de terre et aussi par souci de la fraîcheur que les premiers architectes coloniaux construisirent ainsi. [...] Du côté inférieur de la voie principale, d'autres rues s'ouvrent sur de merveilleuses échappées d'azur : l'azur chaud de l'horizon et de la mer. Parfois, [...] on voit un navire qui repose dans l'anfractuosité bleue, comme suspendu dans le ciel, ou flottant dans la lumière bleue."

**LE GOUVERNEUR
MOUTTET
ET SA FEMME**
Le gouverneur
Mouttet, l'un des plus
jeunes gouverneurs
coloniaux, avait
ordre de rassurer
la population
de Saint-Pierre
qu'il convainquit en
s'installant au bourg.
Il périt ainsi que
sa femme dans
la catastrophe
et fut considéré,
à tort, comme le
principal responsable
du nombre élevé
de morts. Il est vrai
que le monde
scientifique
ne connaissait pas
encore les nuées
ardentes dont
la découverte définira
le type péléen ■ 18.

L'ÉRUPTION DE 1902

En 1635, les premiers colons savaient qu'ils s'installaient
au pied d'un volcan. Les Caraïbes l'appelaient montagne
de Feu – sans doute depuis l'importante éruption de l'an
1300 ap. J.-C. – et les Européens, montagne Pelée, à cause
peut-être des dégâts causés à la végétation par la petite
éruption de 1630. D'autres éruptions suivirent, comme
celles de 1792 et de 1851. Projections de cendres, émanations
gazeuses, coulées de boues ou projections de blocs à près
d'un kilomètre excitaient plus la curiosité que la crainte.
Cette attitude explique en partie les trente mille morts de 1902.
PREMIERS SYMPTÔMES. Depuis le début de février, de fortes
odeurs de souffre incommodent ceux qui habitent entre
Le Prêcheur et Saint-Pierre. Les serpents, les oiseaux fuient.
Grâce aux vents dominants, la ville ne s'en soucie guère.
Le 23 avril, un fort tremblement de terre sème l'alarme.
Le 25, entre sept et huit heures du matin, une détonation
souterraine, une forte secousse et une pluie de cendres,
qui tombe sur Le Prêcheur, font lever les yeux vers
la montagne. En pleine campagne sucrière, après un Carnaval
mémorable, les Pierrotins sont à leurs affaires et s'occupent
des élections législatives des 27 avril et 11 mai. Le 4 mai, à midi,
une énorme masse boueuse
dévaste partiellement trois
distilleries. Une quatrième,
l'usine Guérin, est
anéantie. En atteignant
la mer, cette masse boueuse
provoque d'énormes
vagues. Plusieurs bateaux
sont jetés à la côte.
L'angoisse commence.
CLIMAT SOCIAL À LA VEILLE DE LA CATASTROPHE. En juillet
1901, le gouvernement de Défense républicaine, dirigé
par Waldeck-Rousseau, a fait voter une loi établissant
la liberté d'association, mais les congrégations religieuses,
surtout enseignantes, devront désormais être déclarées et
autorisées. Débattue et appliquée dans un climat passionnel
indescriptible, cette question, qui entraînera la séparation
de l'Église et de l'État en 1905, a dominé les élections de 1902.
Depuis une vingtaine d'années, Saint-Pierre
s'était lancée dans une lutte
anticléricale et se faisait déjà un jeu
de parodier, au cours du prochain
Carnaval, les rituels religieux.
La rumeur populaire colporta
alors qu'ayant reçu des pierres
au moment de son départ,
l'évêque aurait dit : «Elles vous
retomberont toutes chaudes sur
la tête.» Entre-temps, une vendeuse
de cacahuètes, un peu dérangée et
ennemie des impies, s'était illustrée par
son cri : «Châtiment, châtiment !». Autant de signes qui seront
interprétés, après la catastrophe. Les autorités installèrent
une commission chargée d'étudier le phénomène, et mirent
tout en œuvre pour rassurer les électeurs et les retenir
sur place. La fatalité ayant voulu que le 27 avril il y eut

**SORTIE
DE MESSE
À SAINT-PIERRE**
Beaucoup périrent
pour avoir voulu
assister à la messe
du 8 mai.

«Beauté hautaine. Puissance immobile.
Fureur de mousse verte, veloutée par l'éloignement.»
Patrick Chamoiseau

ballotage, le 30, un journal proclama : «Le volcan électoral fume encore.» Le 5 mai, le gouverneur Mouttet fit une brève visite. La situation s'aggravant, il revint le 7 dans l'après-midi, avec son état-major et, surtout, avec son épouse.

Le 8 mai 1902. Dans la soirée du 7 mai, la commission, réunie sous la présidence du gouverneur, a rédigé ses conclusions : «[...] Tous les phénomènes qui se sont produits jusquà ce jour n'ont rien d'anormal et [...] sont au contraire identiques aux phénomènes observés dans tous les autres volcans.» Le 8 mai, à Fort-de-France, pendant que ce télégramme est expédié à Paris, l'horizon devient noir comme de l'encre,

une pluie de petites pierres et de cendres s'abat sur la ville. Les fidèles désertent l'église. Par trois fois, la mer se retire. Les Foyalais sont pétrifiés. Que se passe-t-il à Saint-Pierre ? Entre huit heures moins le quart et quelques minutes après huit heures, selon les témoins, une formidable explosion secoue la région. D'énormes nuages noirs sillonnés d'éclairs s'élèvent à une hauteur vertigineuse. Ceux-là couvriront l'île de cendres. Une nuée ardente d'allure identique, chauffée à huit cents degrés, dévale les pentes. Les bords progressant plus vite que le centre, elle semble se diviser en deux. Puis, l'étau se referme, détruisant en quelques secondes la ville et les navires en rade par sa vitesse, les cendres et ses énormes blocs transportés. Ce qui reste est en feu. Moins de deux minutes après l'explosion, environ vingt-huit mille personnes sont mortes ou agonisent, victimes de l'onde de choc de l'explosion du cône volcanique. Au cœur de la ville, deux survivent : le cordonnier Compère et le prisonnier Louis Cyparis, protégé par son cachot ▲ 238. D'autres éruptions suivirent, dont celle du 30 août. Elle tua un millier de personnes qui s'étaient réfugiées au Morne Rouge.

L'éruption de 1851
Seules deux éruptions avaient eu lieu depuis la venue des Français : celle, lointaine, de 1752, et celle de 1851, où «un bruit pareil au tonnerre [...] fut entendu dans la partie nord de la Martinique» (M. Dumoret).

Raz de marée de 1891 à Saint-Pierre
❝Au même instant le baromètre subit une baisse brusque et un fort raz de marée se fit sentir sur le rivage. Les nuages obscurcirent en quelques instants tout le ciel.❞
M. Dumoret

LA CATASTROPHE DE 1902

Ci-contre, le *Roraima*, vapeur mixte de la Quebec Line, pris dans la nuée ardente, qui brûla pendant trois jours avant de couler. C'est aujourd'hui une très belle épave, qui s'aperçoit entre 40 et 60 m de fond.

Le 8 mai 1902, aux environs de huit heures du matin, une terrible détonation ébranle la ville en même temps que du volcan s'échappe une immense nuée qui se précipite sur Saint-Pierre, la recouvre, l'étouffe avant de rouler vers la mer où elle gonfle comme une immense montagne de cendre et de feu.

❝D'un bout à l'autre, le pays était comme frappé d'hébétude. Plus aucune clarté dans l'air. Un chaud de forge. La pierre devenait cendre. L'herbe devenait cendre. La brique des maisons, le gong des portes.

Journal des Voyages

LES DERNIÈRES HEURES D'UNE CITÉ

Tout était cendre impalpable comme des cheveux, tiède et drue comme de la neige. Et dans le ciel, une débandade d'oiseaux cherchaient vers l'horizon une brèche par où fuir.**❞**

Vincent Placoly

Au Mouillage, les vestiges noircis de la cathédrale qui fut le crématorium des fidèles rassemblés au moment de la catastrophe, certains convaincus d'être en sécurité, d'autres prêts à quitter Saint-Pierre dès la fin des offices.

De la ville,
il ne subsiste plus
qu'un brasier,
des murs écroulés,
des arbres calcinés,
un amas de gravas
couverts de cendres
grises et fumantes.
Les rhumeries se sont
effondrées comme

sous l'effet d'un
bombardement :
les détonations qui
avaient ponctué
l'incendie provenaient
de l'explosion des
usines et des dépôts
de rhum. Les flammes
qui continuent
de consumer les
décombres rendent
les recherches
impossibles, seuls
quelques rescapés
flottant sur les épaves
ou attendant près du
Carbet seront sauvés.

La haute silhouette de la cathédrale témoigne douloureusement de l'ampleur des dégâts. Le phare de la place Bertin, qui pesait 290 t, s'est quant à lui totalement effondré sous la violence des vents dont la vitesse a pu être évaluée à plus de 470 km/h.

Louis Cyparis échappa miraculeusement à la catastrophe : l'orientation de sa geôle le préserva en effet des ravages de l'éruption, bien que la prison ait été entièrement détruite. Il finit sa vie comme attraction au Cirque Barnum.

Les ruines et le chaos qui submergeaient Saint-Pierre en ont fait un lieu de choix pour les pilleurs qui se sont empressés, au mépris du danger, d'aller fouiller les décombres.

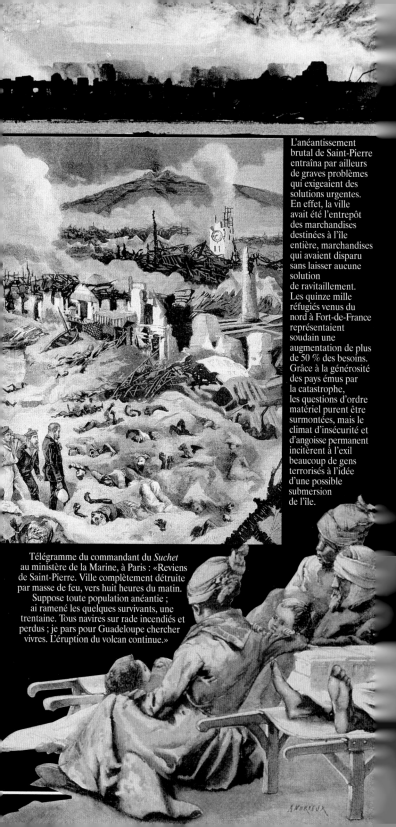

L'anéantissement brutal de Saint-Pierre entraîna par ailleurs de graves problèmes qui exigeaient des solutions urgentes. En effet, la ville avait été l'entrepôt des marchandises destinées à l'île entière, marchandises qui avaient disparu sans laisser aucune solution de ravitaillement. Les quinze mille réfugiés venus du nord à Fort-de-France représentaient soudain une augmentation de plus de 50 % des besoins. Grâce à la générosité des pays émus par la catastrophe, les questions d'ordre matériel purent être surmontées, mais le climat d'insécurité et d'angoisse permanent incitèrent à l'exil beaucoup de gens terrorisés à l'idée d'une possible submersion de l'île.

Télégramme du commandant du *Suchet* au ministère de la Marine, à Paris : «Reviens de Saint-Pierre. Ville complètement détruite par masse de feu, vers huit heures du matin. Suppose toute population anéantie ; ai ramené les quelques survivants, une trentaine. Tous navires sur rade incendiés et perdus ; je pars pour Guadeloupe chercher vivres. L'éruption du volcan continue.»

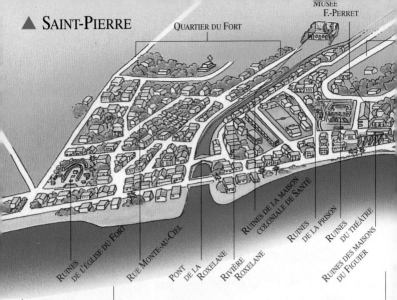

QUARTIER DU FORT

MUSÉE F.-PERRET

RUINES DE L'ÉGLISE DU FORT

RUE MONTE-AU-CIEL

PONT DE LA ROXELANE

RIVIÈRE ROXELANE

RUINES DE LA MAISON COLONIALE DE SANTÉ

RUINES DE LA PRISON

RUINES DU THÉÂTRE

RUINES DES MAISONS DU FIGUIER

🚶 1/2 journée

LA CHAMBRE DE COMMERCE
Même si «les ruines fonctionnent comme une camisole qui retient tout élan» (Patrick Chamoiseau), un effort est fait pour redonner vie à Saint-Pierre. Une chambre de commerce, identique à celle qui dominait la place Bertin, a aujourd'hui été reconstruite.

LA RADE DE SAINT-PIERRE
Elle s'étire sur trois kilomètres entre l'anse Turin et Fonds-Coré.

Inscrite le 23 février 1990 au nombre des Villes d'art et d'histoire, Saint-Pierre doit cet honneur autant à la catastrophe de 1902 qu'au courage de ceux qui, depuis, se sont dévoués pour y ramener la vie tout en sauvant ce qui restait du passé.

LE MOUILLAGE

Le visiteur, qui arrive de Fort-de-France par la mer ou par la route du littoral traverse d'abord le quartier du Mouillage. Ce quartier a été ainsi dénommé parce que, depuis le XVIIᵉ siècle et jusqu'à la fin de la marine à voile, les bateaux trouvèrent dans cette partie de la baie, un ancrage plus sûr que dans la partie nord ▲ 224. Le Mouillage est séparé du fort par la Roxelane, dite aussi rivière du Fort. Les jésuites s'étant installés depuis 1640 au nord de la rivière, les premiers dominicains, débarqués en 1654, s'établirent au sud où ils bâtirent l'église Notre-Dame-du-Bon-Port. **LE PLUS GRAND MUSÉE DU MONDE.** Le Mouillage possède aussi le plus grand musée maritime du monde mais il n'est accessible qu'avec un scaphandre, car il occupe le fond de la baie ▲ 242. Grands ou petits voiliers en bois, dont beaucoup furent surpris par l'éruption de 1902, navires mixtes, parfois à coque de fer, et grands vapeurs comme le *Tamaya*, long de 85 m, reposent aujourd'hui par 15 m à 85 m de fond et constituent une collection archéologique inestimable.

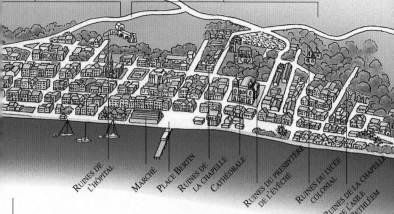

QUARTIER DU CENTRE   QUARTIER DU MOUILLAGE

RUINES DE L'HÔPITAL — MARCHÉ — PLACE BERTIN — RUINES DE LA CHAPELLE — CATHÉDRALE — RUINES DU PRESBYTÈRE DE L'ÉVÊCHÉ — RUINES DU LYCÉE COLONIAL — RUINES DE LA CHAPELLE DE L'ASILE BETHLÉEM

LES «CALLES». Des rues relient les deux quartiers dans le sens nord-sud. Mais, au Mouillage, la circulation s'est aussi organisée à partir des «calles» ou «embarquements» tracés perpendiculairement au rivage pour faciliter le débarquement et l'embarquement des marchandises.

LA PLACE BERTIN. Née de l'élargissement de la rue Bouillé, (Bouillé fut gouverneur de 1779 à 1788), la place Bertin, où se trouvait le phare-sémaphore, tire son nom du premier préfet colonial de la Martinique, en fonctions de 1802 à 1804, qui l'a embellie. Les négociants en redingote se pressaient alors en ce lieu, véritable Bourse en plein air ; les manutentionnaires à demi-nus s'affairaient autour des gabarres ou remontaient

La rue Victor-Hugo (ci-dessous, à gauche) et le marché.

les «calles» lourdement chargés ; les barriques s'entassaient sur les pavés et l'on voyait le tramway ● *110*, tiré par un cheval, monter vers le nord jusqu'à l'ancien marché des esclaves. La fontaine Agnès a résisté à toutes les catastrophes. La chambre de commerce a été reconstruite à l'identique. Les quais ont été rebâtis en dur et la construction d'un nouveau ponton, d'une longueur de 70 m, permet un meilleur accueil des bateaux de croisière.

LE QUARTIER DU CENTRE

Au XIXe siècle, la partie nord du Mouillage s'individualise tardivement avec l'appellation de quartier du Centre, à cause de l'église Saint-Étienne, dite aussi église du Centre , consacrée sur l'emplacement de l'ancienne chapelle des Ursulines. Elle trouve sa limite naturelle dans la rivière Roxelane qui la sépare du quartier du Fort. En partant du littoral, s'échelonnent les ruines dites du Figuier, la batterie d'Esnotz, le musée Franck-Perret, le théâtre et l'ancienne prison.

LE MARCHÉ
Non loin de la fontaine Agnès, fut reconstruit peu après la catastrophe, un marché à structure métallique sur un modèle voisin du précédent.

LE THÉÂTRE
Construit entre
la prison centrale
et le pensionnat
colonial, il accueillit
des artistes
de renom et joua
un rôle prédominant
dans l'histoire
culturelle de la ville.
C'est dans ce décor
(en bas de la page)
qu'en 1836, Blancs
et hommes de
couleur s'assirent
pour la première
fois côte à côte,
sans distinction.

**MÉMOIRE DE
LA CATASTROPHE**
Devant les ruines
du théâtre, la statue
intitulée *La Ville se
relevant de ses ruines*
témoigne du poids
constant de la
montagne Pelée
dans les esprits.
Entre commémoration
et reconstruction,
Saint-Pierre n'a
cessé de lutter pour
un retour à la vie.

LE CACHOT
Son emplacement
et l'exiguïté
de ses ouvertures
sauvèrent la vie
au vagabond Cyparis.

LES RUINES DU FIGUIER. Cet ensemble était constitué,
à son niveau le plus bas, de maisons à étages, dont
les dimensions pouvaient paraître modestes. De fait,
ces constructions, édifiées sur des terrains très recherchés,
auraient logé les servants de la batterie d'Esnotz, située juste
au-dessus, avant que de riches négociants ne s'y installent.
Elles étaient adossées à la muraille, construite dans
les premières années du XVIIe siècle pour protéger la ville
contre les invasions venues de la mer.

LA BATTERIE D'ESNOTZ ET LA POLITIQUE. Appelée d'abord
batterie Saint-Nicolas à cause de son bâtisseur, le gouverneur
Nicolas de Gabaret (1689-1697), la batterie reçut au
XVIIIe siècle le nom d'Esnotz, du nom d'un gouverneur
général mort en 1701, peu de temps après son arrivée. Avant
la Révolution, cet emplacement situé en pleine ville est
déjà un lieu de promenade recherché. Le 3 juin
1790, après la procession de la Fête-Dieu, à
laquelle la milice de couleur, représentée
par ses officiers, avait vainement
demandé de participer, en prémices
à l'égalité politique annoncée
par la loi des 8 et 28 mars
1790, des Blancs
déclenchèrent une émeute.
Les trois officiers blancs
de la milice de couleur et
quatorze mulâtres furent
massacrés. Une bonne partie
de ces victimes furent pendues
aux arbres et aux réverbères
de la batterie. En 1830,
au début du règne de
Louis-Philippe, les premiers
mulâtres qui, en application
des lois égalitaires, tentèrent
de se promener en ce lieu
jusque-là réservé aux
Blancs, furent agressés
par une foule en colère.

Énigmes de matières fondues, ces objets rescapés sont exposés au musée de Saint-Pierre.

LE MUSÉE FRANCK-PERRET ♥. Ce musée fait une présentation des causes et des effets de l'éruption de la Pelée à travers des objets calcinés, des photos, des témoignages et des documents émouvants. La visite peut être complétée par celle du Musée historique, également situé rue Victor-Hugo.

LE THÉÂTRE. Après diverses hésitations, l'emplacement définitif de la salle de spectacle, appelée aussi la Comédie, fut fixé en 1786. Détruit en 1813 par un cyclone, l'édifice fut rebâti six ans plus tard, puis remanié entre 1829 et 1832, puis entre 1856 et 1859. Sa rénovation, en 1900, entraîna la faillite du promoteur et la fermeture de ce haut lieu de la culture et de la politique.

On ne voit aujourd'hui que les ruines de l'escalier d'accès et le niveau où se trouvaient les caisses et le parterre. Les loges, le poulailler et le décor – dont un lustre fameux – ont disparu. Acteurs locaux, parfois de grande valeur, et troupes européennes se pressaient dans ce qui a été le plus beau et le plus grand théâtre des Antilles. À Saint-Pierre, dans des couches très diverses de la population, la chanson créole, qui dominait dans la rue, particulièrement pendant le Carnaval, était concurrencée par des extraits, souvent impressionnants, d'opéras ou d'opérettes. C'était aussi au théâtre que l'on prenait le pouls de la cité. Ainsi, en février 1790, pendant le Carnaval, un incident déclenché par des patriotes (les révolutionnaires) qui reprochaient à des officiers de ne pas porter la cocarde tricolore, aboutit en ville à des émeutes qui entraînèrent l'expulsion des militaires. Enfin, une longue série de troubles, liés à la question de l'égalité, commença à la fin de la Restauration et provoqua plusieurs années de fermeture sous la monarchie de Juillet.

LE JARDIN DES PLANTES. Inutile de chercher le jardin des Plantes, autrement qu'en images. Créé en 1803, il avait acquis sa réputation grâce à la richesse de ses collections de plantes tropicales, à sa cascade et à son lac.

JARDIN DES PLANTES
Liliacées, aloès, agaves, cactus, anones, plantes médicinales exotiques ainsi que quelques arbres fragiles s'y épanouissaient.

On avait utilisé pour le réaliser la forêt primitive, de sorte que la plus grande

partie du jardin avait l'aspect d'une véritable forêt vierge.

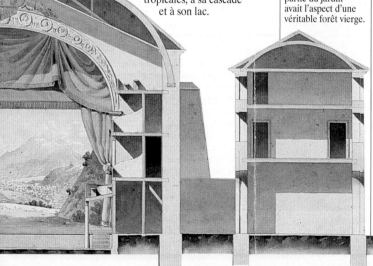

La Roxelane
Les pierres de cette rivière servaient aux lavandières pour faire sécher le linge.

La rue Monte-au-Ciel
Elle était dominée par l'imposante bâtisse blanche du séminaire collège Saint-Louis de Gonzague, qui dominait les alentours de la Roxelane. La légende attache le nom curieux de cette impasse à un professeur du collège qui, surpris en grande conversation amoureuse, aurait été changé avec sa belle en statue de pierre au beau milieu de la ruelle, ainsi contraint d'attendre l'arrivée des gendarmes. Deux constructions dans lesquelles logeaient respectivement les pères et les religieuses, ainsi que les dépendances abritant la porterie et la buanderie complétaient l'édifice. Son excellente réputation valut au séminaire collège une grande affluence d'élèves.

Sa situation à environ un kilomètre de la ville, en remontant le cours de la rivière Roxelane, en avait fait une promenade fameuse, mais aussi le terrain préféré des duellistes.
Rue de l'Hôpital. Partant de l'ancienne «calle» ou «embarquement» de la Charité, cette rue aboutit à la sous-préfecture. À l'intérieur se trouvent les ruines voûtées des parties souterraines de l'hôpital, pris en main en 1685 par les frères de Saint-Jean-de-Dieu, dits frères de la Charité. Le rez-de-chaussée et le premier étage ont été rasés par l'éruption. Un premier établissement, comptant seulement six lits, avait vu le jour en 1665, à l'embouchure de la rivière Roxelane.
Le pont de pierre. Construit vers 1766 pour franchir commodément la Roxelane, ce pont est aujourd'hui le plus ancien de la Martinique. Il a bien résisté à l'éruption et supporte encore des charges impressionnantes.

La Roxelane. Ce nom provient de la déformation de celui du sieur Queringoin de Rousselan, l'un des compagnons de d'Esnambuc en 1635. Époux d'une Caraïbe, Marie Manarine, il fut gouverneur de Sainte-Lucie pour Du Parquet.

Le quartier du Fort

Ce quartier, tire son nom du premier fortin construit à l'embouchure nord de la Roxelane. Rénovée en 1665, cette fortification a été progressivement détruite par les raz de marée. Le premier bourg s'était développé au nord et surtout à l'est sur les pentes. Il en reste des rues, pavées au XVIIIe siècle, et souvent tortueuses. Elles furent tracées en dehors de tout plan d'urbanisation, sans même cette obligation de faciliter l'accès à la mer qui, au Mouillage, fit tracer des rues ou «calles» perpendiculairement à la route qui suivait la côte. En empruntant par exemple la fameuse rue Monte-au-Ciel, qui coupe la rue Levassor, le promeneur accède à la «plaine» de la Consolation, où se sont développées au XIXe siècle, des constructions destinées à des collectivités, comme le séminaire collège, ou des logements pour les gens aisés. Parmi ces maisons, celle de Sanois, fut incendiée le 22 mai 1848.

Colonnes de l'église du Fort gisant, brisées, après la catastrophe.

Des fouilles archéologiques sont actuellement effectuées à Saint-Pierre par le Service régional de l'archéologie. Elles permettent de mettre au jour de nouveaux témoignages de la vie quotidienne au début du XXe siècle.

L'ÉGLISE DU FORT. Arrivés en 1640, les jésuites se sont contentés d'une première église en bois sur soubassement de pierre. L'édifice rebâti à compter de 1680 par le père Farganel est celui que décrit succinctement le père Labat à son arrivée en janvier 1694 : d'une longueur de 36 m sur une largeur de 11 m, l'église possédait un «portail de pierre de taille [...] d'ordre dorique, avec un attique qui sert de second ordre.» On peut en voir les vestiges, à l'ouest, face à la mer, et les escaliers d'accès. Au milieu du XIXe siècle, l'adjonction de deux chapelles latérales, situées un peu en retrait par rapport à la façade, avait élargi l'ensemble, sans toucher à l'église de 1680 devenue nef centrale. Le clocher, qui est situé à l'est, a la particularité d'être séparé de l'église par une rue.

LA MAISON COLONIALE DE SANTÉ. En remontant la rue Levassor, on aboutit aux ruines de ce qui fut un établissement considéré comme d'avant-garde pour le XIXe siècle. Modeste «maison des fous» de quinze lits lors de sa création en 1837, elle devint hôpital capable d'accueillir plus de cent cinquante malades. On se demande où on pouvait bien les loger, mais l'habitude de se serrer était propre à cette ville, au point, dit-on, qu'il fallait refermer certaines portes de maisons au Mouillage pour laisser passer le tramway à cheval ! Les chaises de contention, fixées au sol dans des cellules destinées à recevoir les malades les plus difficiles à maîtriser, ne passent pas inaperçues. Un observateur plus averti peut repérer les canalisations de pierre utilisées pour l'hydrothérapie.

LA MAISON DU GÉNIE. Au-dessus de la maison de Santé, la maison du Génie, ou des Ponts et Chaussées, doit son bon état de conservation au fait qu'elle est restée enfouie sous les cendres pendant près de quatre-vingt-dix ans. Précédée de bassins et de parterres, la maison principale comportait autrefois des bureaux au rez-de-chaussée et des chambres à l'étage. Elle est séparée des communs par une cour. Des canalisations en pierres sont aussi visibles.

LA MAISON DE SANTÉ Ruines (en haut) et sièges de contention (en bas) particulièrement émouvants.

PRÉSENCE HINDOUE À l'arrivée des *Coolies* ● 78, ci-contre, au début du XXe siècle, on édifia des temples. Celui-ci est visible sur la D 1, en direction de Fonds-Saint-Denis.

241

LES ÉPAVES DE LA BAIE DE SAINT-PIERRE

**LA CLOCHE
DU *TAMAYA***
L'épave du *Tamaya*,
voilier en fer construit
à Liverpool en 1862,
gît par 85 m de fond.
Sa cloche ci-dessus,
a été découverte
par Michel Metery,
pionnier de la plongée
sur les épaves.

Ville engloutie sous la cendre, Saint-Pierre a laissé une partie
de sa mémoire dans les épaves des bateaux qui reposent
sur le fond de sa baie depuis les années 1900 et 1910.
Pour les rendrent accessibles, l'ancienne Compagnie
de la baie de Saint-Pierre avait fait construire le plus grand
des sous-marins civils (ci-dessous). Doté de cinquante places,
il était équipé d'un système permettant de visualiser les épaves,
grâce à un éclairage de vingt-huit projecteurs d'une puissance
de deux mille watts et de six caméras. Ce sous-marin offrait
un exceptionnel voyage dans un passé dramatiquement
figé par la catastrophe, mais embelli par la végétation
et la faune sous-marines qui en avaient colonisé les vestiges.
On pouvait ainsi admirer par quarante mètres de fond l'épave
de *La Gabrielle*, un trois-mâts dont la cargaison était encore
visible, le *Teresa Lo Vigo*, le *Tamaya* ou le *Roraima*, grand
paquebot particulièrement spectaculaire qui gisait encore
presque intact et dont les cales recelaient des produits
de cargaison vitrifiés par le feu. Un robot-caméra piloté
depuis le sous-marin, permettait à chaque passager de
visionner l'intérieur des épaves sur un écran vidéo individuel
dont la précision technologique donnait aux images une
impression de rêve. Malheureusement la Compagnie a cessé
ses activités et seuls les adeptes de plongée sous-marine
peuvent se rendre sur le site pour découvrir ces vestiges.
Le site de Saint-Pierre est pour ces derniers un des «spots»
les plus célèbres du monde, le plus beau, sans doute,
de Martinique. Le cimetière marin créé sur la vase de la baie
de Saint-Pierre par la nuée ardente du 8 mai 1902 est un
passionnant musée naval. S'y côtoient en effet les derniers
cargos à voile, comme le *Tamaya*, et les tout premiers cargos
à vapeur. Solides face à la houle et aux coups de mer

cycloniques, ces épaves ont été rapidement
colonisées par les invertébrés sous-marins.
Avec le temps, coraux, gorgones, hydraires
et éponges les ont transformées en récifs
artificiels. Installés sur un sédiment
très pauvre en espèces, les navires coulés
ont considérablement enrichi l'écosystème
de la baie en y multipliant les biotopes.
Depuis quelques années, grâce
à une gestion plus rigoureuse de la pêche
au large, les grands animaux (coryphènes,
barracudas, tortues...) reviennent
chasser autour des épaves.

CASE-PILOTE
FORT-DE-FRANCE
LE CARBET
BALATA
SAINT-PIERRE
PITONS DU CARBET
FONDS-SAINT-DENIS

🕐 1 journée
🚗 60 km

Ci-dessus, la statue
du Sacré-Cœur.

ÉGLISE DE BALATA
Réplique de
la basilique du
Sacré-Cœur de Paris,
elle se rattache aux
églises modernes
de la Martinique
qui présentent
une diversité
de formes et
de styles
très différents.

BALATA

Sur les hauteurs de Fort-de-France, les petites maisons
de Balata sont enfouies dans la forêt tropicale et s'agglutinent
autour de l'imposante église.
ÉGLISE DE MONTMARTRE DE BALATA. Après la catastrophe
de 1902 ▲ *232*, les réfugiés de Saint-Pierre et de
ses environs affluent à Fort-de-France qui ne compte
encore qu'une seule paroisse, Saint-Louis. Pour répondre à
la demande des fidèles, Mgr Lequien, nommé évêque de
la Martinique en 1915, décide la création d'une nouvelle
paroisse détachée de celle de Fort-de-France. Le projet
est grandiose : choisissant Balata où il n'existe qu'une
chapelle rudimentaire, il veut y construire «le Sacré-
Cœur martiniquais, à la fois mémorial des soldats
tombés au champ d'honneur et habitat
perpétuel du saint sacrement».
Un comité recueille les fonds
provenant de diverses communes.
Certains Martiniquais offrent
même gratuitement des heures
de travail. L'architecte
français Wuifflef est chargé
de la conception, et
la première pierre
est bénie dès
le début de 1924.

MONTAGNE PELÉE · LE MORNE ROUGE · SAINT-JOSEPH · GORGES DE LA FALAISE · L'AJOUPA-BOUILLON · GROS-MORNE · MORNE DES ESSES · LE LORRAIN · SAINTE-MARIE

N 3

D 1

D 15

Balata
devient une réplique
en miniature de la basilique
parisienne ; elle possède aussi plusieurs
chapelles latérales dédiées au Sacré-Cœur,
à la Vierge et à saint Joseph. L'histoire de la statue
du Sacré-Cœur tient du miracle : elle a été rescapée deux fois,
échappant d'abord à l'incendie
du navire français *Ville de
Bordeaux* à bord duquel
elle était transportée,
puis à celui
de la cathédrale
de Fort-de-France,
en 1890, avant
de trouver
sa place dans
l'église de Balata.

JARDIN DE BALATA ♥.
Cet endroit est
si remarquable qu'il a été
accueilli dans la chaîne des jardins
d'exception du Conservatoire des jardins et des sites. Ouvrant
d'une part sur les pitons de Carbet, d'autre part sur la baie
de Fort-de-France, ce jardin botanique se situe sur la route de
Balata (10 km après Fort-de-France), en direction du Morne
Rouge. Vingt années d'efforts incessants ont été nécessaires
au propriétaire, Jean-Philippe Thoze, pour réussir
ce site planté d'espèces endémiques et tropicales.
Devant une belle maison créole, meublée
à l'ancienne par les propriétaires qui renouvellent
chaque jour de somptueux bouquets et corbeilles
de fruits composés, descend un ravissant jardin.
Aux plates-bandes gorgées de lumière succèdent
des tapis ombragés d'anthuriums, d'hibiscus,
de bégonias, de balisiers et de roses de porcelaine.
Fougères arborescentes, nymphéas exotiques
et lotus rivalisent avec les héliconias, les orchidées,
les dracenas et les cordylines.
ABSALON. Sur la gauche de cette station thermale
actuellement fermée, il est possible d'effectuer

LA TRACE DES PITONS
L'ONF a édité un
remarquable opuscule
consacré à 31 sentiers
balisés en Martinique
dont le n° 8 est
consacré à cet
itinéraire. Long
de 5 km environ,
il débute à l'hôpital
Colson. Ces pitons
ont nom piton
Lacroix, piton
Dumauzé et
piton de l'Alma.

La végétation de
la route de Balata
(*L'Illustration*, 1925).

Plateau Boucher

une promenade de 4 km (environ 2 h) en circuit fermé. Pentu au départ et traversant de magnifiques bosquets de balisiers sauvages, le sentier ventilé par les alizés chemine en ligne de crête et culmine à 658 m, dominant la vallée de la rivière Duclos.

LA DONIS. Dans ce petit hameau situé sur la droite de la fameuse route de la Trace ▲ *248*, l'ONF a installé un arboretum appelé aussi maison de la Forêt.

LES NUAGES. Grâce à la piste qui conduit aux pitons, on peut rejoindre la station des Nuages, où M. Bonne a installé une plantation d'anthuriums appelés aussi arums ● *132*. On les achète sur place, sur les marchés ou à l'aéroport.

DEUX-CHOUX. Ce carrefour (D 1 et N 3) est le point culminant (650 m) de la route de la Trace et le lieu de départ de l'ascension de l'un des pitons du Carbet. Cette expédition est réservée aux sportifs chevronnés et demande plus de six heures. Le terrain peut être glissant par temps de pluie, et la végétation peut cacher de dangereux à-pics. Le départ de la piste marqué par un *châtaignier* et un *figuier maudit* enlacés se situe sur le plateau Boucher. La plupart des terrains du plateau avaient été remis en concession par l'État aux rescapés des éruptions de la montagne Pelée. Seules, une ou deux familles habitent encore ce site isolé. Au fur et à mesure de l'ascension, les arbres deviennent plus trapus et s'enchevêtrent dans un fouillis inextricable : c'est la forêt dégradée d'altitude. À l'est de la piste, le panorama est si vaste qu'on aperçoit même la vallée de la rivière Blanche et la côte atlantique. On grimpe au piton Boucher (1 070 m), tandis que l'atmosphère y devient saturée d'eau, les mousses et les lichens envahissent un petit bois de *mangles-montagne* protégés du vent. Puis, on arrive au piton Lacroix (1 196 m). Là, la vue sur la côte caraïbe, Le Morne Vert et le quartier Montjoly est impressionnante. On continue le circuit en traversant la crête pour ensuite redescendre par la Trace, soit par le piton Dumauzé (1 109 m) qui arrive à l'hôpital Colson, soit par le piton de l'Alma (1 105 m).

"Sur la route embaumée où dort Fonds-Saint-Denis / Quand on laisse après soi dans la brume Saint-Pierre / Dans un val, étendus, on voit les Monts-Bénis / Ruisselants de verdure, arrosés de lumière. Nous aurions pu réciter ces vers, lorsque, [...] à la mi-juillet, nous quittions notre village du bord de mer pour passer les vacances [...] dans l'exubérante verdure de nos collines.**"**
Maïotte Dauphite

Les colibris (nom tiré
de la langue caraïbe) sont
appelés oiseaux-mouches,
à cause de leur petite taille.

FONDS-SAINT-DENIS

Pour accéder à ce petit village fleuri,
il faut, au carrefour des Deux-Choux
▲ *246*, quitter l'itinéraire et prendre la
D 1 à gauche (route dangereuse sous la
pluie). Malgré son aspect pittoresque,
cette commune isolée reste la moins
peuplée de l'île (moins d'un millier
d'habitants, comme à Grand'Rivière).
Elle doit vraisemblablement son nom
à saint Denis, l'évêque de Paris, saint patron de la capitale
française, évangélisateur des Gaules et martyr décapité
dont l'anniversaire concorde avec la fête patronale
de la commune (le 9 octobre), plus qu'à un dénommé Denis,
simple propriétaire des lieux. On y voit un monument
aux morts original : un tout petit soldat en bronze juché
sur un socle massif. On raconte que le fournisseur se serait
trompé dans les mesures !

**L'OBSERVATOIRE SISMIQUE DU MORNE
DES CADETS.** Partant de Fonds-
Saint-Denis, une jolie route conduit
à cet observatoire créé en 1932
pour surveiller la montagne Pelée.
Un musée a été aménagé autour
du sismographe géant de 1932.
L'escalier qui y conduit est jalonné
de panneaux expliquant la
géologie de la Martinique.
Au sommet, des pancartes
commentent le panorama à 360°,
qui suscite un véritable coup de cœur.

CANAL DE BEAUREGARD. De Fonds-Saint-
Denis, descend une route vers Fonds-Mascret
jusqu'à la ravine d'Orzon. Là commence le canal
de Beauregard qui mène presque au Carbet. Construit,
en 1760 avec des pierres acheminées à dos d'homme –
d'où son nom de canal des Esclaves –, ce canal d'irrigation
est un vestige de la vie économique sucrière du XVIIIᵉ siècle.
Sa construction avait pour but de suppléer aux sources
traditionnelles d'énergie utilisées jusque-là : moulins
à vent ● *140* à la production irrégulière, et moulins
à bêtes ● *136* au coût élevé. Désormais, seules les plantations
du quartier Boutbois utilisent l'eau du canal alors que
ce dernier irriguait les distilleries de Beauregard
et d'Anse Latouche au Carbet ainsi que celles de Blondel
et de Desfontaines à Saint-Pierre. Aujourd'hui un projet
de réhabilitation pour irriguer le Nord-Caraïbe est à l'étude.
Le canal est maintenant une promenade de 6 km au milieu
d'un cadre splendide. On circule au niveau de la cime
de grands arbres magnifiques : fromagers dont la bourre
des capsules produit le kapok, *gommiers rouges* ■ *42*
dont l'écorce se desquame en feuilles fines. Cette randonnée
sans danger est toutefois à déconseiller si l'on est sujet
au vertige, car la margelle du canal est parfois large de 30 cm
et se trouve à 130 m à pic au-dessus de la rivière du Carbet.
Ceux qui redoutent certains petits animaux peu engageants
l'éviteront également, puisque de petites mygales ■ *43*
et des crabes d'eau douce se tapissent dans la travée du canal.

**LE CANAL
DES ESCLAVES**
Attribué au canal
de Beauregard,
ce nom tient
peut-être moins
au fait qu'il a été
construit par une
main-d'œuvre esclave
– chose courante
à l'époque –

qu'à l'existence
d'une piste reliant
Fonds-Mascret
à Boutbois,
qu'empruntaient
les esclaves
qui avaient coutume
de circuler d'une
habitation à l'autre.
D'autre part,
en 1822, les révoltés
travaillèrent
à sa réfection.
Ce parcours est décrit
dans l'opuscule n° 11
de l'Office national
des forêts.

▲ LA TRACE DES JÉSUITES

MORNE DU LORRAIN   RIVIÈRE DU LORRAIN   LA CARRIÈRE   VERMEILLE   RIVIÈRE PETIT NICOLAS

La grenouille du genre *Eleutherodactylus* aime plus particulièrement les milieux humides.

LA TRACE
Elle serpente dans la végétation de la forêt tropicale de pluie, à travers les grands arbres à contreforts puissants, les plantes épiphytes et les nombreuses variétés de fougères.

LE *MANICOU*
De mœurs nocturnes – «cet animal a quelque chose du rat, du renard, du singe, du cochon» (R. P. Du Tertre) –, il aime à se réfugier dans la forêt, car maladroit lorsqu'il est au sol, il s'aide de sa queue préhensile pour se réfugier dans les arbres.

Ce «filet d'asphalte qui tortillonne à travers les grands bois humides, épousant une ancienne tracée de jésuites», est un parcours que l'on peut suivre en compagnie de Patrick Chamoiseau dont la luxuriance du langage fait écho à celle de la végétation.
Lorsqu'on reprend la N 3 depuis Fort-de-France, celle-ci mène, à 22 km de là, au lieu-dit des Deux-Choux, point de départ de la randonnée vedette de la Martinique : la trace des Jésuites, appelée aussi la Trace. Vedette, certes, mais accessible à tous, et prodigue de découvertes qui, pour beaucoup sont une révélation : celle de la forêt tropicale humide, dite hygrophile, la *rain forest* des Anglo-Saxons amateurs de jungle. Ici, «les grands arbres posent leur point d'ancrage. Ils pointent vers la lumière du ciel, patients, avec des prétentions d'immortels. On devine qu'ils sont amis du soleil et fils de l'eau. Autour d'eux, c'est le bankoulélé (manière créole de nommer l'anarchie) des lianes torsadées, des fougères arborescentes ou pas arborescentes, des troncs grêles, des écorces marquetées, des racines échassières immobilisées sur la pointe des pieds en une veille éternelle, des feuilles, des feuilles. Le tout couvert de mousses, de décompositions noirâtres».
À 2 km du carrefour des Deux-Choux ▲ 246 en direction du Morne Rouge, une aire de stationnement, située après le tunnel, marque le début de ce parcours pédestre à la fois surprenant et facile, long de 5 km et qui demande environ 3 h de marche. Dès son début, tandis que le chemin longe une crête qui surplombe la nationale, le regard s'étend par temps clair, sur la forêt de Propreté, la plaine de Champflore, que domine au loin la masse de la montagne Pelée. Le promeneur descend alors vers la rivière du Lorrain, s'immergeant dans l'aquarium végétal de la forêt majestueuse.
Rencontre inoubliable d'une flore fantasmagorique : *châtaigniers-pays*, *bois-rivière* ■ 42 aux paravents de théâtre, cascades à contre-

CARREFOUR DES DEUX-CHOUX

CROIX DUBUC

POINT DE VUE

La mangouste prédatrice aux mœurs diurnes
et la mygale ou *matoutou-falaise* ■ 43.

N 3

courant des plantes épiphytes – lesquelles croissent sur une autre plante ou sur un arbre, sans toutefois les parasiter – où l'on distingue les *ananas-bois*, les siguines et les *malangas bâtards* (philodendrons). On croit apercevoir une orchidée, ce n'est peut-être qu'un colibri à tête bleue. On croit entendre l'indicatif d'un *siffleur des montagnes* (solitaire à gorge rousse), ce n'est peut-être qu'un arpège égrené par une source, car l'eau sourd de partout, de la terre, de l'air, des tiges et des feuilles. À tel point qu'on se demande si les serviettes-éponges, qu'il est conseillé d'emporter, ne sont pas plus utiles dans la traversée du sous-bois que dans celle des trois passages à gué que comprend le parcours. «Pénétrer là, écrit Patrick Chamoiseau, c'est percer une enveloppe chaude, humide, obscure, odorante de vie pourrie et de vie neuve, de morts anciennes et de morts à venir, de remugle d'éternité. On est englouti dans le glauque d'une dame-jeanne. On semble traverser une ville étrangère qui n'aurait rien d'une ville, mais qui fonctionnerait comme, témoignant de la communauté d'existences indéchiffrables. Le soleil serre tout cela dans une toile arachnéenne de lumière scintillante. Elle tombe en fils ou en cordes lourdes comme les amarres d'un bateau suspendu. Tout ici est de l'eau. Il n'y a pas d'air mais une humidité vitrée. Pas de végétation mais des geysers saisis au vol par on ne sait quel quimbois. Dans l'oralité créole, les grands bois sont toujours portes d'enfer. J'ai longtemps cru qu'il s'agissait d'un conditionnement diffusé par les Békés en vue de décourager les marronnages. Mais une fois plongé dans les bois de la Trace, on comprend qu'il y a là un au-delà du naturel. On avance sur une frontière incertaine entre la veille et le rêve, entre l'ombre et la lumière, entre la mort et la vie. L'humus sous le pied n'offre aucune certitude, rien qu'une dérobade spongieuse, une succion. On est vite trempé, comme si chaque feuille, sur votre peau, devenait toute liquide. Pas un animal. Au loin, toujours un sifflement bref de serpent. S'immobiliser, c'est tomber dans le vertige d'un silence qui bat comme un tocsin.» Un rapprochement malicieux vient à l'esprit entre cette cathédrale de chlorophylle et le souvenir des religieux qui empruntaient régulièrement ce chemin pour se rendre d'une communauté à l'autre. Il est vrai qu'on croit sortir d'un songe quand, au bout d'une heure de marche, on atteint enfin la rivière du Lorrain. Après la rivière, le sentier saute sur l'autre versant de la vallée. Encore une autre heure de marche pour retrouver la route des Deux-Choux d'où l'on pourra à nouveau embrasser le beau panorama du nord de l'île.

En haut, tronc de *gommier blanc* ; ci-dessus, feuillages et fleurs.

LA TRACÉE

«La chose est frappante : à côté des routes coloniales dont l'intention se projette tout droit, à quelque utilité prédatrice, se déploient d'infinies petites sentes que l'on appelle tracées. Élaborées par les Nègres marrons, les esclaves, les créoles à travers les bois et les mornes du pays, ces traces disent autre chose. Elles témoignent d'une spirale collective que le plan colonial n'avait pas prévu.»

Patrick Chamoiseau,
Raphaël Confiant,
*Lettres créoles
Tracées antillaises
et continentales de la
littérature 1635-1975*

▲ DE BALATA VERS L'AJOUPA-BOUILLON

≋ **Riv. Capot**

LE CALVAIRE ET SA PETITE CHAPELLE
Au Morne Rouge cet ensemble (ci-dessous) fut très endommagé par l'éruption du 30 août 1902, qui détruisit entièrement la ville.

L'ANTHURIUM OU ARUM
Le genre Anthurium comprend environ 600 espèces. Cette plante originaire d'Amérique du Sud, se rencontre uniquement dans les sous-bois humides. Elle ne comporte qu'une tige, assez courte, épaisse et souvent couchée. La spathe (organe ressemblant à une feuille et soutenant l'inflorescence), de couleur variée (rose ou rouge corail), rend

cette plante très décorative ■ 46. Elle est fort appréciée car sa durée de vie, une fois coupée, peut atteindre trois semaines.

LE MORNE ROUGE

L'existence de la commune fut mouvementée : à peine détachée de Saint-Pierre, elle fut détruite par le cyclone de 1891. Après la catastrophe de mai 1902, Le Morne Rouge subit à son tour la colère de la montagne Pelée. Le 30 août, des nuées ardentes s'abattirent sur la commune, détruisant tout sur leur passage et tuant mille cinq cents personnes. Reconstruite, elle fut évacuée en 1930 par crainte d'un nouveau danger volcanique. La couleur rouge de la terre volcanique du morne de 450 m sur laquelle la commune est située lui a donné son nom. Cette terre est si fertile que bananes et ananas y poussent à profusion. Si les ananas sont toujours traités dans une grande conserverie, ils sont de plus en plus supplantés par les immenses bananeraies, reconnaissables aux enveloppes de plastique bleu qui protègent le fruit des intempéries. C'est à Champflore que l'eau minérale, qu'on boit sur toutes les tables martiniquaises, est mise en bouteilles.

MAISON DU VOLCAN. Dans le haut du bourg, au pied de la montagne Pelée, a été créé cet établissement à caractère pédagogique. Une exposition permanente, réalisée par des organismes scientifiques sur les grandes éruptions, l'origine des volcans, leur environnement, les découvertes de la sonde américaine *Voyager*, lancée dans l'espace en 1977, fournit une information complète sur le phénomène volcanique. Une station d'observation sismique, ainsi qu'un inclinomètre de Blum permettent de suivre en direct les mouvements de la montagne Pelée. Le sentier des Jardins de la Pelée complète admirablement la visite de ce musée.

LA MAISON DU VOLCAN

MORNE ROUGE

PLANTATION MACINTOSH. Le Morne Rouge est également connu pour sa plantation d'anthuriums, créée en 1978 sur le morne Jacob, en direction de L'Ajoupa-Bouillon.

ÉGLISE DU MORNE ROUGE. Les riches propriétaires de Saint-Pierre possédaient des maisons de campagne au quartier du Morne Rouge, aussi voulurent-ils y construire une chapelle dès 1844. En 1851, Mgr Le Herpeur, premier évêque de la Martinique, rescapé de la tempête essuyée pendant la traversée de Brest à Fort-de-France, souhaita remercier la Vierge. La légende rapporte que, arrivé à une clairière au Morne Rouge, son cheval ne voulut point en repartir, malgré les injonctions et les coups. L'évêque en aurait déduit que la Vierge avait choisi son sanctuaire. Aussi la chapelle du Morne Rouge devint-elle la première chapelle dédiée à la patronne de la Martinique. La même année, la chapelle fut érigée en paroisse, prit le nom de Notre-Dame-de-la-Délivrande et devint un lieu de pèlerinage. Le 8 décembre 1868, l'abbé Guesdon, nouvel administrateur du diocèse, obtint du pape l'autorisation de couronner solennellement Notre-Dame-de-la-Délivrande, au cours d'une cérémonie regroupant près de vingt-cinq mille personnes, dont on a dit que «les Antilles n'ont jamais vu et ne reverront jamais une telle fête». Quelques années plus tard, une statue fut érigée à son emplacement actuel et la cloche fut baptisée. Le cyclone d'août 1891 détruisit tout le village sauf la statue de Notre-

Dame-de-la-Délivrande qui «resta debout sur son piédestal au milieu des décombres de l'église» (R. P. Rennard). Pour reconstruire l'église actuelle avec ses deux nefs latérales, les habitants du Morne Rouge transportèrent eux-mêmes les pierres et une partie du bois de construction. L'éruption du 30 août épargna l'église, mais elle fut dépouillée de tous ses biens. Ce n'est qu'en 1912 que les cloches reviendront, suivie de la statue de Notre-Dame-de-la-Délivrande, dans un char tiré dans la plus grande liesse par des bœufs, de Saint-Pierre au Morne Rouge. De nos jours encore, les pèlerinages ont un éclat particulier, tout comme les fêtes patronales de Notre-Dame-de-la-Délivrande fixées le 30 août en souvenir de la tragédie du volcan. Une véritable kermesse avec des marchands de poterie et de vannerie envahit le village. Depuis 1990, le calvaire et le chemin de croix sont d'ailleurs inscrits à l'inventaire des Monuments historiques.

LES GORGES DE LA FALAISE ♥. Un kilomètre et demi avant L'Ajoupa-Bouillon, un calvaire marque l'entrée du sentier qui longe d'abord des plantations, puis descend jusqu'à la rivière Falaise, gardée par un *bois-rivière* et un *figuier maudit*.

ÉGLISE DU MORNE ROUGE

Elle se rattache au type «rectangulaire» ▲ 276 par sa façade, mais elle en diffère par sa fonction. Il s'agit en effet d'une église de pèlerinage où s'exprime non pas la monumentalité mais la sobriété.

Majestueux, son clocher-porche orne la façade qui est flanquée de deux portiques destinés à abriter les pèlerins. Sa grande verticalité est atténuée par ces deux ailes. Le décor est à la fois simplifié et composite. L'influence bretonne est manifeste, due au fait, notamment, que de nombreux curés de la Martinique étaient originaires de cette province.

L'abside du chœur (en haut) est dédiée à la Vierge de même que le vitrail, ci-dessus.

▲ LA MONTAGNE PELÉE

VUE DU SUD

PLATEAU DES PALMISTES

❝Point culminant de l'île, la Pelée est également la souveraine de sa vie météorologique – bergère des nuages, forgeronne des foudres et faiseuse de pluie. Par le beau temps, on la voit qui attire vers elle toutes les vapeurs blanches du pays.❞

PLATEAU DES PALMISTES   ABRI MOUTTET   MORNE LACROIX   CALDEIRA   DÔME DE 1929   DÔME DE 1902

VUE DU NORD

LE SOMMET DE LA MONTAGNE PELÉE
Le paysage tel qu'il apparaît aujourd'hui est le résultat de deux phénomènes récents. En 1902, un dôme et une aiguille sommitale se mettent en place. En 1929, une nouvelle éruption forme un second dôme. La végétation que l'on découvre dès que la forêt s'éclaircit est composée d'arbres rabougris, couverts d'épiphytes, d'arbustes, de fougères, de Broméliacées. Ces derniers font place à une végétation naine où dominent bégonias sauvages et sélaginelles ■ *39*. À cette altitude, les plantes sont adaptées aux basses températures, à une forte pluviosité, et à des vents violents.

ASCENSION PAR L'AILERON. L'ascension de la montagne Pelée est un pèlerinage à l'un des volcans les plus célèbres du monde, haut lieu d'une catastrophe mémorable ▲ *230*, altière majesté d'un sommet dominant l'île entière. Mieux vaut, pour éviter déception et difficulté excessive, entreprendre cette excursion en saison sèche – période du «carême» – qui laisse espérer non seulement un horizon dégagé mais encore un sentier plus praticable. L'ascension par l'Aileron (n° 23) est la plus courte, mais aussi la plus tortueuse et la plus ravinée. La D 39, dite route de l'Aileron, doit être empruntée 2 km après Le Morne Rouge sur la gauche. Du parc à voitures, on entreprend l'escalade à pied : les marcheurs aguerris, équipés de bonnes chaussures et d'un blouson léger imperméable, pourront en parcourir les 2,5 km en 2 h, munis d'eau et d'aliments réconfortants. L'altitude au départ est déjà de 822 m ; elle atteint, en bordure de la Caldeira, une hauteur de 1 250 m. Les modifications du paysage jalonnent

Dans la forêt humide, les branches sont envahies par des mousses et des lichens.

cette forte dénivellation : d'abord une végétation arbustive, avec le *cré-cré rouge* ■ *43* et le *mahot-cousin* méchamment accrocheur ; à 930 m d'altitude, l'escalade est plus roide au milieu des calumets et des fougères. À l'approche du dôme de l'Aileron, bombes en croûtes, bois carbonisés, pierres et lapilli marquent l'empreinte du volcanisme. La crête du dôme de 1929 s'élevant à 1 108 m d'altitude, dessine un S. En face, le chemin continue et atteint une crête transversale correspondant au bord de la colline de l'Étang Sec. À gauche, à l'écart, est édifié un monument à la mémoire du célèbre vulcanologue Dufrénois d'où une belle vue s'offre sur le dôme de 1929. Le second refuge et la station d'études sismiques marquent en quelque sorte l'extrémité de ce parcours que les plus courageux compléteront par la crête nord de la Caldeira.

LE CIRCUIT DE LA CALDEIRA. Pour aborder ce circuit, il faut revenir vers le plateau des Palmistes, à une cinquantaine de mètres en arrière. À droite, une brèche dans la bordure de la Caldeira marque le début de ce périple assez fascinant et long de 2,5 km, qui demande environ 2 h 30 de marche. La descente vers le pied du morne Lacroix est presque abrupte. Puis une escalade sur 400 m, qui exige un certain effort, permet d'atteindre le dôme de 1902. En contrebas de celui-ci, le troisième refuge servit jusqu'en 1970 aux spécialistes chargés d'observer, entre autres, les fumerolles du volcan. On laisse à main gauche le cône de 1929 (appelé aussi le Chinois) pour gagner la jonction avec une autre voie d'ascension venant de l'ouest. À partir de là, le circuit de la Caldeira s'engage résolument à droite, en direction du nord, pour décrire le vaste demi-cercle qui lui fait rejoindre le deuxième refuge et le plateau des Palmistes. On revient au point de départ de cette prestigieuse randonnée par la partie du chemin déjà parcourue quelques heures plus tôt. Cette fois on descendra jusqu'au premier refuge.

ALFRED LACROIX Considéré comme le père de la volcanologie

française, il est l'auteur de l'ouvrage de référence, *La Montagne Pelée et ses Éruptions.*

L'AIGUILLE DISPARUE DE 1902 L'aiguille, née de l'éruption de 1902 s'effondrera l'année suivante après avoir atteint une hauteur de 350 m.

ÉTUDE SUR LE TERRAIN EN 1903 Alfred Lacroix fit avec son épouse de nombreux séjours d'étude ; un morne porte aujourd'hui son nom.

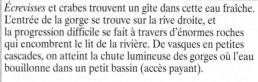

GORGES DE LA FALAISE

ÉGLISE DE L'AJOUPA-BOUILLON
Elle se rattache par sa volumétrie et sa forme au groupe des églises d'inspiration baroque. Mais aux éléments décoratifs de ce style, s'oppose la rigueur du clocher et des balustrades. Sa façade, qui dérive de celle du Marin ▲ *299,* constitue l'un des rares cas d'influence locale.

Écrevisses et crabes trouvent un gîte dans cette eau fraîche. L'entrée de la gorge se trouve sur la rive droite, et la progression difficile se fait à travers d'énormes roches qui encombrent le lit de la rivière. De vasques en petites cascades, on atteint la chute lumineuse des gorges où l'eau bouillonne dans un petit bassin (accès payant).

L'AJOUPA-BOUILLON

Au cœur d'une Martinique montagneuse, située sur la route reliant la côte caraïbe à la côte atlantique, ce bourg, à la douceur climatique réputée, est aussi l'un des plus fleuris et des plus boisés, tout comme Fonds-Saint-Denis. L'origine de son nom est double : *ajoupa* signifie abri en caraïbe,

Bouillon est le nom d'un colon propriétaire de la région, Gobert dit de Bouillon qu'une rumeur récente a fait duc, et qui s'y serait construit une petite maison. D'abord paroisse, L'Ajoupa-Bouillon devint commune en 1889. En août 1902, elle fut durement touchée par les éruptions de la montagne Pelée. Aujourd'hui, ses principales activités sont agricoles :

JARDIN DES PAPILLONS
Sur une surface de 1 200 m² sont rassemblés des milliers de papillons et de chenilles. Des conditions de vie idéale, avec des plantes nourricières, des fleurs nectarifères ont été recréées pour permettre à ces espèces animales de se reproduire dans les meilleures conditions.

bananes, ananas, cultures vivrières et élevage.
ÉGLISE DE L'AJOUPA-BOUILLON. En 1846, une chapelle est construite dont le service religieux est assuré par les curés de Basse-Pointe puis de Grand'Anse. Au fil des ans, l'édifice est amélioré, résiste au cyclone de 1891 et à l'éruption d'août 1902. En 1926, on y ajoute deux nefs latérales et on restaure le clocher, qui sera malheureusement déposé dans les années 60 pour être remplacé par celui que l'on peut voir aujourd'hui, moins harmonieux.
LES OMBRAGES ♥. À la sortie de L'Ajoupa-Bouillon, juste avant le pont de la Falaise sur la N 1, ce sentier botanique est situé dans une ravine. On se promène parmi les fromagers, les grands figuiers mais aussi de nombreuses espèces de la forêt hydrophile et de la forêt mésophile. Un jardin créole typique ● *104* a également été aménagé. Sources et cascades, bouquets de bambous et fougères complètent cette initiation à la nature tropicale. Les ruines d'une ancienne distillerie terminent cette promenade riche et variée.

▲ DE MORNE DES ESSES VERS GRAND'RIVIÈRE

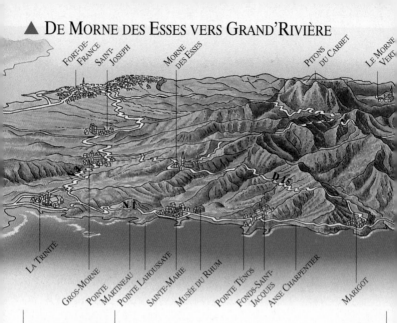

FORT-DE-FRANCE — SAINT-JOSEPH — MORNE DES ESSES — PITONS DU CARBET — LE MORNE VERT

LA TRINITÉ — GROS-MORNE — POINTE MARTINEAU — POINTE LAHOUSSAYE — SAINTE-MARIE — MUSÉE DU RHUM — POINTE TÉNOS — FONDS-SAINT-JACQUES — ANSE CHARPENTIER — MARIGOT

D 15 — N 1

🕐 1 journée
📏 60 km

ÉGLISE DU MORNE DES ESSES
Elle présente la particularité d'avoir un clocher-porche, variante du campanile, pour limiter les dégâts en cas de cyclone.

PANIER CARAÏBE
Des feuilles placées entre les doubles parois de ces paniers en faisaient des valises étanches. Elles servaient lors des voyages en mer.

MORNE DES ESSES

Ce village, dépendant de Sainte-Marie, est réputé pour son artisanat. On peut y visiter un atelier ♥ de vannerie caraïbe ● *122* et acheter des objets de sa production, mais les prix sont élevés. La tradition de l'artisanat précolombien s'est perpétuée dans la fabrication d'objets en paille caraïbe : le fameux *bakoua* (large chapeau de paille) ● *132*, des nasses de pêcheurs, des poupées, des corbeilles, des paniers (ci-dessous). Cet artisanat s'est cependant enrichi de techniques nouvelles, comme le montage des ouvrages sur un moule ou un support. Deux fibres sont tressées par les doigts habiles des ouvrières : le *cachibou* de couleur blanche et l'*aroman* de couleur brune. Le Morne des Esses, connu pour la succulence de ses légumes, est considéré aussi par certains comme un village de *quimboiseurs*. D'ailleurs, le mot créole *zès* que l'on trouve dans le nom du bourg, signifie *quimbois* ● *118*. Toute la culture ancestrale des chants, danses, coups de main, contes… y est encore vivante. On dit qu'au quartier Bezaudin, une vieille femme transforme fruits et légumes en farine et qu'au quartier Saint-Aroman, certains arbres perdent toujours des feuilles rousses. Au Morne des Esses, on pratique en fin de semaine le *ladja* ou *damnyé* ● *120*, une danse de combat ou plutôt un combat dansé mais qui pouvait autrefois, à l'occasion d'un *levé-fessé*, se terminer par la mort d'un des participants. Un autre attrait du village est son panorama sur La Trinité et la Caravelle.

POINTE LAHOUSSAYE ET POINTE MARTINEAU. Sur le sentier qui mène à ces pointes s'élève la statue de la Vierge des Marins. La vue (ci-contre) y est particulièrement belle.

SAINTE-MARIE

En face de la côte, au milieu des flots déchaînés, émergent deux îlets : au sud l'îlet

LE MORNE ROUGE   MONTAGNE PELÉE   PITON MONT CONIL   CAP SAINT-MARTIN

D 1E

N 1

LE LORRAIN   L'AJOUPA-BOUILLON   PLANTATION LEYRITZ   BASSE-POINTE   MACOUBA   GRAND'RIVIÈRE

VILLE DE SAINTE-MARIE

ZOT LA KAY ZOT
BIENVENUE
BIENVENUDO
WILLKOMMEN
WELCOME

Saint-Aubin, au nord l'îlet Sainte-Marie.
Ce dernier se découvre à marée basse car il est relié au rivage
par une étroite bande sableuse longue de 400 m. Il est
dangereux de s'y aventurer car la marée monte brusquement.
ÉGLISE. Sainte-Marie est la plus ancienne paroisse du Nord.
Créée en 1658, par les pères
dominicains, elle fut placée
sous la protection de la Vierge.
La première église de la paroisse
fut édifiée vers 1688 à Fonds-Saint-
Jacques, situé à quelques kilomètres
au nord, sur le littoral. C'est là que
le père Labat vint s'installer, en 1694.
Une nouvelle église fut construite
sur l'emplacement actuel du marché
de Sainte-Marie et agrandie au milieu
du XVIIIe siècle pour répondre
aux besoins de la population. Construite en 1891, l'église actuelle
est assez massive et prolongée par un très beau cimetière.
UN BOURG AU PASSÉ MOUVEMENTÉ. En 1697, sous
le gouvernement du marquis d'Amblimont, les Anglais
débarquèrent une nuit à Sainte-Marie où les travailleurs
de l'habitation Saint-Jacques, conduits par le père Labat
– dont l'histoire est intimement liée à celle de la commune
▲ 259 –, les repoussèrent. Un débarquement simultané eut lieu
à Marigot, qui fut mis en échec par les habitants, alertés par
le bruit d'une fusillade. Au XVIIIe siècle, le bourg dut maintenir
sa vigilance afin de prévenir les débarquements côtiers
ou les soulèvements de population. Sainte-Marie s'enrichit
cependant au cours des siècles, grâce
aux plantations, et,

Charme
des photographies
anciennes : en haut,
un groupement
de cases en bois,
avec, en face,
l'îlet Sainte-Marie ;
en bas, l'église
de style sulpicien
dresse à l'extrémité
de la rue sa façade
austère.

BORD DE MER À SAINTE-MARIE
La mer sauvage, le vent souvent violent et les embruns ont fait que le bourg s'est développé vers l'intérieur des terres.

au XIXᵉ siècle, grâce au développement de ses usines. Mais en 1900, la commune subit, comme tout le nord de l'île, des grèves agricoles et connut, au moment de la crise sucrière de 1903, une récession économique. Aujourd'hui, c'est la quatrième ville de la Martinique, derrière Schœlcher et Le Lamentin, qui l'a dépassée dans les années 1970.

MUSÉE DU RHUM SAINT-JAMES ♥. À la sortie du bourg, dans l'enceinte de la distillerie de Sainte-Marie, le musée du Rhum a été aménagé en 1981 par la société Saint-James, dans l'ancienne habitation principale du propriétaire. Par des gravures, un diaporama mais aussi des machines et des objets, ce musée propose une très intéressante exposition sur l'histoire de la canne depuis 1765 – date de la création de la distillerie Saint-James – jusqu'à nos jours. On y apprend aussi les méthodes de culture

de la canne ▲ 262, les différents procédés de fabrication du rhum et les techniques industrielles employées depuis l'apparition de la canne, en 1654. Dans le jardin, sont exposés des alambics du type «père Labat», des machines à vapeur, de gigantesques roues dentées et deux locomotives. Il est possible de déguster les produits de la distillerie et de visiter en saison de coupe de la canne, l'impressionnante usine.

LA DISTILLERIE SAINT-JAMES
D'abord établie à Saint-Pierre, la distillerie Saint-James, bien que rescapée de l'éruption de 1902 ▲ 230, s'installa à Sainte-Marie. La forme carrée de ses bouteilles, inchangée depuis le XVIIIᵉ siècle, signe l'une des marques les plus exportées.

LE MUSÉE DE LA BANANE ● 98
Au cœur de la Plantation Limbé, une magnifique exploitation de 4 ha, ce musée permet de découvrir l'origine de ce fruit, les différentes variétés, les techniques de cultures, mais aussi ses utilisations culinaires.

FONDS-SAINT-JACQUES ♥. En prenant la N 1 vers Marigot, on découvre, à quelques kilomètres de Sainte-Marie, en retrait du littoral, l'habitation Fonds-Saint-Jacques. En 1658, l'invasion de la Cabesterre (terme géographique désignant les parties des Antilles situées au Vent) provoqua la création d'un monastère dominicain après que les Caraïbes de cette région en furent définitivement chassés. Partie de Saint-Pierre, l'expédition excita la rivalité des ordres missionnaires. Les jésuites s'embarquèrent avec les forces armées maritimes. Les dominicains, plus chanceux, progressèrent plus vite, avec l'armée de terre, en passant par la région des bourgs actuels de L'Ajoupa-Bouillon et du Lorrain. Premiers arrivés, ils eurent les paroisses allant de Macouba jusqu'à La Trinité. À Sainte-Marie, en 1658, la veuve du gouverneur Jacques Du Parquet leur offrit un vaste terrain, qui fut consacré à saint Jacques, en hommage à son époux. En 1671, Fonds-Saint-Jacques était l'une des deux plus grosses sucreries de la Cabesterre. Une vingtaine d'esclaves y travaillaient. Le père Labat ● *68*, arrivé en 1694, y installa une purgerie, à la charpente en forme de carène renversée, et modernisa l'habitation. Il réorganisa la gestion, engagea de nouveaux esclaves et introduisit la méthode «cognacaise» de distillation par alambic. Ce dispositif s'appelle depuis le «système père Labat». Sous la férule du religieux, Fonds-Saint-Jacques devint l'entreprise la plus rentable de la côte atlantique. De 1793 à 1802, l'habitation – désormais bien national – demeura administrée par les dominicains. Puis elle fut affermée à des particuliers qui y installèrent une usine à la fin du XIXᵉ siècle. Celle-ci ferma avec la crise sucrière de 1903. Morcelée, la propriété de Fonds-Saint-Jacques devint un centre culturel en 1968 et, vingt ans plus tard, des fouilles furent entreprises sur le site. Aujourd'hui, les bâtiments et la chapelle de l'ancien monastère constituent un des fleurons du patrimoine martiniquais et sont inscrits à l'inventaire supplémentaire des Monuments historiques depuis 1980.

ANSE CHARPENTIER. Quittant Fonds-Saint-Jacques, on s'arrêtera quelques instants à la pointe Ténos, plantée d'arbres, pour découvrir cette anse superbe que domine la pointe du Pain de Sucre (80 m).

MARIGOT

La commune doit bien évidemment son nom à un petit marais dit «marigot». Très tôt, les hommes se sont enracinés sur cette terre fertile, accessible également par la mer. Le père Pinchon parle de Marigot en tant que «véritable capitale des peuples précolombiens». Présence qu'attestent les vestiges de civilisation indienne découverts sur le site. Les premiers colons, établis d'abord plus au nord, en chassèrent les Caraïbes et

LA FÊTE DU RHUM
Célébrée en décembre à Sainte-Marie, elle se déroule au rythme des danses des coupeurs de canne.

LES RUINES DE L'HABITATION FONDS-SAINT-JACQUES
(ci-dessus).
Cette vue aérienne donne une idée de l'importance des habitations aux XVIIᵉ et XVIIIᵉ siècles.
«Les sucreries […] leur grandeur doit être proportionnée à la quantité de sucre que l'on peut fabriquer en deux ou trois semaines. On fait ordinairement les purgeries beaucoup plus longues qu'elles ne devraient être à proportion de leur largeur. Celle que j'avais fait faire à Fonds-Saint-Jacques avait cent vingt pieds de long et vingt huit pieds de large, elle pouvait contenir dix sept à dix huit cent formes», écrivait le père Labat.

LES THONS
Ce sont les poissons les plus recherchés dans la «pêche à Miquelon» ● *128*.

▲ De Morne des Esses vers Grand'Rivière

ÉCREVISSE
L'espèce *Macrobachium rosenbergii*
donne les meilleurs résultats en aquaculture.

CROCHEMORE
Pierre Labbé, dit Crochemore, était dieppois et épousa une riche veuve. Libertin et impie, il prenait plaisir à ridiculiser les offices religieux. Le père Imbert, qui s'installa à Grand'Anse en 1704, ne tarda pas à subir les assauts de Crochemore. Le personnage étant d'importance, il dut fermer les yeux sur les offenses infligées par son paroissien. On doit au père Labat cette chronique villageoise qui a gardé, aujourd'hui encore, toute sa fraîcheur.

Jean-Baptiste Jaham de Vert-Pré, capitaine des milices, y construisit son habitation. En 1678, Marigot comptait déjà deux cents habitants blancs, enfants compris. Les Anglais débarquèrent dans la nuit du 14 octobre 1697 et voulurent capturer quelques nègres, mais l'un d'entre eux, qui ne dormait pas, donna l'alarme et les Anglais furent repoussés.
On ignore quand la commune fut érigée en paroisse, mais on sait que dès 1687, on y construisit une première église dont les intempéries eurent finalement raison. Un nouvel édifice fut bâti en 1840, puis le bourg fut ravagé par le cyclone de 1891. Il fallut huit ans pour restaurer le clocher, le presbytère et l'école. Le village est maintenant bâti en amphithéâtre autour de la baie de Fond d'Or (ci-dessus). Si l'on prend la D 15 vers les hauteurs, il est possible de faire une agréable promenade dans la forêt de Dominante, et de profiter de quelques superbes points de vue sur les anses.

AGRICULTURE. Aujourd'hui Marigot a perdu de sa suprématie d'antan. Depuis la fermeture de l'usine du Lorrain, reliée par un téléphérique, pour le transport de la canne à sucre, dont il ne reste que les piliers, une intense production de bananes, d'aubergines, d'avocats a remplacé celle de la canne à sucre. C'est notamment le cas à l'habitation Bellevue. Au hameau Plateforme, on pratique l'élevage de poules. Si la pêche est plutôt destinée à la consommation locale, Marigot développe l'élevage et la commercialisation des *écrevisses* ou crevettes d'eau douce.

RIVIÈRE DU LORRAIN. Le pont de cette rivière est le point de départ d'une belle promenade, à travers les bois, au bord de l'eau. Située dans un magnifique parc tropical de trois hectares, la maison de maître de l'usine du Lorrain a été transformée en un hôtel de grand luxe, L'Habitation Lagrange.

QUARTIER CROCHEMORE. La postérité a retenu le surnom de cet habitant profondément anticlérical et bien mal nommé, Pierre Labbé. Situé non loin du Lorrain, ce «quartier» offre sur la campagne environnante des points de vue à ne pas manquer.

LE BANANIER
● 98
Originaire d'Asie, il fut introduit avant 1635 aux Petites Antilles, et fournit l'une des principales exportations

Façade de l'église du Lorrain, du XVIIIᵉ siècle, dont le clocher en bois a été reconstruit en 1881.

LE LORRAIN

Auparavant Le Lorrain s'appelait Grand'Anse, nom qui est resté à sa vaste baie limitée par la pointe Burgaux, au nord, et par la pointe de Châteaugué, au sud. Comme à Marigot,

FABRICATION de
SIROP BATTERIE
tél : 53.41.22

les vestiges découverts à Vivé ● *52*
et à Fonds-Capot témoignent de
la présence des Caraïbes et des
Arawaks. Les Français cultivèrent
surtout les terres très fertiles
situées entre la rivière du Lorrain
et la rivière Capot. La région
se peupla si rapidement, qu'en 1753 elle comptait déjà
2 084 habitants. En décembre 1833, une insurrection
de la milice bouleversa Le Lorrain ; elle fut réprimée
avec violence et plus de quarante rebelles furent
condamnés dont quinze à mort, peines commuées plus tard
en travaux forcés. En 1837, Le Lorrain devint une commune.
ÉGLISE. Érigée en paroisse dès 1680, Le Lorrain fit construire
une église en 1743. Un édifice plus grand remplaça le précédent,
endommagé par les cyclones, mais fut à chaque fois réparé
et restauré. Sur la place se dresse un monument aux morts
original : un poilu de 1914 est couronné par une femme ailée,
figure allégorique de la France.
ROYAUME DE LA BANANE. Le Lorrain, qu'on a surnommé
le «royaume de la banane», a toujours été réputé pour sa richesse
agricole. Cette culture a supplanté peu à peu toutes les autres
activités comme la production de tabac, puis de canne à sucre,
la pêche et l'élevage. Toutefois, Le Lorrain a perdu sa prospérité
d'antan, malgré des expériences d'aquaculture à Séguineau
et le maintien de la fabrication traditionnelle de sirop
de batterie au Morne Bois.

HABITATION PÉCOUL. C'est
une propriété privée visible
de la route (ci-contre). Cette
magnifique habitation du
XVIIIᵉ siècle est inscrite aux
Monuments historiques,
et ses bâtiments annexes, à
l'inventaire supplémentaire. Joseph François Denis Pécoul,
arrivé en Martinique vers 1775, épousa à Basse-Pointe la fille
du gérant de l'habitation Bois-Jourdain, qui lui donna un fils,
Auguste-Charles. Avant de mourir en 1817, Joseph réussit
à reconstituer les belles propriétés d'antan : l'habitation de
Basse-Pointe et celle de La Montagne à qui il donna le nom
de Pécoul Saint-Pierre. Auguste-Charles diversifia les cultures
et produisit du tabac, du café, de l'indigo ; il éleva même des
vers à soie. À sa mort en 1858, l'habitation Pécoul retrouva
ses activités sucrières. Les héritiers Pécoul et d'Origny
dessinèrent les jardins. Toujours en activité, l'habitation
Pécoul produit des bananes.

**LES MÉTAMORPHOSES
DU POILU**
Autrefois noir
de visage, le poilu du
monument aux morts
est aujourd'hui
de couleur rose.

LA MAISON PÉCOUL
(ci-contre).
Construite vers 1760,
c'est une résidence
typique ● *144*
des îles françaises
au XVIIIᵉ siècle :
un rez-de-chaussée
occupé par une salle
de séjour bordée par
une galerie fermée
en chambres, tous
les locaux de service
étant situés dans des
constructions annexes.

LA MER À GRAND'ANSE
"Aime la mer de
Grand'Anse, lui avait
recommandé Alcide,
aime-la au premier
cognement de l'écale
de tes yeux sur elle
et puis laisse
la détestation
t'envahir, comme ça
tu comprendras
le sens des gens
de chez moi."
Raphaël Confiant,
Le Nègre et l'Amiral

▲ LA CANNE À SUCRE :
PLANTATION ET COUPE

Esclave et canne à sucre
sont inséparables dans
l'imagerie antillaise.

Elle aurait la Nouvelle-Guinée pour berceau lointain. Elle se serait développée en Inde et, de là, propagée à travers l'Orient. Elle atteignit enfin l'Espagne méridionale, puis les Canaries. C'est là qu'en 1493, entamant son deuxième voyage, le nommé Colomb en embarqua des plants destinés à Hispaniola, future Saint-Domingue. Ainsi, pense-t-on, Sa Majesté la canne à sucre aurait fait son entrée aux «Isles d'Amérique». Ce qui est sûr, c'est qu'elle allait en bouleverser la physionomie.

"Lorsque les cannes sont mûres, et en état d'être coupées, on dispose les Nègres et les Négresses le long de la pièce que l'on veut entamer, afin de la couper également [...]." J.-B. Labat

"Le temps propre pour planter est la saison des pluies, [...] les racines et les germes [...], entrent facilement et l'humidité [...] leur fournit toute la nourriture dont ils ont besoin." J.-B. Labat

"À mesure que les Nègres qui font les fosses avancent chacun sur sa ligne, quelques jeunes Nègres [...] les suivent et jettent dans chaque fosse deux morceaux de canne." J.-B. Labat

« Derrière les coupeurs viennent des femmes ou des jeunes filles. Chacune d'elles dispose sur le sol la partie qui a été séparée du bout blanc, qui est munie de ses feuilles et qui, dès ce moment, prend le nom d'«amarre». »
Émile Légier

MARTINIQUE - Récolte de la Canne à sucre.

« L'ouvrier dispose dessus dix tronçons de cannes, puis les lie fortement à l'aide des amarres, de manière à former des «paquets». Ces paquets sont ensuite mis par l'ouvrière en piles de vingt-cinq paquets. »
Émile Légier

Tout au long du XIXᵉ siècle la canne occupa plus de la moitié des terres cultivées à la Martinique. Elle n'en occupait plus que le sixième en 1986.
On cherche à augmenter le rendement par une lutte plus intense contre les parasites, une irrigation jusque-là trop dédaignée, et la remise en question du brûlis, jugé néfaste.

L'actuelle *Saccharum officinarum* ● *94* reçut au XVIIIᵉ siècle l'apport du cultivar tahitien *Otaheite*, plus riche en sucre.

▲ LA CANNE À SUCRE :
TRANSPORT ET BROYAGE

Sarkara des brahmanes devenu *sukkar* des Arabes puis *saccharum* des Latins, le sucre se reconnaît dans toutes les langues. Cette douceur universelle mériterait un passé idyllique. En fait, il y a beaucoup de larmes dans son histoire. Louis XIV fait des colonies antillaises les «Isles à sucre». «Le sucre serait trop cher, écrivait Monstesquieu dans *L'Esprit des Lois*, si l'on ne faisait travailler la plante qui le produit par des esclaves.» Les vestiges des habitations d'antan sont nombreux à la Martinique, et rappellent l'époque lointaine où le sucre pouvait avoir un goût amer.

En 1639, le sieur Trézel, marchand rouennais, obtint le privilège «de la culture des cannes à sucre et l'établissement de moulins à faire du sucre en l'Isle de la Martinique». L'industrie sucrière prit un nouvel essor après qu'en 1654, des Hollandais protestants furent expulsés du très catholique Brésil. Experts dans la fabrication du sucre, ces réfugiés firent profiter les îles de leur savoir-faire.

Après la phase végétale, le point de départ de l'industrie sucrière est le moulin à broyer. L'habitation en possédait souvent deux, mus, soit par le vent ● *140*, l'eau ● *138*, les chevaux ou les bœufs ● *136*.

La Martinique compta jusqu'à 560 moulins en 1742. Certains fonctionnaient encore sur de petites exploitations à la fin de la Seconde Guerre mondiale.

Dès les premiers temps
de la colonisation,
les moulins à canne
apparaissent dans
le paysage antillais.

En poussant les cannes
entre les tambours à
broyer, les *rolles* ● 137,
il arrivait qu'une
ouvrière somnolente
se fasse happer
un doigt. Aussitôt,
c'était la main,
le bras, la mort :
«En pareilles
occasions, écrit
le père Labat, le
plus court remède
est de couper
promptement
le bras d'un coup
de serpe.»

Broyage de la canne, pour obtenir le jus chargé de saccharose :
posé sur le sol, un sabre «bien effilé», prêt à l'intervention...

Le transport
de la canne vers
l'habitation ou, plus
tard, la grande usine,
connut maints aspects :
cabrouets attelés de
bef péyi (zébus) ● 110,
wagonnets tirés par
d'antiques locomotives
et, sur les voies d'eau,
chalands ventrus où
l'on embarquait
la récolte. Aujourd'hui,
les files de camions...

▲ LE SUCRE DE LA CANNE

Compte tenu de la chaleur,
le travail autour des chaudières
était particulièrement pénible.

Après avoir supplanté l'indigo, le cacao et le tabac, la canne
à sucre fit de la Martinique un pays de monoculture, avec
ses richesses et ses inégalités. Le sucre a écrit l'histoire
d'un peuple. Au début du XXe siècle de profondes transformations
s'annoncèrent. Aujourd'hui la banane et l'ananas jouent
les premiers rôles. Pourtant, la canne demeure le fleuron des îles :
si le sucre s'est effacé, son compère le rhum n'a fait que croître.

L'habitation sucrière
du XVIIᵉ siècle a
fonctionné 250 ans.
L'usine moderne

l'a remplacée, mais
le schéma de
fabrication du sucre
reste analogue. Le jus
des cannes broyées,
ou *vesou*, est chaulé,
chauffé, épuré. Porté
à nouveau à 105° C
avant concentration
et cristallisation.
De nos jours, la force
centrifuge est utilisée
dans la phase finale,
l'obtention des
cristaux, roux avant
raffinage. Une tonne
de cannes donne
115 kg de sucre et
35 kg de mélasse,
qui elle-même peut
fournir 7 l d'alcool.

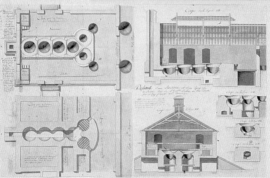

L'habitation
comprenait, outre
ses logements, dont
la «rue Cases-Nègres»,
son ou ses moulins,
la canalisation à *vesou*
qui aboutit à
la sucrerie avec
ses chaudières et sa
cheminée de briques.
Parfois séparés,
la purgerie, où le sucre
mis en formes
se refroidit et
se «purge» de sa
mélasse, l'étuve et les
bâtiments de stockage.

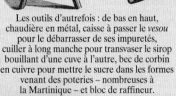

Les outils d'autrefois : de bas en haut, chaudière en métal, caisse à passer le *vesou* pour le débarrasser de ses impuretés, cuiller à long manche pour transvaser le sirop bouillant d'une cuve à l'autre, bec de corbin en cuivre pour mettre le sucre dans les formes venant des poteries – nombreuses à la Martinique – et bloc de raffineur.

La «grande», la «propre», la «lessive», le «flambeau», le «sirop», tels étaient les noms des chaudières de la sucrerie. «La sixième est la batterie, écrit le père Labat. C'est dans cette dernière chaudière que le sirop prend son entière cuisson, et qu'on lui ôte ce qu'il pouvait avoir d'impureté par le moyen de la lessive et de l'eau de chaux et d'alun qu'on y jette.» Du sirop de batterie au pain de sucre de nos aïeules, nombreuses étaient les opérations que l'industrialisation a transformées et automatisées. Manipulations effectuées dans la fournaise des chaudières alimentées par la «bagasse», ces résidus végétaux de la canne. Cuves en ébullition au bord desquelles plus d'un esclave épuisé a vacillé.

▲ DE MORNE DES ESSES VERS GRAND'RIVIÈRE

INTÉRIEUR DE MAISON DE MAÎTRE ● *144*
Celui de la maison de l'habitation Leyritz répond aux critères relativement simples des constructions réalisées au cours des XVIIᵉ et XVIIIᵉ siècles : des murs de pierre brute ou simplement blanchis à la chaux, un mobilier sobre et fonctionnel.

LE MUSÉE DES POUPÉES VÉGÉTALES
Située à l'intérieur de l'hôtel de la plantation Leyritz, cette collection présente une cinquantaine de figurines végétales.

HABITATION LEYRITZ. On la trouve à 500 m avant d'arriver à Basse-Pointe, à gauche, sur la D 21. Cette habitation, transformée en hôtel, a été créée par Michel Leyritz dans un parc de 8 ha entre la montagne Pelée et l'Océan. D'origine bordelaise, ce riche propriétaire, ami des Dubuc et anobli à la fin de sa vie, fit prospérer ses plantations. Voisine des propriétés Chalvet et Pécoul, qui apppartenaient au XVIIᵉ siècle à Claude Pocquet, l'habitation Leyritz fut aussi une exploitation florissante. On y cultivait, comme à l'habitation Pécoul, de la canne, des agrumes, des épices, du tabac, du manioc puis de la banane. Elle souffrit énormément des ouragans de 1766, 1788 et 1891 qui arrachèrent les toits, renversèrent les cases des esclaves et ravagèrent les cultures. Restaurée vers 1970, elle fut l'une des premières plantations à s'ouvrir au public. C'est l'écrivain Joseph Zobel, auteur de *La Rue Cases-Nègres*, qui en fut le conseiller en fleurs et en jardins. En se promenant dans le parc, on découvre l'ancienne sucrerie, la roue à aubes, la «rue Cases-Nègres», le canal conduisant l'eau jusqu'à l'habitation, la maison des maîtres. Avec son cachet créole, son mobilier du XVIIIᵉ siècle, sa piscine et son tennis entourés d'une végétation luxuriante, la plantation Leyritz est l'un des plus beaux hôtels de la Martinique. Son cadre (ci-dessus) fut même choisi en 1976 pour accueillir la rencontre au sommet des quatre grands chefs d'État d'Europe et d'Amérique.

BASSE-POINTE

Le nom de la commune est dû à sa situation topographique. Au lieu d'être dominé par les hautes falaises de la côte atlantique, le bourg s'étire en pente douce et surplombe la pointe rocheuse de faible altitude située au nord-est de la montagne Pelée. Plus que toute autre, la commune de Basse-Pointe reste dans l'esprit des Martiniquais le symbole de la grande plantation. Vers 1660, le plateau fut d'abord planté de tabac, puis de caféiers et de cacaoyers. Autour de ces plantations, un bourg se forma, qui devint paroisse en 1663. Dès les premières années de la colonisation de la Cabesterre (côte est) s'implantèrent et se développèrent sur cette terre fertile les habitations Chalvet, Leyritz, Pécoul et Gradis. En 1736, Basse-Pointe comptait plus de 3 000 habitants. Environ 15 % de sa population était blanche. Au XIXᵉ siècle, elle devint commune autonome et ses neuf sucreries

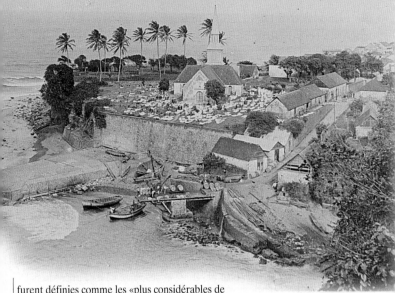

furent définies comme les «plus considérables de
la Martinique et presque toutes d'un grand rapport».
La banane a maintenant remplacé la canne à sucre, sans trop
bouleverser la structure socio-économique d'autrefois.
La composition ethnique des travailleurs est la même
qu'à l'origine : après l'abolition de l'esclavage en 1848,
des travailleurs chinois, africains et surtout indiens immigrèrent.
Basse-Pointe est le bourg où se concentre toujours
la population indiennne (les *Coolies* ● 78) venue entre 1858
et 1885. Ses traditions religieuses ont survécu et la commune
compte deux temples hindous où sont pratiqués
les spectaculaires cérémonies de *bon dié coolie*. Aujourd'hui,
Basse-Pointe se distingue par l'utilisation de techniques
avancées dans le domaine de l'agriculture. Outre le soin
apporté aux cultures traditionnelles comme celles de l'ananas
et de la banane, on développe à Chalvet
une importante production florale
en culture hors sol sur un support
inerte de ponce. Sur une autre
exploitation, des taurillons sont
élevés à l'étable et nourris avec
des tourteaux d'ananas. Enfin, toute
la distribution de l'eau et des substances
nutritives est contrôlée par ordinateur.

ÉGLISE. Une première église et
un presbytère furent construits dès l'arrivée
des premiers colons mais tombèrent
rapidement en ruine. En 1694, une seconde
construction fut achevée qui, bientôt,
ne répondit plus aux besoins de la population.
On bâtit alors un nouvel édifice, dédié à saint Jean Baptiste,
dont les vestiges sont encore visibles dans le cimetière actuel.
Cette construction possédait un maître-autel classiquement
orienté vers l'Orient. Le père Labat trouvait à redire à
cette orientation prétextant que «cela était cause que le côté
de l'église faisait le long de la rue du bourg au lieu qu'il aurait
été plus convenable d'y placer le portail». On tint compte
de ses conseils lorsqu'on bâtit, en 1934, l'église actuelle.
Sa charpente est métallique et son clocher octogonal
a été érigé sur une base carrée (ci-contre).
On pourra admirer également l'autel de marbre blanc, hérité
de l'église précédente. Ce n'est que quelques années plus
tard, en 1956, que le presbytère fut réaménagé et terminé.

**BASSE-POINTE AU
DÉBUT DU XXᵉ SIÈCLE**
On distingue un
embarcadère où des
tonneaux sont chargés
sur des barques.

AIMÉ CÉSAIRE
Ce formidable
écrivain, né à Basse-
Pointe en 1913
est aussi un
homme politique
d'une longévité
exceptionnelle.
En 1939, son *Cahier
d'un retour au pays
natal* ● 164 révèle
le poète. Député,
maire pendant 50 ans,
fondateur du Parti
progressiste
martiniquais (PPM),
il est aujourd'hui
retiré de la vie
politique.

〰 *Riv du Potiche* ⊗

**BIENVENUE
A
MACOUBA**

LE RHUM J.M
La distillerie, fondée
en 1790, porte
les initiales de
son fondateur : Jean-
Marie Marin, qui fut
l'un des premiers à
se vouer entièrement
au rhum agricole.

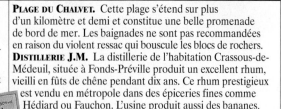

**LE CHEMIN DE CROIX
DE NORD PLAGE**

ÉGLISE DE MACOUBA
Inspirée des petites
églises françaises,
elle présente
une belle simplicité
de style.

PLAGE DU CHALVET. Cette plage s'étend sur plus
d'un kilomètre et demi et constitue une belle promenade
de bord de mer. Les baignades ne sont pas recommandées
en raison du violent ressac qui bouscule les blocs de rochers.
DISTILLERIE J.M. La distillerie de l'habitation Crassous-de-
Médeuil, située à Fonds-Préville produit un excellent rhum,
vieilli en fûts de chêne pendant dix ans. Ce rhum prestigieux
est vendu en métropole dans des épiceries fines comme
Hédiard ou Fauchon. L'usine produit aussi des bananes.

MACOUBA

L'origine du mot est caraïbe. S'il faut croire le père Labat,
macouba et «testard» seraient synonymes : ce serait
une sorte de petit poisson d'eau douce ■ *38* à la «chair
très blanche, grasse et délicieuse». Le quartier Macouba,
appelé aussi Potiche, du nom de l'une de ses principales
habitations, était à l'origine un simple débarcadère
à l'extrême nord-est de la Martinique. Le bourg fut érigé en
paroisse au milieu du XVIIᵉ siècle. L'accès abrupt de ce village
côtier lui donne à présent son aspect pittoresque mais
effrayant. Au XVIIIᵉ siècle, le père Labat écrivait : «C'était
un chemin étroit, taillé dans un rocher de plus de quarante-
cinq toises de haut, où l'on se serait» rompu le col mille fois
si le cheval était venu à s'abattre.» À la période faste
de la culture du tabac succède celle des habitations sucrières
aux XVIIIᵉ et XIXᵉ siècles et des plantations de cacao et de
café. Aujourd'hui, les bananeraies constituent la principale
ressource de ce village toujours fortement marqué par
l'implantation des *Coolies* ● *78*.
LES GROTTES DE LA RIVIÈRE DE MACOUBA. De ces grottes,
auxquelles on accède par une montée transformée en chemin
de croix, on a une jolie vue sur la crique et les falaises escarpées.

GRAND'RIVIÈRE

Construite près de l'embouchure de la Grande Rivière
qui descend de la montagne Pelée, la commune la plus
septentrionale de l'île en porte le nom. On dit qu'elle est
située dans le «Grand Nord», et que c'est le lieu le plus
éloigné de la capitale. Son accès, il y a quelques décennies
encore, était si difficile – surtout en temps de pluie lorsque
débordaient ses trois rivières – qu'il était moins compliqué
d'y aller en canot qu'en voiture. Pourtant la côte
y est aussi d'un abord difficile, les rouleaux
sont impressionnants
et les falaises immenses.

LES NOMS DES GOMMIERS
Le baptême des gommiers
est une coutume ancienne
qui tend à disparaître
avec le recul de ce type
d'embarcation.

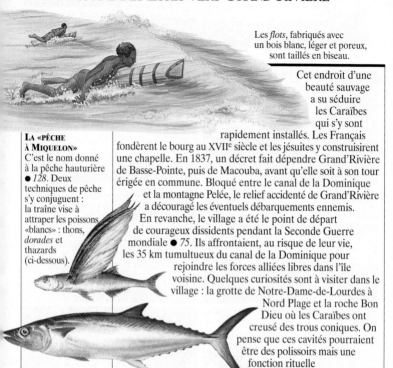

▲ DE MORNE DES ESSES VERS GRAND'RIVIÈRE

Les *flots*, fabriqués avec
un bois blanc, léger et poreux,
sont taillés en biseau.

Cet endroit d'une
beauté sauvage
a su séduire
les Caraïbes
qui s'y sont
rapidement installés. Les Français
fondèrent le bourg au XVIIe siècle et les jésuites y construisirent
une chapelle. En 1837, un décret fait dépendre Grand'Rivière
de Basse-Pointe, puis de Macouba, avant qu'elle soit à son tour
érigée en commune. Bloqué entre le canal de la Dominique
et la montagne Pelée, le relief accidenté de Grand'Rivière
a découragé les éventuels débarquements ennemis.
En revanche, le village a été le point de départ
de courageux dissidents pendant la Seconde Guerre
mondiale ● 75. Ils affrontaient, au risque de leur vie,
les 35 km tumultueux du canal de la Dominique pour
rejoindre les forces alliées libres dans l'île
voisine. Quelques curiosités sont à visiter dans le
village : la grotte de Notre-Dame-de-Lourdes à
Nord Plage et la roche Bon
Dieu où les Caraïbes ont
creusé des trous coniques. On
pense que ces cavités pourraient
être des polissoirs mais une
fonction rituelle
n'est pas à exclure.

**LA «PÊCHE
À MIQUELON»**
C'est le nom donné
à la pêche hauturière
● *128*. Deux
techniques de pêche
s'y conjuguent :
la traîne vise à
attraper les poissons
«blancs» : thons,
dorades et
thazards
(ci-dessous).

L'ATTRAIT DE LA MER. Grand'Rivière est surplombée de
falaises abruptes de 200 m de hauteur et la côte, au-delà, est
découpée en pointes dangereuses : pointes de Grand'Rivière,
du Souffleur et cap Saint-Martin. Le littoral alentour offre
aussi des anses sablonneuses Bagasse, Morne Rouge, Dufour
et, en redescendant vers Le Prêcheur, l'anse Couleuvre. Il y a
encore trente ans, on fabriquait du rhum de qualité à Beauséjour.
Mais la culture de la canne a été remplacée par celle de
la banane et les cultures maraîchères. La commune est surtout
connue pour ses pêcheurs. Avec leurs gommiers ● 108,
ils s'élancent dans le canal de la Dominique jusqu'à «Miquelon»
● *128* pour rapporter *dorades*, thons, requins, thazards, *volants*
(ci-dessus) et *bourses*. Autrefois, on pouvait voir des enfants
chevauchant hardiment des *flots* (billes de bois taillées dans
le tronc du *bois-flot*) et surfant sur la houle de l'Océan, mais
la création d'un port en 1989, fermé par une digue en
blocs de béton, a fait disparaître cette impressionnante
vision. À terre, on se baigne dans les cascades
et on pêche des *écrevisses* en soulevant
les pierres des rivières. Grand'Rivière
est aussi la terre natale d'un grand
romancier Tony Delsham.

"Le pays depuis
la rivière Capot, où
commence la paroisse
de la Bassepointe
jusqu'à la grand
rivière qui sépare
celle du Macouba
de la paroisse
du Prêcheur,
desservie par
les jésuites, est sans
contredit le plus beau
pays, le meilleur,
et le plus assuré
de toute l'île."
                J.-B. Labat

Gommiers
sur la plage
de Grand'Rivière,
photographiés au
début du XXe siècle.

LE CENTRE

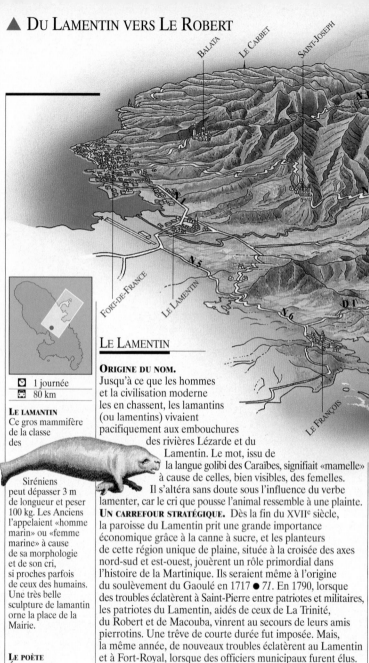

BALATA
LE CARBET
SAINT-JOSEPH
N 3
N 4
FORT-DE-FRANCE
LE LAMENTIN
N 5
D 1
N 6
LE FRANÇOIS

⏱	1 journée
🚗	80 km

LE LAMENTIN
Ce gros mammifère de la classe des

Siréniens peut dépasser 3 m de longueur et peser 100 kg. Les Anciens l'appelaient «homme marin» ou «femme marine» à cause de sa morphologie et de son cri, si proches parfois de ceux des humains. Une très belle sculpture de lamantin orne la place de la Mairie.

LE POÈTE ÉTIENNE LÉRO
Il est né au Lamentin en 1909 et mourut à Paris en 1939. Fondateur du groupe Légitime Défense, il s'était rallié en 1932 au groupe surréaliste.

La place du Calebassier et la rue des Trois-Chandelles.

LE LAMENTIN

ORIGINE DU NOM.
Jusqu'à ce que les hommes et la civilisation moderne les en chassent, les lamantins (ou lamentins) vivaient pacifiquement aux embouchures des rivières Lézarde et du Lamentin. Le mot, issu de la langue golibi des Caraïbes, signifiait «mamelle» à cause de celles, bien visibles, des femelles. Il s'altéra sans doute sous l'influence du verbe lamenter, car le cri que pousse l'animal ressemble à une plainte.

UN CARREFOUR STRATÉGIQUE. Dès la fin du XVIIe siècle, la paroisse du Lamentin prit une grande importance économique grâce à la canne à sucre, et les planteurs de cette région unique de plaine, située à la croisée des axes nord-sud et est-ouest, jouèrent un rôle primordial dans l'histoire de la Martinique. Ils seraient même à l'origine du soulèvement du Gaoulé en 1717 ● 71. En 1790, lorsque des troubles éclatèrent à Saint-Pierre entre patriotes et militaires, les patriotes du Lamentin, aidés de ceux de La Trinité, du Robert et de Macouba, vinrent au secours de leurs amis pierrotins. Une trêve de courte durée fut imposée. Mais, la même année, de nouveaux troubles éclatèrent au Lamentin et à Fort-Royal, lorsque des officiers municipaux furent élus. Aidés par les mulâtres,

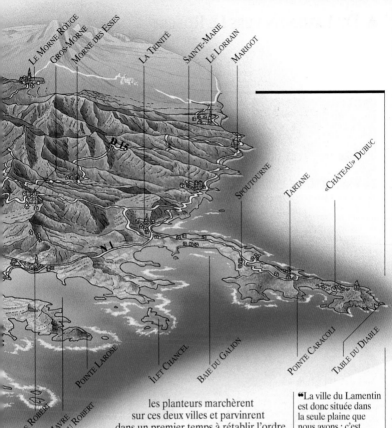

LE MORNE-ROUGE · GROS-MORNE · MORNE DES ESSES · LA TRINITÉ · SAINTE-MARIE · LE LORRAIN · MARIGOT · «CHÂTEAU» DUBUC · TARTANE · SPOUTOURNE · P13 · N1 · TABLE DU DIABLE · POINTE CARACOLI · BAIE DU GALION · ÎLET CHANCEL · POINTE LAROSE · HAVRE DU ROBERT · LE ROBERT

les planteurs marchèrent
sur ces deux villes et parvinrent
dans un premier temps à rétablir l'ordre.
En septembre 1790, les aristocrates, chassés
du Fort-Royal, fortifièrent l'habitation Acajou

▲ *292.* Au cours de ce mémorable combat dit bataille du
25 Septembre ou bataille de l'Acajou, Dugué, son fils Courville,
et de Percin, surnommé «le vainqueur de l'Acajou», firent
battre en retraite l'armée
de Dugommier. Près de quatre
cents tués ou blessés furent
abandonnés sur le terrain.

PROSPÉRITÉ ÉCONOMIQUE.
Les habitants du Lamentin, hier
producteurs agricoles ou grands
industriels et aujourd'hui surtout
commerçants, excercent toujours
une influence économique
et politique sur le pays.
Le 23 mars 1961, une grève
agricole éclata. De violentes manifestations se déroulèrent
rue Hardy-de-Saint-Omer à la suite de l'arrestation
de deux grévistes : deux hommes et une femme furent tués
par les balles des forces de l'ordre.
Le Lamentin est à présent la deuxième ville du pays et
ne cesse de se développer avec la proximité de l'aéroport
international et de la capitale et une population qui a doublé
en vingt ans. C'est la première région industrielle de l'île.
L'usine de Lareinty ne broie plus de canne et celle de l'Acajou
a été démontée, mais d'autres activités leur ont succédé :
des industries du froid et de la conservation alimentaire,
la raffinerie de la SARA, la Brasserie Lorraine, les abattoirs.
ÉGLISE. Vers 1688, une chapelle fut construite selon le désir
des paroissiens dans le quartier Rivière Lézarde.

❝La ville du Lamentin
est donc située dans
la seule plaine que
nous ayons ; c'est
pour désigner ce seul
endroit que la langue
créole utilise le mot
Plaine, partout ailleurs
elle parle de coulée.❞
Patrick Chamoiseau

**LE MARCHÉ
DU LAMENTIN**
Jusqu'au début
du XIXe siècle
ce marché était
le plus animé de l'île.
Les esclaves
y vendaient
une partie de
leur ration de morue
et surtout les produits
de leurs jardins.
Même les Pierrotins
venaient, en canot,
s'y approvisionner.

▲ DU LAMENTIN VERS LE ROBERT

Dans l'église du Lamentin,
les rois mages des vitraux ont
les traits d'habitants de la paroisse.

ÉGLISE DU LAMENTIN
Elle possède
les caractéristiques
des églises de type
«rectangulaire» : plan
en croix latine, attique
de même largeur que
le rez-de-chaussée
et colonnes adossées
sur la façade.

Lavandières de
Saint-Joseph.

Mais de nombreuses
inondations firent
déménager les habitants
et une autre chapelle fut
construite près de l'actuelle ville du Lamentin,
en 1699. L'emplacement étant toujours insalubre et
infesté de moustiques, on procéda à l'assainissement
des marécages. Aujourd'hui, l'église est l'une
des plus originales de l'île. Dans la partie droite de la nef,
des vitraux (ci-dessus) représentent des personnalités locales
(Emmanuel Quitman, Désir, l'entrepreneur, le père Reungoat,
l'abbé Soubie, Mathilde Belaire, Ophélia Vérin) dont
certaines sont encore vivantes. Et la décoration du chœur,
réalisée dans les années 1950, a été faite en prenant comme
modèles des enfants de la commune pour figurer les anges.

SAINT-JOSEPH

À 12 km du Lamentin, en plein
cœur de la Martinique, s'étend
le territoire verdoyant
et rafraîchissant de Saint-
Joseph. De nombreuses
rivières le traversent :
la rivière Monsieur,
la Jambette, la rivière
Prospérité, la Lézarde,
et, la plus importante,
la rivière Blanche, qui
alimente en eau potable
une partie du centre et du sud

**LE RHUM
SAINT-ÉTIENNE**
"Les principaux atouts
objectifs de ce rhum
sont : une distillerie
traditionnelle
«à l'ancienne», [...]
la qualité de l'eau
[...] et surtout
une qualité de canne
incomparable.**"**
*Le Livre de l'amateur
de rhum*

de la Martinique, ainsi que Fort-de-
France. L'eau règne partout à Saint-Joseph qui est la commune
la plus irriguée de l'île. Aussi le bourg est-il devenu célèbre
pour ses productions agricoles de canne, de banane et d'ananas.
On y trouve également des cultures vivrières, quelques
fabriques de conserve, de jus et de confitures.
On y développe aussi la floriculture.

FORÊTS. Les habitants comme les visiteurs aiment
à se promener dans la belle forêt de Rabuchon, dense et
luxuriante, à sous-bois très sombre ; un circuit de l'ONF
y a été aménagé, accessible à tous les promeneurs. On peut
pique-niquer au gué de Cœur-Bouliki, au bord de la rivière
Blanche. La forêt du morne des Olives, accrochée à
470 m sur les hauteurs, possède aussi des essences rares,
tels le *châtaignier grandes feuilles* ■ *280*, le *bois de fer*,
le *bois l'encens*, et des essences plus communes, telles
que les fougères arborescentes et les bambous géants. On
y trouve aussi des bois d'ébénisterie : *bois blanc*, teck, *bois-
rivière*, mahogani, courbaril, cyprès, *bois-flot* dans lequel
on sculpte des flotteurs de senne ● *126* pour la pêche.

ÉGLISE. À la fin du XVIIIᵉ siècle fut élevée une petite
chapelle entre la rivière Blanche et la rivière Lézarde.
Comme elle resta inachevée, on lui donna l'amusant surnom
de Chapelle sans Croupion. En 1863, cette chapelle,
qui était régulièrement fréquentée, fut érigée en église
paroissiale. En 1874, l'abbé Maillard fit déménager
cette dernière et le village sur son habitation de
La Rosière, située 4 km plus loin. Certains fidèles

peu satisfaits de cet éloignement ne montrèrent aucun
enthousiasme, ce qui retarda les travaux d'achèvement de
l'édifice. Puis paroisse et terres environnantes furent érigées
en commune en 1888. Entre Saint-Joseph et Gros-Morne,
sur la N 4, avant la traversée de la rivière la Lézarde se trouve
la distillerie Saint-Étienne.

GROS-MORNE

Avec ses 240 m d'altitude, le gros morne, situé entre
les mornes du Calvaire, à l'ouest, et Vert-Pré à l'est, inspira
naturellement son toponyme au village qui s'y installa.
D'abord rattaché à La Trinité ▲ 278, le «quartier» du Gros-
Morne devint paroisse en 1743, puis fut érigé en commune
en 1837. Pendant la Révolution française, il servit en 1790
de siège au gouvernement du parti des planteurs durant
quelques mois. À cette époque, c'était le vicomte de Damas
qui était gouverneur, et les séances de l'Assemblée
coloniale se tenaient dans l'église. Perché
sur une hauteur, à équidistance de Saint-
Pierre et de Fort-Royal, Gros-Morne occupait
de plus une position centrale dans l'île. Aussi,
la commune fut-elle à nouveau occupée
par les royalistes en 1793. Rochambeau
les battit à Vert-Pré, où l'on peut encore voir
les vestiges du fort Rochambeau, et son nom fut
donné au village de Gros-Morne afin d'honorer
le vainqueur. Du belvédère de la commune,
on pourra admirer le splendide panorama
de la baie du Robert.

UN FIEF PAYSAN. Avec son agréable climat
et ses pluies abondantes, Gros-Morne a
des activités essentiellement agricoles
et est considéré comme le «fief de
la paysannerie». Depuis des siècles,
les habitants ont le «culte de
la terre». Plus de mille cinq
cents exploitations agricoles
produisent surtout des cultures
vivrières et de la canne,
de la banane ainsi que
de l'ananas.

**GROS-MORNE
ET SES ÉGLISES**
On entreprit
de bâtir une église
dédiée à Notre-Dame
de la Visitation
en 1730. Les travaux
durèrent vingt-cinq
ans. Puis, elle
devint trop petite
et on en édifia
d'autres.
Celle que l'on
voit aujourd'hui
(ci-dessus) est
admirablement
située et possède
trois beaux autels.

L'ANANAS
«L'ananas est
cependant un des plus
beaux fruits du monde,
son goût et son odeur
répondent à
sa beauté.» J.-B. Labat

La rue de l'Église
au début du
XXe siècle.

▲ Du Lamentin vers Le Robert

LE SITE RUINÉ DU «CHÂTEAU» DUBUC
Dans un paysage paisible
s'éparpillent les traces
d'une histoire violente et forte.

HÔTEL SAINT-AUBIN
Sur l'ancienne route
de Sainte-Marie,
cette maison de type
«colonial» domine
la baie de La Trinité.

Les anciennes distilleries comme Courville et Saint-Étienne ont été remplacées par des industries de fruits au sirop, de confitures et de gelées.

LA TRINITÉ

Avant de devenir paroisse autonome en 1678, La Trinité dépendait de Sainte-Marie et était composée de trois quartiers qui finirent par former une seule agglomération. D'où, peut-être, le nom de La Trinité que l'on donna au bourg. À la même époque, le comte de Blénac ▲ *185* fit tracer un chemin le reliant à Fort-de-France.

LA TRINITÉ
Le bourg s'est installé
à l'embouchure
d'une petite rivière,
au fond d'une baie
abritée de la mer,
souvent houleuse,
par la presqu'île
de la Caravelle
(ci-contre, un détail
d'une carte de 1785).
La proximité de l'eau
douce favorisa
son essor, tandis que
celle d'un port permit
les échanges avec
l'intérieur, alors plus

En 1694, le père Labat décrit ainsi La Trinité : « Le bourg de la Trinité n'était composé dans ce temps-là que d'environ 60 à 80 maisons, partie de bois, partie de roseaux, couvertes de paille, bâties toutes sur une ligne courbe, qui suivait la figure du golfe ou du port. Ce bourg s'est beaucoup augmenté parce que la quantité considérable de cacao, de sucre, de coton, etc., que l'on fabrique dans ces quartiers-là […] y ont attiré bon nombre de marchands et quantité de vaisseaux […] qui y font fleurir le commerce.» La Trinité devint par la suite l'une des quatre lieutenances royales de l'île, la résidence d'un régiment de la milice martiniquaise et même le siège d'un tribunal d'Amirauté. Pendant

faciles par voie de mer.
Ci-dessus,
la promenade
du front de mer ;
ci-dessous, une vue
du port, avec
au premier plan
une usine.

la Révolution française, c'est de son port que les planteurs royalistes exportèrent leurs productions. Au XIX° siècle, un réseau de voies ferrées fut même créé pour acheminer les marchandises vers Fort-de-France. Quelques vestiges subsistent parmi la végétation. Dans ce port animé, les vaisseaux venaient aussi s'approvisionner en tabac, cacao et coton. Après la destruction de Saint-Pierre en 1902, La Trinité prit de plus en plus d'importance dans la région. Avec plus de 11 000 habitants, c'est aujourd'hui

la dixième commune de l'île. Région accueillante et belle, port abrité des vents et proximité de la presqu'île de la Caravelle sont autant de facteurs d'un développement touristique réussi.

LE JOUR OÙ LA MER FUT PRISE DE FOLIE. Le 1er novembre 1755, sous le règne de Louis XV le Bien-Aimé, à deux heures de l'après-midi, insidieusement, sans faire de vagues, le niveau de la mer monta d'environ soixante centimètres de plus que d'habitude. Les curieux commençaient à commenter le phénomène lorsque, brusquement, en quatre minutes, dit-on, la baie entière se vida mettant les bateaux à sec. Les plus hardis s'élancèrent pour attraper les poissons qui s'étaient laissés surprendre. Mais, sans crier gare, l'eau revint et plusieurs manquèrent de se noyer. Insatisfaite de cette première facétie, la mer remonta si bien qu'elle envahit les rez-de-chaussée des entrepôts, gâtant toutes les marchandises qui y étaient stockées. Trois fois, à un quart d'heure d'intervalle environ, le phénomène se renouvela. Reste à savoir pourquoi les Trinitéens eurent droit à ce mouvement d'humeur puisque Sainte-Marie, au nord, et le Robert, au sud, ne s'aperçurent de rien.

LA CARAVELLE ♥

Quittant La Trinité, on roulera jusqu'à la pointe de cette presqu'île majestueuse, où se dressent les ruines de l'habitation Dubuc.

UN «ENGAGÉ» NOMMÉ DUBUC. Le père Labat, qui connaissait les conditions dans lesquelles Pierre Dubuc arriva à la Martinique en 1657, n'osa pas en divulguer le récit. De fait, engagé pour trois ans par un maître très dur et craignant de mourir, Dubuc attendit un jour ce dernier au détour d'un chemin, un écritoire dans une main, un pistolet dans l'autre. L'ayant ainsi contraint à signer son acte de libération, il s'enfuit pour la Martinique.

«CHÂTEAU» DUBUC. En 1658, après de violents combats, les vainqueurs des derniers Caraïbes se partagèrent les terres de l'est. Balthazar, le troisième fils de Pierre Dubuc, s'établit à la Caravelle. Bien que les Martiniquais maintiennent aujourd'hui le nom d'habitation de la Caravelle à l'endroit, l'habitude a été prise de le nommer «château» Dubuc, autant par allusion à la noblesse indue de Pierre Dubuc – il acheta en 1701 ses lettres de noblesse pour 6 000 livres qu'il ne versa jamais – que pour donner au site un faste susceptible d'attirer les touristes. À partir de l'habitation Dubuc, se déroulaient de nombreuses activités illicites avec les flibustiers, comme le trafic du bois d'ébène ● *86* et de marchandises diverses, dérobées sur des bateaux arraisonnés. Ces marchandises étaient échangées contre de la viande, de la poudre et des balles à mousquet.

L'ARA DE MARTINIQUE Cette espèce endémique de la Martinique a disparu au XVIIIe siècle. Elle est fort mal connue car rares sont les témoignages.

UNE ESPÈCE DISPARUE «Ceux de la Martinique ont le même plumage que ces derniers [ceux de la Dominique] excepté que le dessus de la tête est de couleur d'ardoise avec quelque peu de rouge.» Cette description du perroquet de la Martinique par J.-B. Labat est tout ce que l'on connaît de cette espèce disparue au XVIIIe siècle.

HABITATION DUBUC À gauche, la citerne et les cachots ; au centre, la maison de maître avec à l'arrière-plan les dépôts, enclos et cuisines ; à droite, le petit musée au toit neuf et, dans le coin droit, l'ancien four à pain aménagé en bureau d'accueil.

▲ LA RÉSERVE NATURELLE DE LA CARAVELLE

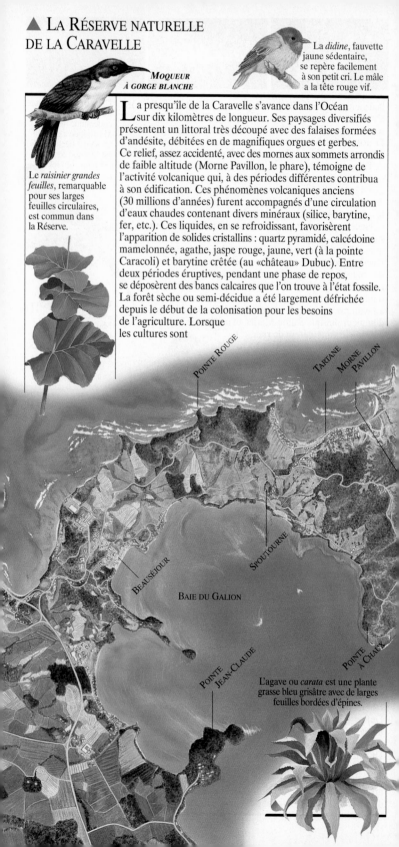

MOQUEUR À GORGE BLANCHE

La *didine*, fauvette jaune sédentaire, se repère facilement à son petit cri. Le mâle a la tête rouge vif.

Le *raisinier grandes feuilles*, remarquable pour ses larges feuilles circulaires, est commun dans la Réserve.

La presqu'île de la Caravelle s'avance dans l'Océan sur dix kilomètres de longueur. Ses paysages diversifiés présentent un littoral très découpé avec des falaises formées d'andésite, débitées en de magnifiques orgues et gerbes. Ce relief, assez accidenté, avec des mornes aux sommets arrondis de faible altitude (Morne Pavillon, le phare), témoigne de l'activité volcanique qui, à des périodes différentes contribua à son édification. Ces phénomènes volcaniques anciens (30 millions d'années) furent accompagnés d'une circulation d'eaux chaudes contenant divers minéraux (silice, barytine, fer, etc.). Ces liquides, en se refroidissant, favorisèrent l'apparition de solides cristallins : quartz pyramidé, calcédoine mamelonnée, agathe, jaspe rouge, jaune, vert (à la pointe Caracoli) et barytine crêtée (au «château» Dubuc). Entre deux périodes éruptives, pendant une phase de repos, se déposèrent des bancs calcaires que l'on trouve à l'état fossile. La forêt sèche ou semi-décidue a été largement défrichée depuis le début de la colonisation pour les besoins de l'agriculture. Lorsque les cultures sont

POINTE ROUGE

TARTANE

MORNE PAVILLON

SPOUTOURNE

BEAUSÉJOUR

BAIE DU GALION

POINTE JEAN-CLAUDE

POINTE À CHAUX

L'agave ou *carata* est une plante grasse bleu grisâtre avec de larges feuilles bordées d'épines.

BOIS SILICIFIÉ
La fossilisation
conserve la texture
des différentes espèces.

GOMMIER ROUGE
À la floraison, il perd
ses feuilles composées,
et se couvre de fleurs
blanc pâle.

abandonnées, la savane s'installe avec son cortège
de graminées et de légumineuses et arrive également l'un
des oiseaux les plus typiques, le *cici z'herbe* ou sporophylle
à face noire qui s'agrippe aux épis. Parmi les insectes de
ce milieu sec et ouvert, les gros criquets bruns s'enfuient
sous le pas des bêtes, et toute une série de piérides blanches
ou safran volent au ras des herbes.
La forêt sèche a divers faciès : les fourrés aux épineux, adaptés
au manque d'eau, les acacias aux pompons jaunes dont
les épines acérées protègent les nids des grives des savanes
ou *moqueurs* des
prédateurs…

CALCÉDOINE
Elle présente des
concrétions de texture
jaunâtre mamelonnée.

JASPE
C'est une roche
siliceuse rouge, jaune
ou verte.

CHÂTEAU DUBUC — POINTE DU DIABLE — PHARE — ANSE DU BOUT — ANSE CHANDELIER — ÎLET LAPIN — ANSE L'ÉTANG — BAIE DU TRÉSOR — POINTE FERRET — ÎLET DU TRÉSOR — POINTE CARACOLI — BAIE GRANDJEAN — POINTE LA BATTERIE

BARYTINE CRÊTÉE
Reconnaissable
à sa forte densité
elle présente un l'éclat
vitreux et rougeâtre.

La pétrification
de cette souche
de palmier s'est faite
il y a plusieurs
millions d'années.

**DÉCOUVERTE
DE LA MANGROVE**
La visite de la
mangrove peut
s'effectuer par un
sentier qui démarre
du parking du
Château Dubuc.
En 1 h 30, il traverse
quatre étages
de végétation qui
se succèdent jusqu'à
l'océan. Un point
d'observation
aménagé et
un ensemble de
panneaux expliquent
la formation
de la végétation
et ses conditions
de développement.
Un parcours
très didactique,
passionnant.

Les campêches
constituent souvent
des peuplements
denses et homogènes
d'arbustes en bordure
des mangroves.
Les grappes jaune d'or
des fleurs de campêche
dégagent une odeur suave
qui attire les abeilles. Dominant
ces arbustes se dressent les *poiriers*
aux troncs tourmentés, qui abritent
parfois des mygales ou *matoutous-falaise* ■ 43.
La transition entre les bois des régions sèches et ceux de
la forêt humide de moyenne altitude se fait sur les versants
du sud de la Réserve avec des essences remarquables comme
le *bois rouge* et les *raisiniers grandes feuilles*, où vivent
de nombreux oiseaux dont deux espèces rares – l'oriole
de la Martinique, ou *carouge* ■ 45, et le *moqueur à gorge
blanche*, endémique de la Réserve de la Caravelle.

CACTUS-RAQUETTE
Ce cactus est
une espèce indigène
du bassin
de la Caraïbe.
Il pousse le long
du littoral, sur
des sols sableux,
calcaires,
ou sur
des récifs
madréporiques,
et forme des
buissons de 50 cm
à 2 m de hauteur.

UN MUSÉE POUR UN LIEU DE MÉMOIRE. Cette habitation
à l'histoire mouvementée est désormais ouverte au public.
Il faut laisser sa voiture sur le parking aménagé à cet effet.
Sur la gauche, le bureau d'accueil n'est autre que l'ancien
four à pain restauré. Contiguës au four, les cuisines, dont
il ne reste que les pans ruinés, étaient séparées de la maison
de maître à cause des risques d'incendie. Elles devaient être
surmontées d'une terrasse ou d'un galetas
car on y voit les vestiges d'un escalier.
À droite, près du parking, un petit
musée pédagogique a été aménagé.
On y présente les méthodes de
fabrication du sucre, des tessons
d'objets en céramique, alors
importés de France pour être
échangés contre des denrées
tropicales, des objets en métal
et en fer. Non loin se dresse
la maison de maître ● *144* avec
des embrasures de portes et de fenêtres
taillées dans la pierre et dans des blocs
de madrépore. Le sol est pavé de dalles en
terre cuite. Sous un escalier extérieur en pierre qui conduisait
à l'étage avait été aménagé un cachot, dans lequel on aperçoit
des graffitis représentant des bateaux. On peut voir les vestiges
d'une citerne, autrefois couverte, installée face à la mer et
conçue pour recevoir les eaux de pluie par une conduite à ciel
ouvert. À l'est, un bassin semi-circulaire a été aménagé
en fontaine. En contrebas se trouve une bâtisse allongée,
divisée en quatre parties : c'étaient des cachots d'esclaves.
En descendant la pente, on arrive au moulin circulaire
de broyage ● *136*, alors actionné par des bœufs. Une gouttière
● *140* suspendue amenait, par un passage souterrain, le jus de
canne dans un bassin de brique. Au bas de la pente, se trouve
la sucrerie qui comportait huit cuves de cuisson. Vers le sud
du site, un ensemble de nombreuses ruines devait être
des entrepôts servant à stocker les marchandises
diverses. Devant la mer existe toujours
un four à chaux dans lequel on cuisait
les coraux. En longeant la mer,
on arrive à l'embarcadère et
à d'autres entrepôts, où furent
retrouvés des creusets à plomb.
Plus à l'est, s'élevaient

de nouveaux dépôts. On remarque également un ponceau
à voûte qui permettait de retenir les eaux de ruissellement.
La mangrove a progressé sur la baie du Trésor et le rivage
se trouve maintenant à une quarantaine de mètres des anciens
quais. On a accès à une jolie plage.

PHARE DE LA CARAVELLE ET SES ENVIRONS. Il faut revenir
à la bifurcation qui conduit à l'habitation Dubuc et prendre,
à pied, l'autre piste, qui mène au phare. Du calvaire,
on découvre un panorama exceptionnel sur l'ensemble
de la presqu'île. Plus bas, on peut accéder à la station
météorologique (fermée au public) qui se situe au milieu
des *cactus-cierges* et des agaves, et de là gagner par un sentier
la plage de l'anse du Bout. À marée basse,
il est possible d'explorer le platier et d'y
découvrir une flore et une faune marines
particulièrement riches. Sur la route
du retour en direction de Tartane,
une halte s'impose à l'anse l'Étang, belle
plage bordée de cocotiers. Il faut prendre
le temps de grimper à pied sur
la pointe de l'anse l'Étang
à l'extrémité de laquelle
se dresse une grande
table d'orientation
en céramique, car entre
celle-ci et la pointe Tartane,
se situe une autre plage sauvage,
l'anse de la Grande Pointe, fouettée par
de fortes vagues et bordée d'énormes mancenilliers ■ 26.

TARTANE. Ce paisible hameau de pêcheurs situé entre la pointe
du Diable et La Trinité,

STATUE DE SAINT CHRISTOPHE
Un kilomètre après Le Robert, en direction du Lamentin, se dresse cette statue de saint Christophe.

FONDATION DE LA PAROISSE DU ROBERT
Il faut attendre le dernier quart du XVIIe siècle pour que la colonisation dépasse la rivière du Galion. L'emplacement de la paroisse fut choisi par le père Labat.

L'ENTRÉE DU BOURG

s'allonge sur le bord de mer et possède de superbes plages. Dans ces eaux coralliennes vivent d'innombrables variétés de poissons tropicaux. Sur la route, avec une vue imprenable sur le bord de mer, se trouve l'ancienne distillerie Hardy. La plantation, la vente et la dégustation ont toujours lieu sur place, tandis que la distillation s'effectue à 15 km, dans le village de Sainte-Marie.

USINE DU GALION (commune de la Trinité). On reprend, sur la gauche en quittant la presqu'île, la N 1 qui mène au Robert. Très vite, on découvre, face à la baie splendide du Galion, l'usine créée en 1865 par Eugène Eustache sur l'habitation Grands-Fonds. Cette usine prit le nom de Galion, à la suite de sa réunion avec l'habitation située près de la rivière du même nom, où, dit-on, des grands navires de guerre (les galions) espagnols s'avitaillaient en eau potable. Aujourd'hui, malgré le déclin du sucre et la fermeture des usines, celle du Galion fonctionne toujours et emploie plus de cent cinquante personnes. Elle produit du rhum industriel. C'est la seule usine à sucre de l'île.

LE ROBERT

On pense que le nom de la commune, appelée d'abord Cul-de-Sac Robert, vient du sieur Robert qui habita le site en cul-de-sac où fut bâti le bourg. Il eut une nombreuse descendance et certains habitants du Robert portent encore ce nom.

HISTOIRE. De nombreux habitants du Robert participèrent aux troubles de la Révolution entre patriotes et aristocrates, en 1790. En 1793, l'armée des royalistes, menée par Godin de Soter, fut vaincue par Rochambeau au Vert-Pré ▲ 277. En 1809, douze mille Anglais conduits par l'amiral Cochrane débarquèrent au Robert. Huit mille allèrent jusqu'à Fort-de-France, en passant par Vert-Pré, quatre mille marchèrent sur Le Lamentin. Le 31 janvier 1809,

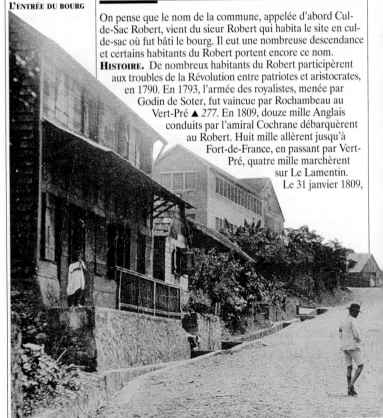

ils n'étaient plus qu'à un kilomètre du fort Desaix.
Le 24 février 1809, l'amiral Villaret de Joyeuse capitule et
laisse la Martinique aux Anglais. De vieux canons
comme ceux de la pointe Fort, de l'habitation
Pointe Lynch ou du sémaphore de l'habitation
Leblanc-Morinière témoignent de ces batailles.
En 1863, lors de la guerre du Mexique, le Robert a
fourni un grand nombre d'engagés volontaires. Lorsque
la catastrophe de 1902 anéantit Saint-Pierre, plusieurs
officiels étudièrent la possibilité d'aménager un grand
port à l'est de l'île pour remplacer Saint-Pierre,
mais le projet ne fut pas réalisé.

ÉGLISE. La paroisse du Robert fut créée en 1694,
comme nous l'indique le père Labat : «J'ai reçu
le dimanche vingt-neuf août, une lettre de M. l'Intendant qui
me priait d'aller au Cul-de-Sac Robert avec le P. Martelli pour
chercher un lieu commode pour bâtir une église
et un presbytère et pour placer un bourg dans
ce quartier-là. Ce cul-de-sac est un port naturel
des plus beaux qu'on puisse imaginer, capable
d'abriter une armée navale quelque nombreuse
qu'elle puisse être, si commodément que les plus gros
vaisseaux peuvent mouiller en bien des endroits,
assez près de la terre pour y mettre
une planche.» De violents cyclones
(en 1813 et en 1891) et
un tremblement de terre (en 1839)
causèrent d'importants ravages.
En 1898, l'église fut rebâtie, avec
le presbytère, dans le bourg.
En 1917, un tragique incendie fit
périr le père Guillemot, curé de
la paroisse. Presbytère et archives furent
totalement détruits.

**ÉTOILE DE MER
ET OURSIN *CHADRON***

LES FOURS À CHAUX
Au temps du père
Labat, la chaux
était faite à partir
du corail ou encore
des coquilles
de *lambis*, de casques
ou de porcelaines.
De cette chaux vive
«beaucoup meilleure
que celle d'Europe»
il avoue qu'«il est vrai
qu'elle mange un peu
le bout des doigts
des maçons […] et
d'ailleurs c'est à eux
d'y prendre garde
et à s'y accoutumer».
Des fours à chaux
plus ou moins en état
peuvent être visités
sur l'îlet Chancel,
à la pointe Banane
et à la pointe Larose.

LA SULTANE VALIDÉ. Laissons d'abord parler l'historien Sidney Daney, qui écrit en 1846 : «Au quartier du Robert, sur l'habitation La Pointe Royale vint au monde, en 1766, Aimée Dubuc de Rivery […]. Envoyée en France pour y recevoir une éducation élégante et soignée, elle passa plusieurs années dans la maison des Dames de la Visitation, située à Nantes. À dix-huit ans, elle fut rappelée par sa famille et s'embarqua dans ce port en 1784 […]. Le navire, atteint d'une voie d'eau […], fut rencontré par un bâtiment espagnol qui recueillit l'équipage et les passagers du navire nantais. Au moment d'atteindre sa destination, l'Espagnol fut attaqué et capturé par un corsaire algérien. Aimée Dubuc de Rivery, accompagnée d'une vieille gouvernante, fut conduite à Alger. Le dey de cette régence, frappé par sa beauté, et, suivant les mœurs orientales et barbaresques de cette nation, voulant faire la cour au Grand Turc, son maître, lui expédia la jeune fille en présent. Selim III […] ne fut pas insensible aux charmes de la captive […]. La jeune créole, subissant à regret sans doute son étrange destinée, devint la sultane favorite du Grand Seigneur, et, en 1806, son fils né en 1785, ayant pris les rênes de l'empire turc, sous le nom de Mahmoud II, elle se trouva sultane validé.» Ainsi fut transmise l'histoire fabuleuse de cette «reine mère» par le récit qu'en fit, en 1846, l'historien Sidney Daney. Le conte semble pourtant trop beau à de nombreux historiens sans pourtant qu'aucun contredit n'ait pu être retenu.

LES ÎLETS. Placé au fond d'une baie de 8 km de longueur sur 5 km de largeur, Le Robert est protégé par deux avancées : la pointe Larose au sud et la pointe Rouge au nord. Il possède neuf îlets verdoyants : des Chardons ou Boisseau, Petit Piton, Ramville ou Chancel, à l'Eau, aux Rats, Petit-Vincent, Petite Martinique, Larose ou Madame, Ragot ou de la Grotte. On peut les découvrir en promenades organisées, par les pêcheurs du Robert ou en kayak de mer. Toute la faune sous-marine de la baie est très riche, mais elle l'est encore plus aux abords des îlets. En creusant le sable avec le talon, on peut récolter des *soudons* ■ 24 (petites palourdes très savoureuses), des grosses étoiles et des oursins de sable ; les *lambis* ■ 32 se font malheureusement de plus en plus rares. L'îlet Chancel est le plus grand et possède une belle plage ainsi qu'une petite habitation qu'il faudrait restaurer. Sur l'îlet Madame ont été aménagés des abris, un ponton et une plage agréable. Il ne faut pas manquer le Loup-Garou (un banc de sable souvent considéré comme le dizième îlet), situé plus à l'est dans l'Océan, mais il n'est accessible que par mer calme : les vagues pénètrent avec violence dans une voûte longue de 9 m et large de 3 m puis se calment dans une crique de sable blanc où l'on peut même trouver des *raisiniers*. Cet endroit s'appelle le Gouffre et l'on dit que : «Qui s'est baigné au Gouffre, ne peut s'empêcher d'y retourner.» Sur le long de la côte, et sur les îlets, existent toujours de nombreux fours à chaux : les madrépores recueillis le long du littoral y étaient

LES ÎLETS
De haut en bas :
îlets Chancel, Ragot, Petit-Piton,
Loup-Garou et Madame.

TOURISME AU ROBERT

Consacrée à la canne à sucre jusqu'à la fermeture, en 1963, de son usine, la commune du Robert cultive la banane, les produits maraîchers et développe l'élevage. L'atout de ses îlets en fait, de plus, un lieu d'attraction touristique. Une cinquantaine de patrons de pêche y sont répertoriés, dont l'activité traditionnelle se complète d'excursions qu'ils proposent aux touristes. L'Ifremer, installé à la pointe Fort, apporte sa caution scientifique à cette vocation.

STROMBE COMBATTANT

Ce coquillage, dont la couleur est rouge, jaune ou orangé, fréquente les prairies à thalassies ■ *31*.

L'ÎLET CHANCEL

Il fut appelé îlet Ramville à cause de Dubuc de Ramville, puis îlet Chancel du nom d'un autre propriétaire. Il a d'abord appartenu aux religieux dominicains qui par crainte des forbans et des Anglais se contentaient d'y élever des cabris et des porcs. Aujourd'hui, les pêcheurs qui y vivent protègent les iguanes ▲ *201*, pour lesquels l'îlet est devenu un sanctuaire.

▲ Du Lamentin vers Le Robert

LA MANGROVE ■ 24
L'étymologie du mot mangrove est multiple donc incertaine.
Il proviendrait de l'anglais *mangle*, dérivé du nom malais du palétuvier, et des mots *grove*, désignant un petit bois, ou *row*, signifiant le rideau ou la rangée. Ces deux termes pourraient avoir été empruntés à l'espagnol qui les aurait lui-même tirés du taïno ● 52, langue amérindienne. Il s'agit d'une forêt qui ne dépasse pas 5 m ou 6 m de hauteur.

cuits afin de servir dans la construction. On peut voir un de ces fours sur l'îlet Chancel, où fonctionnait aussi une «poterie». Un hameau du Robert porte même le nom de «Four à Chaux».

PROMENADE AUX POINTES. Sur la pointe du Fort sont installés l'Ifremer et la station de l'Institut national des pêches. En suivant le chemin qui longe le havre du Robert, on peut marcher agréablement vers la pointe de l'Écurie, la pointe Rouge et terminer la promenade à la baie de Cayol.

VERT-PRÉ. C'est le hameau le plus important du Robert, situé à 4 km du bourg et à 300 m d'altitude. La vue y est splendide, le climat sain et l'endroit connu pour la fertilité de ses plantations de bananes et de ses cultures vivrières.

DUCHESNE. C'est l'un des «quartiers» très peuplés du Robert avec une population très dense. Situé à 4 km du bourg et à 400 m d'altitude, il bénéficie d'une vue imprenable, surtout depuis le morne Lacroix, son point culminant.

FÊTE NAUTIQUE. Chaque année, le 30 août, a lieu la fête de la commune qui coïncide avec l'anniversaire de sainte Rose de Lima. Quelques semaines plus tard, le troisième dimanche de septembre, se déroulent pendant la nuit des festivités nautiques qui attirent des milliers de spectateurs.

ANCIENNE USINE DU ROBERT. Elle se trouve à cinq kilomètres après le bourg, en direction du François. La route passe devant cette ancienne usine créée en 1848 et qui ferma ses portes en 1963. Avec elle disparaissait la principale activité agricole qui faisait vivre plus de quatre cents familles de la commune : la culture de la canne à sucre.

POINTE LAROSE. Elle ferme le havre du Robert au sud, et présente une grande variété de paysages : forêt sèche à *gommiers rouges* et à *ti-baumes*, forêt semi-humide et mangrove. Sur cette presqu'île, une petite communauté caraïbe se maintient après la mainmise des Français sur la totalité de la Martinique. Le père Labat ● 68 fait le récit de sa rencontre, le 12 septembre 1694, avec un Caraïbe du nom de La Rose, qui demeurait là. «Nous y échouâmes notre embarcation et [...] nous entrâmes dans le carbet du sieur La Rose [...]. Le Caraïbe La Rose est chrétien, aussi bien que sa femme et dix ou douze enfants qu'il a eu d'elle et de quelques autres qu'il avait avant d'être baptisé.» On a trouvé, sur ce site, une hache précolombienne qui confirme la présence des Amérindiens dans cette partie de la Martinique. On dit également que le dernier Caraïbe qui quitta la Martinique le fit pour la pointe Boyoca

HABITATION MARLET. Dans la partie ouest de la presqu'île, à la pointe Royale, se trouvent encore les vestiges (moulins, puits, tours) de l'habitation Marlet, où naquit en 1766, Aimée Dubuc de Rivery, légendaire sultane validé ▲ 286 du harem de Topkapi à Istanbul et cousine de l'impératrice Joséphine ▲ 310. Aujourd'hui, ce lieu privé est occupé par trois villas de békés.

HABITATION GAALON. À l'extrémité de la pointe Larose se trouve cette propriété privée qui eut son heure de gloire à la grande époque sucrière. Elle ne se visite pas.

Située sur le littoral des pays tropicaux et le plus souvent au fond des baies, la mangrove est soumise à des conditions variables de salinité et de submersion.
Elle rassemble un petit nombre d'essences qui se succèdent de la mer vers les terres : le *mangle rouge* ■ 24 avec ses racines-échasses, le *mangle gris* et ses pneumatophores, puis le palétuvier gris et le *mangle blanc*.

288

LE SUD-ATLANTIQUE

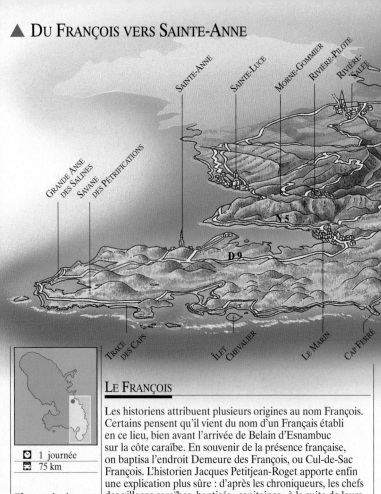

SAINTE-ANNE

SAINTE-LUCE

MORNE-GOMMIER

RIVIÈRE-PILOTE

RIVIÈRE-SALÉE

GRANDE ANSE DES SALINES

SAVANE DES PÉTRIFICATIONS

N 5

D 9

TRACE DES CAPS

ÎLET CHEVALIER

LE MARIN

CAP FERRÉ

⏱ 1 journée
🚗 75 km

«Le canal sait
que les hommes
de ces rives ont
connu des bonheurs
effrayants […]».
 Roger Parsemain,
 Prières chaudes

LE FRANÇOIS
Le canal au début
du XXᵉ siècle.

LE FRANÇOIS

Les historiens attribuent plusieurs origines au nom François.
Certains pensent qu'il vient du nom d'un Français établi
en ce lieu, bien avant l'arrivée de Belain d'Esnambuc
sur la côte caraïbe. En souvenir de la présence française,
on baptisa l'endroit Demeure des François, ou Cul-de-Sac
François. L'historien Jacques Petitjean-Roget apporte enfin
une explication plus sûre : d'après les chroniqueurs, les chefs
des villages caraïbes, baptisés «capitaines» à la suite de leurs
contacts avec des marins ou des religieux français, auraient
adopté leurs prénoms chrétiens. Le village aurait ensuite pris
le nom de son chef.
BRISANTS ET MOUSTIQUES. La baie du François était pourtant
considérée comme inabordable en raison des trop nombreux
brisants. La côte, à cet endroit, était inhabitable car marécageuse
et infestée de moustiques, au point de «désespérer ceux
qui n'y sont pas accoutumés», précisait le père Labat ● 68.
Une fois conquise, la région du François devint une terre
d'industrie. En 1794, les Anglais brûlèrent le bourg.
Au XIXᵉ siècle, la commune fut à nouveau éprouvée.

FRANÇOIS

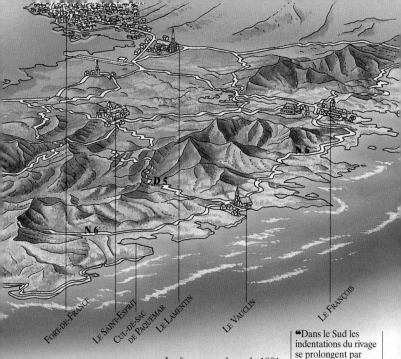

FORT-DE-FRANCE   LE SAINT-ESPRIT   CUL-DE-SAC DE PAQUEMAR   LE LAMENTIN   LE VAUCLIN   LE FRANÇOIS

N 6   D 5   N 6

"Dans le Sud les indentations du rivage se prolongent par des îles protégées par des lignes récifales."
Eugène Revert

Le fameux cyclone de 1891 y tua soixante personnes et fit plusieurs centaines de blessés. À la même époque fut construite, dans le bourg, une grosse usine qui fit travailler de nombreuses personnes. Aujourd'hui, la commune s'est agrandie au point de devenir la quatrième de la Martinique, avec plus de 15 000 habitants. Sa population, réputée laborieuse, vit de pêche, de commerce, d'agriculture, d'artisanat et d'industries diverses. Le tourisme s'y développe également, notamment grâce aux huit îlets Lavigne, Lapin, Oscar, Thiery, Métrente, Pelé, Long et Frégate.

Dans cette baie splendide, des hauts-fonds de sable blanc (ci-contre) forment des piscines que l'on peut découvrir au cours d'une promenade en bateau. On s'adressera pour cela aux pêcheurs du port.

ÉGLISE. C'est le père Labat ● *68* qui installa la première paroisse. D'abord construite en paille, en terre et en roseau, l'église fut partiellement détruite. Reconstruite, elle fut ravagée par l'ouragan de 1891. Un nouvel édifice, bâti par l'architecte Henri Picq ▲ *192*, fut à nouveau anéanti en 1973 par un incendie. Il a été remplacé par l'église très moderne conçue par Marc Alie.

LES BÉKÉS. Le terme de *Békés* ● *76* – qui semble provenir de la langue ibo dans laquelle il signifie étranger – désigne en Martinique les Blancs créoles dont Le François est l'un des fiefs. Ils y possèdent de somptueuses villas, parfois des îlets. Leurs attaches à cette région sont profondes.

Une rue du François au XIXᵉ siècle.

COURSE DE YOLES
Les compétitions s'effectuaient autrefois à bord de gommiers ● *108*, mais leur instabilité contribua à la construction des yoles rondes. Les régates ● *120* connaissent aujourd'hui un fort succès populaire et l'équipe du François est l'une des plus réputées de la Martinique.

AU
POURQUOI
PAS. CHEZ
E. TAREAU

GRAPPE BLANCHE
Rhum
Clément
RHUM
AGRICOLE
PUR MARTINIQUE

SPÉCIA...

Clément
RHUM
VIEILLES EN FÛTS DE CHÊNE
TRÈS VIEUX
RHUM AGRICOLE
PUR MARTINIQUE
1952

HABITATION CLÉMENT ♥. À la sortie du bourg, en direction du Saint-Esprit. Ce domaine exceptionnel de 300 ha, fut racheté en 1887 par Homère Clément (un mulâtre). Son fils Charles sut utiliser la publicité et fit ainsi connaître dans le monde la gamme des rhums Clément.
Le domaine de l'Acajou, avec son parc, sa maison de maître ● *144* restaurée, son mobilier du XVIIIe siècle, son ancienne usine et sa distillerie – ouverts au public à l'exception de cette dernière –, témoigne de la riche époque des plantations. Un audiovisuel présente la rencontre qui se tint dans ce cadre, le 14 mars 1991, entre George Bush et François Mitterrand à l'issue de la guerre du Golfe.
PONT ABEL. À l'entrée du bourg, les poutrelles métalliques de l'ancienne sucrerie évoquent les événements dramatiques qui s'y déroulèrent en 1900. Depuis les années 1880, la Martinique souffrait d'une crise sucrière générale.

HABITATION CLÉMENT
La maison de maître de cette habitation a été édifiée sur une petite colline, dans un parc planté d'arbres séculaires. Chaque arbre porte une fiche d'identité établie par l'ONF. Depuis sa restauration, elle a perdu de son authenticité.

Les propriétaires comme les travailleurs étaient épuisés par les épidémies, les ouragans et les faillites. Les usines de Sainte-Marie, de La Trinité (Bassignac) puis du François furent le théâtre d'une grève générale. Au cours de violentes manifestations, malgré l'exhortation au calme du maire, Homère Clément, il y eut une dizaine de tués et de nombreux blessés. En souvenir de ces événements, une rue située derrière l'usine, fut appelée boulevard des Fusillés-de-1900.
UN GÉNÉRAL ILLUSTRE. Sur la façade de la mairie, une plaque commémore le centenaire de la naissance du général Brière de l'Isle (1827-1896), qui fut l'un des conquérants du Soudan et du Tonkin. L'habitation Palmiste où il vivait était située à gauche, avant la rivière Simon ; mais il s'agit d'une propriété privée que l'on ne peut pas visiter.

LE VAUCLIN

L'habitation, où le sieur de Vauquelin cultivait au XVIIIe siècle du tabac puis de la canne à sucre, aurait laissé son nom à la paroisse créée autour de sa propriété qui dépendit jusqu'en 1720 du François, distant de 14 km. Les habitants du Vauclin sont aujourd'hui également éleveurs et pêcheurs ; ils n'hésitent pas à aller au large, à la «pêche à Miquelon» ● *128* ; ils font également une tentative d'ostréiculture dans la mangrove et élèvent bovins, ovins et caprins.
LE VAUCLIN ET LES GUERRES DE LA RÉVOLUTION. Pendant la Révolution, cette région située un peu à l'écart a constitué un centre de résistance contre les Anglais. En 1793, la majeure partie de la milice du Vauclin prend parti pour la République, contre les royalistes et leurs alliés britanniques. En 1794, une compagnie de chasseurs de la Martinique, troupe formée d'esclaves affranchis par le gouverneur Rochambeau ● *71*, mène un combat autonome qui se poursuit au-delà de la capitulation. Victor Hugues, qui a repris la Guadeloupe

MARTINIQUE – Vauclin – Le Square du Monument aux Morts et le Marché

LE VAUCLIN
Le square du monument aux morts et le marché en 1900 (en haut) ; le bourg aujourd'hui (en bas).

aux Anglais, pense qu'il pourra trouver des appuis importants sur place, au moins chez les esclaves, puisque ses émissaires apportent l'émancipation. L'affaire commence mal. En août, trois de ses espions, des Blancs créoles de la Martinique, Fourn, Tiberge et Baron Duclos, sont capturés au Lamentin et condamnés à être fusillés.

Néanmoins, dans la nuit du 16 décembre 1795, cent vingt Blancs, mulâtres et Noirs libres débarquent dans le bourg du Vauclin, apportant proclamations imprimées et armement. Ils en seront pour leurs frais car seuls «une trentaine de mauvais sujets» auront le temps de les rejoindre. Lorsque les Anglais donnent l'assaut, quinze républicains sont tués. Les autres s'enfuient dans la direction du morne du Vauclin

en emportant chacun plusieurs fusils. Leurs têtes ayant été mises à prix, les esclaves qu'ils venaient libérer les pourchassent, si bien qu'au bout de quatre jours, ils seront tous pris et fusillés.

POINTE FAULA. À 2 km après Le Vauclin, on peut se baigner dans les eaux transparentes et peu profondes de cette plage accessible en voiture et bordée d'une belle cocoteraie municipale. Il est encore possible d'y pêcher des oursins blancs, mais il faut se méfier des sables mouvants.

MACABOU. Lorsqu'on quitte Le Vauclin en direction du Marin, un chemin communal, situé sur la gauche à 4 km, conduit à la calme Petite Anse Macabou. La Grande Anse Macabou, située un peu plus loin, offre une plage ombragée par la plus belle forêt de *raisiniers* ■ *45* de la Martinique. La baignade y est rendue difficile par les forts rouleaux de la mer. C'est le point de départ d'une randonnée pédestre, la trace des Caps ▲ *302*.

LA MONTAGNE DU VAUCLIN. La D 5, qui mène du Vauclin au Saint-Esprit, passe au pied de cette montagne qui, avec plus de 500 m d'altitude, est la plus haute du sud de la Martinique. Zone d'implantation précolombienne, ce volcan continue d'imprégner de ses légendes les mornes et les ravines de la région. Des gisements archéologiques, datant des Caraïbes et avant eux des Arawaks ● *50*, ont été découverts récemment à Paquemar ● *52*. Dans la montagne se trouve la grotte à Justin, sorte de long tunnel d'une cinquantaine de mètres, curieusement creusé dans la roche et situé sur un terrain privé dont l'accès n'est autorisé que lors des processions – à Pâques et le 15 septembre – au calvaire placé au sud-est de la montagne.

L'ascension de la montagne permet d'avoir une vue panoramique exceptionnelle sur le sud de la Martinique et plus particulièrement sur les îlets de la baie du François.

La baie du Vauclin, ci-dessus, avec sur la gauche de la photographie, la baie de Massy-Massy.

LE MUSÉE DE LA PÊCHE
Installé dans une maison à étage de la pointe Athanase, à environ 1 km du port du Vauclin, ce petit musée présente les techniques de pêche traditionnelles.

Bord de mer au Vauclin au début du XXe siècle.

LE MOULIN DE L'HABITATION CIGY
Il se trouve à la sortie du Vauclin sur la D 5 en direction du Saint-Esprit ● *141*.

Issu d'un plant du jardin Royal, le café fut introduit en Martinique en 1720.

▲ LE RHUM

Le peuple noir, le volcan,
une famille historique :
les étiquettes du rhum résument
l'histoire d'une île.

À la veille de 1902, Saint-Pierre, capitale mondiale du rhum, comptait 19 distilleries. Certaines produisaient 3 000 litres de rhum par jour.

Tout le long de la côte, les tonneaux étaient chargés dans des canots : une opération périlleuse qui exigeait courage, force et expérience pour parer aux coups de lame qui transformaient les barils en béliers. Il fallait encore les hisser à bord des goélettes ou des gabarres, mouillées à distance du rivage. La plaque tournante de l'exportation rhumière fut la place Bertin, à Saint-Pierre, et après 1902, Fort-de-France.

Agricole ou industriel – dit de sucrerie – blanc ou ambré, léger ou grand arôme, jeune ou vieux, le rhum aux mille facettes réserve au voyageur bien des révélations, qui ne sont accessibles parfois que sur les lieux de production. D'innombrables étiquettes illustrent cette saga exotique.

Au XVIIIᵉ siècle, la Jamaïque produisait le «stinking rum», le plus violent des Antilles, un alcool de pirates, qui dut être allégé pour le marché américain.

Serviteur empressé du bon planteur, le Noir est le faire-valoir à la mine réjouie des produits exotiques, le rhum en tête de liste. Avec le style «art déco», l'image se créolise, l'Antillaise de charme prend le relai, madras en tête.

Punch : un fond de sirop de sucre de canne, deux ou trois doigts de rhum blanc, un éclat de citron vert. Un *lélé*, bâtonnet à petites pales, pour brasser le tout. Glaçons facultatifs. Plus qu'une volupté : un rite.

Saint-Pierre anéanti, la Guadeloupe vint à la rescousse et produisit en 1904 les 3/4 des 70 000 hl de rhum exportés par les Antilles. Si la Martinique reprit bientôt le dessus, l'île sœur conserva ses adeptes.

La rue de Gueydon
et l'église de l'ancien
bourg des Coulisses.
Ce nom viendrait
de l'abondance
des «coulisses» ● 146
servant au transport
des cannes.

ORANGE
C'est l'un des
agrumes que produit
la région du Saint-
Esprit. Originaire
d'Asie tropicale,
ce fruit fut apporté
à Hispanolia lors
du second voyage de
Christophe Colomb
en 1493. Il fut
répandu aux Antilles
au XVIe siècle où
on le nomme *zorange*.
La variété à grosse
peau ou orange
amère est moins
appréciée : «on ne
s'en sert que pour
les sauces et pour
mettre sur la viande
et le poisson»,
nous dit le père
Labat, mais
elle a des vertus
thérapeutiques
certaines. Ainsi
on l'utilise, en jus pur
ou coupé de rhum,
contre les maux de
bouche et de gorge.

LE SAINT-ESPRIT

Au XVIIIe siècle, ce bourg n'était qu'un «quartier» dépendant
de Rivière-Salée ; il s'appelait alors Les Coulisses puis prit
le nom de Saint-Esprit. Il devint commune en 1837. Le site,
en forme de cuvette, est traversé par la rivière des Coulisses,
venue de la montagne du Vauclin et qui devient la rivière
Salée avant de se jeter dans la baie de Génipa. Cette rivière
des Coulisses, «qui rassemble toutes les eaux de la cuvette»,
a attaché son nom à la vallée qu'elle arrose et fertilise, puis
au bourg qu'elle dessert.

UNE HISTOIRE MOUVEMENTÉE. Un soulèvement éclate lors
des troubles qui suivent l'émancipation de 1848, mais échoue
après l'arrestation du meneur, Fortuné Élore.
Lors de l'insurrection du sud de la Martinique ● 74 provoquée
par la guerre de 1870, Le Saint-Esprit, se trouvant sur
le parcours des insurgés, est occupé par les francs-tireurs
et connaît les rigueurs imposées aux civils. C'est l'une
des quinze communes où le gouverneur de Loisne décrète
l'état de siège. Des propriétés sont incendiées, des habitants
fusillés : on compte dix-huit tués et blessés.

UNE RÉGION À VOCATION AGRICOLE. Après la Seconde Guerre
mondiale, les plantations de bananes remplacent la canne
à sucre, grâce à laquelle prospérèrent, jadis, la distillerie
Masson et l'usine de sucre du Petit Bourg. Aujourd'hui,
Le Saint-Esprit produit aussi des légumes vivriers,
des oranges, du café et du cacao.

TERRE DE MARRONNAGE
Rivière-Pilote
continue d'afficher son
indépendance à travers
les noms de ses rues.

ÉGLISE. Le dimanche, les habitants du bourg des Coulisses allaient à la messe à Ducos ou à Rivière-Salée. Ce pèlerinage qui s'accomplissait souvent la nuit, *serbie allumé* (à la lueur des flambeaux), finit, à la longue, par décourager les fidèles. Aussi construisit-on, en 1755, à l'emplacement de l'actuel hôpital, une chapelle qui fut placée sous la protection du Saint-Esprit. Une agglomération se constitua alors progressivement autour de l'édifice. Mais l'humidité, due aux fréquentes inondations de la rivière, obligea les habitants à déménager pour s'installer environ un kilomètre plus loin, sur le terrain situé entre la rivière des Coulisses et la rivière des Cacaos.

PITT CLÉRY ● *120*
Il se trouve quelques centaines de mètres après la distillerie La Mauny.

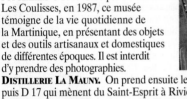

MUSÉE DES ARTS ET TRADITIONS POPULAIRES ● *102*. Créé par l'association Les Coulisses, en 1987, ce musée témoigne de la vie quotidienne de la Martinique, en présentant des objets et des outils artisanaux et domestiques de différentes époques. Il est interdit d'y prendre des photographies.

DISTILLERIE LA MAUNY. On prend ensuite les routes D 5 puis D 17 qui mènent du Saint-Esprit à Rivière-Pilote, pour découvrir cette distillerie dont la famille Tascher de La Pagerie désira acquérir l'habitation en 1883. Mais celle-ci devint la propriété de la famille Codé. En 1923, la famille Lapiquonne vendit la distillerie aux frères Théodore et Georges Bellonnie. À leur décès en 1970, les Bourdillon, négociants marseillais, devinrent associés de Mme Théodore Bellonnie. Aujourd'hui la marque La Mauny est toujours la plus vendue en Martinique. C'est le comte Poulain de Mauny, originaire de Bretagne, qui donna son nom à l'habitation.

RIVIÈRE-PILOTE

LA COMMUNE. Le nom vient des deux rivières qui traversent la commune et du chef caraïbe Pilote établi dans le sud de l'île. Le «quartier» Rivière-Pilote fut rattaché à Sainte-Luce, devint paroisse vers 1705, et commune en 1831. Quand la Troisième République fut proclamée, les événements sanglants de l'insurrection du Sud ● *52* naquirent avec l'assassinat, à la Croix du Morne, de Codé,

DISTILLERIE LA MAUNY
Pureté de l'eau de source, méthodes de culture à l'ancienne, tout concourt à la qualité de ce rhum. Cette distillerie, dont on voit ci-dessus les moulins de broyage des cannes, produit un rhum vieux d'une grande noblesse, ainsi qu'un rhum blanc de renom, très apprécié des Martiniquais, et champion de l'exportation.

RIVIÈRE-PILOTE
Petit bourg bâti au fond d'une cuvette, Rivière-Pilote, autrefois voué à la culture de la canne, vit aujourd'hui d'agriculture, d'élevage et de pêche.

▲ Du François
vers Sainte-Anne

Plage
de l'anse Figuier.

**ÉCOMUSÉE
DE L'ANSE FIGUIER**
Monsieur Félix
Ozier-Lafontaine,
animateur du musée,
a eu la chance
de puiser les pièces
amérindiennes
(ci-contre)
de ses vitrines
sur le site même
de sa construction,
qui se trouve dans
le prolongement
naturel des sites
de Dizac et de l'anse
Corps de Garde.
Les fouilles, menées
par le Service régional
de l'archéologie,
laissaient augurer
du caractère
exceptionnel du lieu.
Le reste du musée
s'organise autour
de l'histoire, des arts
et des traditions.
Objets, meubles,
costumes,
photographies
retracent la vie
quotidienne
de la Martinique
du XIXᵉ siècle.

un ancien juré qui s'était vanté d'avoir pris
ouvertement parti dans une querelle.
ÉGLISE. Rivière-Pilote possède trois églises : celles
des deux localités qui lui sont rattachées, Régale et
Josseaud, et celle du bourg même, la plus ancienne.
On mentionne cette dernière dès 1693, comme étant
édifiée à la jonction de la Petite et de la Grande Rivière.
En effet, lorsque les Anglais brûlèrent Sainte-Luce
en 1693, ils ne remontèrent pas le cours de la rivière
et Rivière-Pilote fut épargné. Aussi le père Placide,
curé de Sainte-Luce, originaire de Saint-Lô, décida-
t-il d'officier en 1705 dans la chapelle de Rivière-
Pilote. Embellie au XIXᵉ siècle, l'église fut
complètement transformée entre 1950 et 1980. Un
nouveau clocher modifia son allure, les tuiles
furent remplacées par de la tôle ondulée ;
enfin, l'église ferma pour travaux en 1984. Malgré
les efforts faits pour améliorer son esthétique,
on regrette l'église d'antan. On dit que les
esclaves étaient vendus sous un arbre
planté sur la place de l'église. En 1848,
il aurait été remplacé par un arbre de la
Liberté au pied duquel furent enfouis
les fers et les carcans ● *91* des anciens
esclaves. Il laissa place à un square
où fut érigé, jusqu'en 1983,
le buste de Schœlcher
sculpté par Marie-Thérèse
Julien Lung-Fu.
MORNE-GOMMIER. À proximité du
village, on accède à un superbe point de vue :
Morne-Gommier. Le panorama s'étend, par temps clair,
sur tout le sud de l'île du Diamant jusqu'au Vauclain.
ANSE FIGUIER ♥. Deux routes permettent de rejoindre Le
Marin. L'une d'elle fait le tour du morne Aca par la pointe
Borgnesse et permet de s'arrêter à la plage de l'anse Figuier.
En retrait de la plage, un écomusée a été aménagé dans une
ancienne distillerie construite sur un site archéologique
amérindien. On peut y voir une belle collection d'objets
de la préhistoire (ci-dessus), remarquablement présentés.
ROCHER ZOMBI. À la sortie de Rivière-Pilote, un énorme
rocher, visible depuis la N 5 qui mène au Marin, semble
garder la commune. Il fait partie des blocs erratiques qui sont
éparpillés dans la végétation des collines avoisinantes.

LE MARIN

La grande rue
du Marin vers 1900.

Plus au sud, au cœur d'une magnifique baie profonde, se trouve
Le Marin, enserré dans les pointes Marin
et Borgnesse. Le Marin est l'un des plus
anciens sites habités de la Martinique.
C'est aussi l'une des communes les plus
ouvertes au tourisme et sa baie est propice
au mouillage des bateaux de plaisance.
Au XVIIᵉ siècle, l'endroit s'appelait
Cul-de-Sac du Marin. Son étroit chenal,
défendu par des récifs de coraux,
rendait l'endroit inexpugnable. Au milieu
du XVIIᵉ siècle fut créé le quartier

FONDS-GENS-LIBRES
C'est le nom d'un quartier du
Marin où s'installèrent,
à l'abolition, d'anciens
esclaves. Ils y défrichèrent
les dernières terres
inexploitées.

~~ *Riv Gens Libres* ●

CETTE ÉGLISE
A ÉTÉ ÉDIFIÉE
PAR LE PÈRE JEAN-MARIE DE COUTANCES,
LA PREMIÈRE PIERRE A ÉTÉ POSÉE
LE 17 JANVIER 1766
PAR LE COMTE D'ENNERY,
GOUVERNEUR GÉNÉRAL
DES ANTILLES

qui comptait, en 1664, deux cents habitants blancs et de couleur répartis du Diamant au Marin. Le 5 avril 1700 fut fondé le bourg actuel, sur la proposition de l'ingénieur La Boulaye. En raison de sa position stratégique dans le Sud, Le Marin fut souvent attaqué par les Anglais (1693, 1762 et 1794). Le bourg parvint toutefois à résister aux bombardements répétés, bien qu'il fût entièrement brûlé par les Anglais pendant la guerre de la ligue d'Augsbourg, en avril 1693. En 1731, Le Marin devint une des quatre lieutenances royales de l'île. On peut encore y voir des vestiges des fortins et des canons de l'époque.

Le climat sec et sain du Marin transforma pendant un temps la commune en sanatorium de l'armée. Mais le bourg, par sa situation, est aussi fort exposé aux vents du sud et du sud-est. Aussi les cyclones de 1891 et de 1903 le détruisirent-ils totalement. Des mornes avoisinants (mornes Pérou, Aca et Gommier), on découvre la baie de Sainte-Anne, le cap Macré et par beau temps l'île de Sainte-Lucie ▲ *324*.

ÉGLISE ♥. Les registres mentionnent que la paroisse existait en 1669. On dit que ce sont les actes les plus anciens de la Martinique. En 1684, la paroisse était administrée par les capucins, appelés *pères ajoupas* par les Caraïbes, car leurs capuchons rappelaient la forme d'un *ajoupa* (mot caraïbe désignant une petite hutte). Une chapelle, construite à l'endroit actuel des dépendances du presbytère, fut incendiée par les Anglais en avril 1673. Au début du XVIIIe siècle, les capucins la rebâtirent. C'est le comte d'Énnery, gouverneur général des Antilles, qui posa, en 1766, la première pierre de l'église qu'on admire aujourd'hui (ci-dessous, au début du XXe siècle). Au-dessus de la porte d'entrée en bois,

ÉGLISE DU MARIN
Son admirable voûte
en forme de carène
renversée fut
agrandie en 1867.
On prolongea la nef
avec un chœur
et on bâtit deux
chapelles latérales.

La place
de l'église
du Marin.

POINTE MARIN
C'est là que s'est installé le Club Méditerranée.

une niche abrite une statue de saint Étienne, patron de la commune. L'autel, en marbre polychrome orné d'un bas-relief de personnages finement sculptés, est considéré comme le plus beau de toutes les églises martiniquaises. La légende prétend qu'il était destiné à la cathédrale de Lima au Pérou, mais le navire qui le transportait ayant échoué au Marin, le capitaine en aurait fait don aux capucins. L'autel a pourtant bien été payé par les paroissiens du Marin. Malgré les destructions répétées, les paroissiens ont toujours voulu réparer leur église, qui pour eux «exhalait un parfum de province exotique, pénétré tout de même de la lointaine influence de Versailles, qui mieux que tout discours dit le caractère vieille France de la Martinique». Ils se disent également fiers du joli cimetière qui descend en pente douce vers la mer et que pourrait évoquer *Le Cimetière marin* de Paul Valéry.

STATION DE CULTURE IRRIGUÉE. On contourne ensuite la baie par la D 9 qui mène à Sainte-Anne. Avant d'arriver au village, un panneau signale, sur la droite, la station de recherche et de culture des algues spirulines. Ce sont des algues bleues d'eau saumâtre, dont l'apport protéinique enrichit l'alimentation animale.

ÉGLISE DE SAINTE-ANNE
Clôturant l'espace d'une charmante place, elle fait face à la mer et affirme l'identité de ce bourg tourné vers le large qui, éloigné des centres de développement, a, moins que d'autres, souffert de la modernisation. L'église a également eu la chance de résister aux cyclones et autres catastrophes naturelles.

Le bourg de Sainte-Anne, ci-dessous.

SAINTE-ANNE

C'est à Sainte-Anne que résida à deux reprises le fidèle compagnon de l'empereur Napoléon Ier, le général Bertrand, qui habita sur la propriété de sa femme, Fanny Dillon, fille du général Arthur, comte de Dillon.

Paroisse dépendante du Marin, Sainte-Anne fut autonome en 1730, et devint, en 1837, commune à part entière. Située en face de l'île anglaise de Sainte-Lucie ▲ *324*, elle fut à plusieurs reprises assaillie par les Anglais. Le 13 janvier 1762 débarquèrent à Sainte-Anne mille deux cents hommes avec, à leur tête, l'amiral anglais Rodney. Ils attaquèrent violemment les batteries des pointes Borgnesse et Dunkerque qui commandaient l'entrée de la baie du Marin.

Aujourd'hui la ressource principale de Sainte-Anne est le tourisme.

Son climat sec et chaud attire chaque année des milliers de vacanciers. Le bourg possède de nostalgiques maisons de bois aux façades couvertes de fleurs et inondées de soleil.

Il faut s'arrêter sur la petite place au bord de la mer, pour admirer la croix et la chapelle qui furent érigées à la fin du XIXᵉ siècle, en l'honneur de Notre-Dame-de-la-Salette. Chaque année, un pèlerinage très suivi s'y déroule le 19 septembre. C'est à Sainte-Anne que se perpétue la tradtion de la poterie caraïbe. Fabriqués selon la technique du colombin ● 57, les «canaris» (récipients utilsés pour la cuisson des aliments) sont cuits dans un feu en plein air.

ÉGLISE ♥. En 1690, une petite chapelle fut édifiée à Sainte-Anne, desservie comme toutes les chapelles du Sud-Ouest par les capucins. Incendiée par les Anglais en 1693, elle fut reconstruite en 1730 et se nomma Sainte-Anne-des-Salines.

GRANDE ANSE DES SALINES ♥. À l'extrême pointe sud de la Martinique, c'est la plage la plus prisée de l'île, recherchée pour son eau claire et son sable immaculé. Elle s'étend sur plus d'un kilomètre. En arrière du littoral, non loin des salines, s'étendent des marais salants ; à l'époque du «carême», on y voit encore des bosses de sel blanc que les connaisseurs viennent chercher par seaux entiers.

SAVANE DES PÉTRIFICATIONS. Après avoir dépassé l'étang des Salines, on emprunte un sentier rocailleux qui mène à cet étrange désert d'aspect lunaire où la végétation se fait rare. C'est un ancien marécage asséché dont la terre nue est jonchée de blocs de jaspe polychrome jaune, rouge, noir, masses de silice opaque (mélange de calcédoine et d'opale). Autrefois, on remarquait la présence de curieux troncs d'arbres et de branches silicifiés (à droite). Malheureusement, depuis des dizaines d'années, les plus beaux spécimens ont été récoltés pour fabriquer des tables décoratives. Sur ce sol pétrifié survivent encore quelques *cactus-raquettes* et des fromagers. On trouve aussi, de temps à autre, des fleurs rouges tombées d'arbres voisins : des hibiscus originaires de la Jamaïque dont on exploite le bois.

LA TABLE DU DIABLE. En face de la savane des Pétrifications et au bout de la plage des Salines, un énorme rocher calcaire assailli par les courants et les vagues, surgit de la mer Caraïbe. On peut y accéder facilement en bateau et les oiseaux y nichent volontiers. La légende lui attribue bien des maléfices. *Gagés* (gens qui ont fait un pacte avec le diable, qui se sont engagés) et *diablesses* ● 119 s'y réunissent, dit-on, pour fêter le sabbat.

LA POINTE D'ENFER. Cette pointe clôt, en un endroit marqué par les tempêtes et les remous d'une mer déchaînée, la découverte du sud de la Martinique avec en son point le plus méridional, l'îlet Cabrit, surmonté de son phare, qui émerge au large. Autour de l'îlet, les amateurs de plongée sous-marine tenteront de découvrir l'épave d'un bateau naufragé à la fin du XIXᵉ siècle.

PLAGE DES SALINES
Elle a été aménagée – en respectant les bons principes affichés sur la pancarte ci-contre – pour accueillir un nombre croissant de visiteurs, mais elle n'a rien perdu de sa sauvage beauté. La végétation qui la borde est composée de cactus, de *raisiniers bord-de-mer* et de mancenilliers ■ 27.

BOIS SILICIFIÉ
On trouvait autrefois ces débris de troncs parmi les roches de la savane des Pétrifications.

LE CHEMIN DE CROIX DE SAINTE-ANNE
Il fut construit, entre 1869 et 1873, sur le morne dominant le bourg, à l'initiative de l'abbé Hurard et grâce au concours de ses paroissiens. Des petites chapelles, abritant les stations furent érigées le long du parcours sinueux du calvaire. Un pieux abbé suffisant dans une famille, son frère, le député Hurard fut un anticlérical virulent.

LA TABLE DU DIABLE
On dit qu'un visiteur courageux aurait, vers 1970, réussi à y planter un pieu pour défier le diable.

301

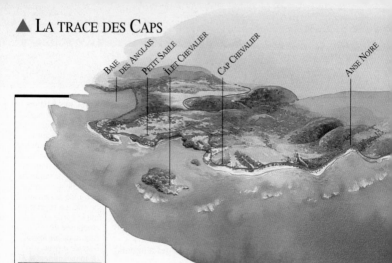

BAIE DES ANGLAIS   PETIT SABLE   ÎLET CHEVALIER   CAP CHEVALIER   ANSE NOIRE

Les ruines
du moulin Malevaut
sont visibles peu
après le début
de la randonnée,
quand on quitte la N 6.

PARCOURS DU LITTORAL. Ce parcours, long de 18,5 km,
regroupe trois randonnées qui peuvent être effectuées
séparément. Il conduit de la Petite Anse Macabou à la baie
des Anglais. La partie qui complète ce qu'on apppelle la trace
des Caps, qui va de Sainte-Anne à la savane des Pétrifications,
est décrite dans l'un des itinéraires précédents ▲ 301.
Cette découverte du sud de l'île est riche de contrastes
séduisants : plages sauvages ou touristiques, mangrove,
zones boisées ou semi-désertiques et, partout, des points de vue
admirables. Si l'on n'y relève aucune difficulté majeure, il est
judicieux de se méfier de l'ensoleillement auquel le marcheur

est exposé durant de longues
heures. Plus dangereux,
le mancenillier ■ 27, est fréquent
en bordure des plages. Ses
feuilles, tiges et fruits secrètent
un lait toxique dont les brûlures
nécessitent l'intervention
immédiate d'un médecin.
Autrement, on fera connaissance
avec le *raisinier bord-de-mer*,
l'*amandier-pays*, le *poirier-pays*,
le *galba*, le *gommier rouge*,
sans oublier les cocotiers ■ 28
surveillant de haut cette liane
des rivages appelée *patate-sable*
ou *patate bord-de-mer* ■ 27.

L'avancée rocheuse
du cap Ferré offre
un saisissant contraste
avec la végétation
de la mangrove
du cul-de-sac Ferré.

CACTUS-RAQUETTE

Tout au long des cinq kilomètres de la séquence qui mène
de la Petite Anse Macabou à la pointe Macré, étangs et
plantations se côtoient. À l'approche de la pointe Marie-
Catherine, une curiosité : un vaste espace jonché de coquilles
de *lambis* ■ 32, de tests globuleux et blancs d'oursins. L'anse
Four à Chaux, avec son cœur découpé dans la falaise, est
un rendez-vous de pique-niqueurs. On entamera les 7 km
de la section du cap Macré au cap Chevalier (3 h environ)
en contournant par l'arrière la mangrove du cul-de-sac
Ferré, puis en montant sur les falaises d'où la vue en direction
du nord, est particulièrement belle. Plages sauvages et falaises
altières sont caractéristiques de ce sentier dont on s'écartera
un moment pour admirer les «marmites de sorcière»
de la pointe du cap Ferré.
Enfin, la troisième partie de ce parcours, qui va du cap
Chevalier à la baie des Anglais, longue de 6,5 km
(3 h environ) met le randonneur en contact avec la splendeur

CAP FERRÉ · POINTE LA ROSE · CUL-DE-SAC FERRÉ · ANSE FOUR À CHAUX · POINTE MACRÉ · ANSE GROSSE ROCHE · GRANDE ANSE DE MACABOU · POINTE MARIE-CATHERINE · PETITE ANSE MACABOU

envoûtante de la mangrove.
Univers végétal protégé de la mer tout en étant soumis à son rythme, la mangrove est le royaume des palétuviers ■ 24, mais aussi du *mangle gris*, et du *mangle blanc* avec ses pneumatophores. La mangrove de la baie des Anglais en est l'une des plus belles illustrations à la Martinique. Après les plages de cap Chevalier, de l'îlet Chevalier et des Petits Sables, l'arrivée sur cette mangrove couronne cette longue découverte de la nature du bord de mer.

ITINÉRAIRE MARITIME. Sur cet itinéraire de la Côte au Vent les promenades maritimes sont limitées par les conditions de mer souvent difficiles : nombreux *cayes* (massifs coralliens à fleur d'eau), forts courants (surtout au passage de la pointe des Salines et de la pointe d'Enfer) et une houle peu confortable. Une bonne connaissance des lieux est indispensable pour naviguer en toute sécurité, ce qui explique la quasi-absence de sorties en mer régulièrement organisées. Il existe une société qui propose un service de navettes reliant le cap Chevalier à l'îlet Chevalier et ses deux plages désertes (hors week-end…) idéales pour passer une journée loin des «bruits de la terre». Au Diamant, un autre organisme propose également des visites de l'îlet Hardy au large de la baie des Anglais. Départ à 9 h pour un trajet aller consacré à la découverte des anses qui s'étalent entre Sainte-Luce et les Salines. À l'arrivée sur l'îlet, un grand barbecue de poissons est organisé avant un après-midi consacré à la baignade et à la découverte des fonds sous-marins. La trace des Caps, promenade sans difficultés majeures, peut également s'effectuer à VTT ou à cheval. Des vélos peuvent être loués à côté de l'entrée du camping de Sainte-Anne et le départ se fait de la pointe Marin. Le circuit comprend plusieurs étapes : la baie des Anglais, la savane des Pétrifications, un arrêt pique-nique aux Salines et un retour par Fonds-Moustique et l'anse Caritan. Pour les amateurs bien entraînés, un circuit plus technique par Macabou et anse Grosse Roche peut être envisagé. Mais le parcours étant sur le domaine du Conservatoire du littoral, la circulation des VTT, n'est en principe pas permise.

LA VÉGÉTATION LITTORALE
La plus grande partie de la végétation de cette côte, se caractérise par des arbres déformés (en bas) et nanifiés par le vent.

On y trouve certaines herbes telle que l'*herbe bord-de-mer*, *Sporolobus virginicus* (ci-dessus). Ce littoral est aussi le lieu de prédilection des *bilimbis* (en haut), ou *Morinda citrifolia*.

La côte au cul-de-sac des Anglais.

▲ La trace des Caps

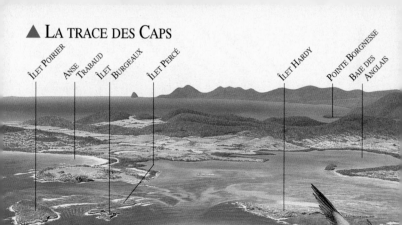

ÎLET POIRIER   ANSE TRABAUD   ÎLET BURGEAUX   ÎLET PERCÉ   ÎLET HARDY   POINTE BORGNESSE   BAIE DES ANGLAIS

MOINE OU NODDI NIAIS
Il doit son nom
à la calotte blanche
qui le coiffe.

PUFFIN D'AUDUBON
Il niche dans
des terriers constitués
parfois en véritables
galeries comme
à l'îlet Hardy. Il ne
s'approche des côtes
qu'à l'époque
de la reproduction.

LE RAZ
C'est un radeau
de bois (*bois-flot*,

bois-canon) destiné
généralement
à la pêche côtière.
Les troncs ont
leur extrémité taillée
en biseau et ils sont
reliés entre eux
par des tiges de fer.

Vue aérienne
de la baie des Anglais
prise à la verticale
de l'îlet Chevalier.

**LES ÎLETS DE LA BAIE DES ANGLAIS :
UNE RÉSERVE D'OISEAUX MARINS.** La presqu'île de
Sainte-Anne, qui prolonge la Martinique au sud
par un appendice, est une succession de mornes
peu élevés couverts de forêts sèches et de fonds semi-
marécageux. À son extrémité, près de la pointe d'Enfer,
la savane des Pétrifications, plateau désertique raviné par
une forte érosion, met en évidence des roches siliceuses : jaspe,
calcédoine, fragments de bois fossilisés. En suivant le sentier
balisé de la trace des Caps, on découvre dans sa partie nord,
au large de la baie des Anglais, quatre îlots calcaires faciles
d'accès qui ont été classés comme réserve d'oiseaux
de mer par le Parc naturel régional. Au nord du groupe,
l'îlet Hardy, creusé par une série de galeries souterraines,
dont les voûtes ne dépassent jamais une hauteur d'un mètre,
est le lieu de prédilection d'une colonie de puffins d'Audubon.
Au sud, l'îlet Burgeaux, dénommé Touaou en créole, à cause
de sa colonie importante de sternes fuligineuses (en haut,
à droite). Cet oiseau, qui y niche d'avril à mai, ne construit
jamais de nid et pond son œuf à même le sol. À côté, l'îlet
Percé, creusé en son milieu par l'Océan, est difficile d'accès
et inhospitalier. Au sud, l'îlet Poirier, qui tire son nom du bois
du *poirier-pays* occupant une étroite vallée située au centre,
abrite une population dense d'au moins quatre espèces
de sternes qui nourissent leurs petits
avec le produit de la pêche pratiquée
dans les environs des îlets.
Une végétation pauvre, aux arbustes rabougris et
tourmentés, s'installe péniblement sur un sol rocailleux
travaillé par l'érosion et balayé par les embruns.

LE SUD-CARAÏBE

▲ DE DUCOS À SAINTE-LUCE PAR LES ANSES-D'ARLETS

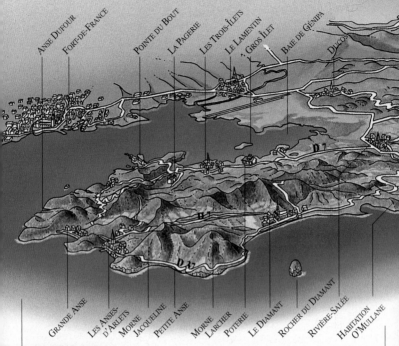

ANSE DUFOUR · FORT-DE-FRANCE · POINTE DU BOUT · LA PAGERIE · LES TROIS-ÎLETS · LE LAMENTIN · GROS ÎLET · BAIE DE GÉNIPA · DUCOS

GRANDE ANSE · LES ANSES-D'ARLETS · MORNE JACQUELINE · PETITE ANSE · MORNE LARCHER · POTERIE · LE DIAMANT · ROCHER DU DIAMANT · RIVIÈRE-SALÉE · HABITATION O'MULLANE

🗓 1 journée

🚗 75 km

ÉGLISE DE DUCOS
Elle marque,
avec celle du Saint-
Esprit ▲ 296, une
nouvelle orientation
dans l'architecture
religieuse. L'élément
qui domine est
l'inclusion dans
la façade de l'une
des faces du clocher.
Cette intégration
pourrait être
une réponse aux
intempéries locales :
l'édifice offre ainsi
une plus grande
résistance aux vents
dévastateurs
des cyclones.
Construite selon
les plans d'Henri Picq,
son décor intérieur,
bien que maçonné,
est traité dans le style
de l'architecture
métallique.

DUCOS

Nommé Trou au Chat au XVIIᵉ siècle, ce lieudit prit
en 1855 le nom du ministre de la Marine de Napoléon III,
Théodore Ducos. C'est aujourd'hui un joli village miniature
avec ses coiffeurs barbiers, son petit poste de police et
ses habitants accueillants.

ÉGLISE NOTRE-DAME-DE-LA-NATIVITÉ. Inscrite à l'inventaire
des Monuments historiques depuis 1989, elle fut démolie
par le cyclone de 1891, puis reconstruite selon les plans
d'Henri Picq ▲ 192, architecte de la cathédrale de Fort-
de-France et de la bibliothèque Schœlcher. Après le cyclone
de 1903, il fallut reconstruire la sacristie, refaire la toiture
et exécuter un nouveau plafond à caissons en bois. En 1945,
l'abbé Deschamps construisit la grotte située non loin
et planta les cyprès du jardin. Sous sa direction, le chœur
fut agrandi en 1948, et le maître-autel en bois fut déplacé,
afin que l'officiant se trouve face aux fidèles, selon
les nouvelles directives de Rome. Parmi les vitraux, deux
sont remarquables : *La Nativité* et *Le Baptême de Clovis*.
Derrière le presbytère, se trouve l'émouvante tombe blanche

MARTINIQUE - DUCOS - La Place de l'Église

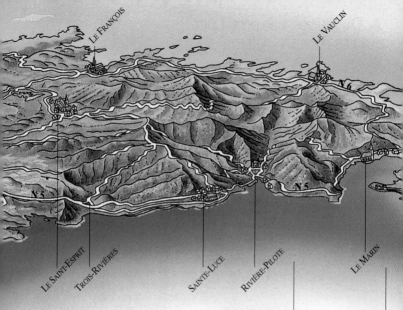

LE FRANÇOIS
LE VAUCLIN
N 6
N 5
N 5
LE SAINT-ESPRIT
TROIS-RIVIÈRES
SAINTE-LUCE
RIVIÈRE-PILOTE
LE MARIN

d'Éliette des Vergers de Sannois, morte à trente et un ans, épouse de Charles Hugues de Rivery et parente de l'impératrice Joséphine ▲ *310*.

CHÂTEAU ET CHAPELLE DELAISSEAU. De ces deux édifices, il ne reste plus qu'un amas de ruines sur la propriété Château-Lézards, proche de l'embouchure de la rivière Lézarde.

BAIE DE GÉNIPA. Autrefois lac immense d'environ 50 000 m² très poissonneux, la baie de Génipa est devenue une réserve ornithologique. Elle est occupée par la dernière grande mangrove de l'île.

RIVIÈRE-SALÉE

La commune fut appelée ainsi à cause des eaux de mer qui remontent par la rivière du même nom, qui la traverse. Vers 1820, un moulin à vapeur fut installé sur la propriété Meaupoux, appelée depuis du nom de Vapeur.
On raconte aussi que le général Bertrand, l'un des proches de Napoléon Ier, avait rapporté à Desportes, le gérant de son immense propriété des Coteaux, un morceau du cercueil de l'empereur.
Avec sa situation privilégiée de carrefour du Sud, une halte s'impose à Rivière-Salée, située à 22 km de Fort-de-France, pour admirer les tombes somptueuses du cimetière.
Au sud de la commune (à 4 km par la D 8), on peut admirer à Desmarinières, l'un des plus beaux couchers de soleil de l'île.

LA MANGROVE. La mangrove de Rivière-Salée est l'une des plus belles de la Martinique. Lorsqu'on se dirige vers Les Trois-Îlets, village natal de Joséphine de Beauharnais, il faut remarquer les haies qui limitent les pâturages

RUINES DU «CHÂTEAU» D'EUGÈNE AUBÉRY
Ce riche propriétaire fut mis en cause dans l'assassinat d'André Aliker, dont le corps fut retrouvé à Fonds-Bourlet ▲ *207*.

USINE DE RIVIÈRE-SALÉE
Désaffectée, elle a à nouveau fonctionné quelques heures à l'occasion du tournage du film d'Euzhan Palcy, *Rue Cases-Nègres*, tiré du roman de Joseph Zobel.

ÉGLISE DE RIVIÈRE-SALÉE

▲ De Ducos à Sainte-Luce par les Anses-d'Arlets

LA BRIQUETERIE DES TROIS-ÎLETS
Ci-dessous.
Installée à 3 km avant le bourg, sur la droite, elle date du XVIIIᵉ siècle.
On y fabrique aussi de la poterie.
Les potiers se servent pour leur production d'une argile rouge qu'ils trouvent sur place.

composées de *Gliricidia* ■ *41* qui ombragent la route. Ils sont issus de branches plantées en guise de piquets de clôture, car sous le climat des Antilles, tout prend racine et en quelques mois le pieu, desséché en apparence, se couvre de feuilles et se transforme en arbuste, puis en arbre magnifique. Pendant le «carême», les feuilles tombent. Mais en février les branches dénudées se garnissent de centaines de grappes de fleurs roses.

BRIQUETERIE-POTERIE. Les bâtiments s'élèvent au bout d'un chemin de couleur rouge, constitué de débris de briques et de tuiles, qui s'enfonce entre une carrière de terre et une prairie qui se termine par un étang. L'usine, avec ses trois ateliers de poterie et ce qui semble être une ancienne «rue Cases-Nègres», est surmontée d'une habitation de maître en pierre de taille datant du XVIIIᵉ siècle et portant le nom de Poterie en Haut. C'est en 1783 que l'on décida d'utiliser la terre des Trois-Îlets pour fabriquer briques, tuiles et poterie utilitaire, la *terraille*. Depuis, la devise de l'entreprise reste *Ici, le travail change la terre en or*. Dans leurs ateliers, les potiers continuent à pétrir la terre et fabriquent de la poterie utilitaire, mais aussi pour des pièces uniques, signées et datées. Exception faite du tour électrique, leur outillage reste traditionnel.

MAISON DE LA CANNE ♥ ● *94*. Ce musée de la Canne à sucre fut installé dans les bâtiments restaurés de l'ancienne distillerie de Vatable, situés à 2 km avant le bourg. Plus loin, sur la gauche, se situe l'habitation Vatable.

LES TROIS-ÎLETS ♥

C'est l'un des plus jolis villages de la Martinique. Il tire son nom des trois petits îlets qui émergent en face de la Pointe des Pères. Ces îlets portent le nom de Tébloux, Charles et Sixtain, leurs derniers propriétaires qui exploitaient des fours à chaux. Grâce à la briqueterie, une unité architecturale, rare en Martinique, s'impose aux Trois-Îlets. Tout y est rouge : la façade des maisons en brique, les toits de tuiles, les trottoirs. En plus de son ambiance animée, l'intérêt historique du village – l'impératrice Joséphine et sa famille en sont originaires – attire de nombreux touristes.

CENTRE ARTISANAL. Il est installé à la marina et ses murs sont en *gaulettes* ● *142* (tressages de gaules et de paille) ; on y travaille le mahogani, le bambou, la céramique et le dessin sur tissus.

ÉGLISE NOTRE-DAME-DE-LA-DÉLIVRANCE. On y remarque les fonts baptismaux, où fut baptisée en 1763 la future impératrice, le caveau de Mme Tascher de La Pagerie (sa mère), l'autel en marbre et d'intéressantes sculptures. En 1849, le petit-fils de Joséphine, Napoléon III, devenu

UNE TECHNIQUE RUDIMENTAIRE
L'argile est d'abord passée au tamis puis mise à reposer. Ainsi débarassée de ses impuretés, elle est de nouveau tamisée avant d'être placée, durant deux ou trois jours, sous le soleil. Les pièces sont montées à l'aide du tour et mises à sécher pendant trois jours avant d'être polies. La cuisson s'effectue dans un four en brique, à une température de 600° C à 700° C. Pots, jarres et carafes (dont celle de la Martinique, sans anse) constituent l'essentiel de la production.

prince-Président, fit restaurer l'église et la dota
d'un immense tableau, qui n'est autre qu'une copie
de *L'Assomption* de Murillo.

ÎLET À RAMIERS. Il fait face à la pointe Blanche et à l'anse
à l'Âne. On y voit les vestiges
d'un fortin du XVIIIe siècle,
où la garnison française
assiégée et
bombardée par les
Anglais fut
obligée de se
rendre en 1762,
puis en 1794.
**GOLF DE LA
MARTINIQUE.**
Le golf
départemental
de la Martinique est
un immense 18-trous
de classe internationale.
Aménagé, sur une ancienne
habitation, il invite, pour plusieurs heures, à la promenade.

AFFICHETTE
Elle invite à goûter
aux produits du
marché des Trois-Îlets.

**LA MAISON
DE LA CANNE ♥**
Ce musée (ci-contre),
intelligemment conçu,
retrace trois siècles
d'histoire de la culture
et de la transformation
de la canne à sucre.
Il a été inauguré
en 1987.

DOMAINE DE LA PAGERIE. Dans les années 1950,
Robert Rose-Rosette, dernier amoureux
de la belle créole, achète une partie de ce domaine
et lui redonne vie en y installant le premier musée
de La Pagerie dans le pavillon dit de la reine
Hortense. Le musée définitif trouvera sa place dans
les «chambres de Madame», en 1962 ; depuis 1984,
le Conseil général gère le domaine. La destinée
de la jeune Marie-Josèphe Rose Tascher de La Pagerie,
devenue vicomtesse de Beauharnais puis Joséphine,
impératrice des Français, est y retracée.

**LES MAISONS
DU BOURG**
Toutes ne sont pas en
briques. Deux niveaux
en bois s'élèvent ici
sur un soubassement
en maçonnerie.

LA POINTE DU BOUT ET L'ANSE MITAN. Elles se trouvent
à 1,5 km, à droite, après le carrefour. Merveilleusement
située, avec sa vue sur la baie de Fort-de-France, cette pointe
est devenue l'un des hauts lieux du tourisme martiniquais.
De nombreux hôtels, dotés d'une importante capacité d'accueil,
s'y sont installés, quand d'autres plus petits se sont établis
à l'Anse Mitan. L'animation de la marina de la Pointe du Bout
avec ses bateaux, ses restaurants, ses navettes pour Fort-de-
France, draine beaucoup d'estivants.

LA POINTE DU BOUT
Cette presqu'île s'étire
sur près de 1,2 km
et regroupe autour de
sa marina la majorité
des hôtels de l'île.

▲ Joséphine de Beauharnais

Baptisée aux Trois-Îlets le 27 juillet 1763, Marie-Josèphe Rose Tascher de La Pagerie épousa en 1779 le vicomte de Beauharnais, dont elle eut deux enfants qui devinrent le prince Eugène et la reine Hortense. Général girondin, son mari, dont elle était séparée depuis 1788, fut guillotiné en 1794. La chute de Robespierre la sauva de l'échafaud. Au temps du Directoire, elle brilla dans les cercles dirigeants et, grâce à ses amis Tallien et Barras, fit la fortune d'un jeune général, Bonaparte. Ce dernier, qu'elle épousa en 1796, lui donna le surnom de Joséphine.

Marie-Josèphe Rose Tascher de La Pagerie

Alexandre de Beauharnais
Il fut élu député de la noblesse aux États généraux de 1789. Puis il fut commandant de l'armée du Rhin jusqu'à ce qu'en 1793 la loi écartât les nobles des fonctions militaires.

La Malmaison en 1814. Le souvenir de Joséphine y survit grâce à sa passion toujours respectée pour la botanique et les roses.

« À NOUS DE SAVOIR DÉMÊLER DANS JOSÉPHINE
SA GRÂCE QUI RESTE NÔTRE, DE CE QUI NE SERA PAS NÔTRE… »
GILBERT GRATIANT

LE MUSÉE
Devenu départemental
en 1984, il a été édifié,
dans les années 1950,
autour des ruines
(inscrites à l'inventaire
des Monuments
historiques)
de l'habitation de La
Pagerie à l'initiative
de M. R. Rose-
Rosette.

LA PETITE GUINÉE
Ce fut le premier nom du domaine.

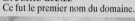

PORTRAIT DE JOSÉPHINE
D'après le tableau du baron Gérard.

On l'accuse
d'avoir fait rétablir
l'esclavage
à la Martinique
en 1802, alors que
l'émancipation de 1794
n'avait pas concerné l'île
qui était passée sous
domination
anglaise.

LA MAL-AIMÉE
Joséphine, contestée en Martinique,
est réclamée par Sainte-Lucie ▲ 324,
où l'on visite sa prétendue maison
natale. On dit également qu'elle s'est
rajeunie lors de son mariage et que le curé
des Trois-Îlets a rédigé le 5 novembre 1791,
un acte de décès à son nom.

▲ DE DUCOS À SAINTE-LUCE PAR LES ANSES-D'ARLETS

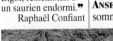

> "Du quai de La Française, la pointe de l'Anse à l'Âne, drossée par le morne Bigot, ressemblait à un saurien endormi."
> Raphaël Confiant

COMBAT AUX ANSES-D'ARLETS
On vit ici, en 1744, pendant la guerre de Succession d'Autriche, un navire de Saint-Malo venu se mettre sous la protection de la petite batterie du lieu, pour se défendre contre cinq gros vaisseaux anglais sous les ordres de l'amiral Knowles. Il y eut cinq tués dont le gouverneur espagnol d'une province du Pérou, passager sur le malouin. Un créole, défenseur de la batterie, eut le bras emporté.

LES ANSES

Merveilleux lieux de baignade, elles sont accessibles par la route et par la mer.
ANSE À L'ÂNE. On découvre depuis le sommet de la côte le panorama magnifique dévoilant cette plage, bordée de cocotiers et de *raisiniers*. On peut y chercher des coquillages et des coraux échoués et parfois même, les lendemains de tempête, des étoiles de mer.
ANSE DUFOUR ET ANSE NOIRE ♥. Pour accéder à ces belles anses sauvages, la route devient escarpée et serpente entre les mornes (morne Bigot, Gros Morne) recouverts d'une forêt xérophile. Il faut laisser sa voiture près du restaurant qui surplombe le charmant village de pêcheurs de l'Anse Dufour, au sable blanc, et descendre sur la gauche une forte pente.
À droite, un sentier accidenté conduit à l'anse dite Noire, à cause de la couleur de son sable.
GRANDE ANSE D'ARLET. Huit kilomètres plus loin, on découvre cette belle crique sableuse, abritée et ensoleillée. Les casiers qui sèchent au soleil donnent envie de goûter aux langoustes vivantes offertes par les restaurants au bord de l'eau. Nombreux sont les bateaux de plaisance qui s'arrêtent à ce mouillage.

LES ANSES-D'ARLETS

Petit bourg paisible en temps de paix, Les Anses-d'Arlets ont été en temps de guerre, un lieu de refuge pour les navires pourchassés à l'entrée de la baie de Fort-Royal. Sur les rochers de la plage de sable fin, bordée de tamariniers, on peut

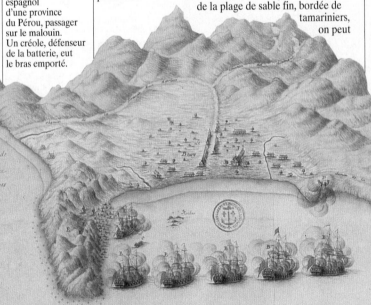

A   *Le navire le Stanislas de S.t Malo échoué et amarré à une Richanine en Crotin*

B   *Cinq gros Vaisseaux anglais de 60 à 70 pièces des Canons commandés par l'amiral Knol qui après avoir chassé et fait échouer le S.t Stanislas le dits vaisseaux mouillèrent à la dite anse et tirèrent environ deux cents ou Canons tant sur le dit navire que sur la Batterie et les maisons*

C   *Chaloupe*
D   *Bourg*
E   *Redoute ou prise à main*
F   *Église*

PLAN
De la petite anse d'Arlets à l'Isle Martinique

Les anses sont les refuges
naturels des pêcheurs
et de leurs embarcations :
gommiers autrefois,
yoles aujourd'hui.

trouver des oursins comestibles. Recherché par les vacanciers
pour sa simplicité attrayante, ce village de pêcheurs offre
toute l'année un climat chaud et peu venteux. La commune
doit son nom à l'accord qu'auraient conclu les deux chefs
caraïbes, Pilote et Arlet, avec le gouverneur Du Parquet.
Pilote s'installait à Case-Pilote ▲ *207*, tandis qu'Arlet
consentait à venir aux Anses-d'Arlets.

MORNE LARCHER ♥. Pour faire cette
promenade de 3,5 km, il faut compter
trois heures. En quittant Petite Anse
(3 km après Les Anses-d'Arlets), on peut
laisser sa voiture en bordure de la D 37,
près du restaurant et de la rivière.
On amorce la montée vers le morne
Jacqueline, par une petite route
pittoresque où des coulées de lave
massive ont été profondément
fumerollées. La savane à
ti-baumes, dont les feuilles vert
pâle et orange dégagent une odeur
poivrée, laisse place peu à peu à une
forêt sèche. Celle-ci, plus clairsemée, est
composée de *poiriers*, *gommiers rouges*,
campêches, *bois rouges*, *bois gli-glis* et manguiers
sauvages. Au col du morne Jacqueline, on embrasse
d'un coup les roches Genty (sur la gauche), un dôme
d'andésite à hornblende et le morne Larcher (devant),
un petit stratovolcan aux formes bien conservées. Ce morne
Larcher, dont la forme peut évoquer une «femme couchée»,
est la véritable sentinelle du canal de Sainte-Lucie. Son
sommet atteint 477 m. Une croix a été hissée à 354 m.
On dit que les Indiens, installés en bordure de la
grande anse du Diamant, y trouvaient refuge.

HABITATION DIZAC. Appelée autrefois
habitation «Plage du Diamant», elle fut
exploitée dès la fin du XVIIᵉ siècle. Elle changea
ensuite plusieurs fois de propriétaire et de nom :
habitation Gadie-Beuze en 1745, Latournelle
en 1816, puis Dizac en 1850. Elle produisit
jusqu'en 1940 un excellent rhum agricole.

ANSE CAFARD. À l'entrée, on découvre
sur la droite, face au rocher du Diamant,
la maison du Bagnard : une minuscule
case de bois ouvragée et colorée dans
le style *gingerbread* des îles
anglophones et le
monument ♥ du Bagnard,
constitué de 15 statues
de pierre tournées vers
la Guinée en souvenir
du naufrage de 1830.

PLAGE DU DIAMANT.
Elle s'étire sur plus
de 3 km au pied
d'une forêt de *raisiniers*,
mais elle est réputée
dangereuse à cause
des forts courants
parallèles au rivage.

**GISEMENTS
ARCHÉOLOGIQUES**
Des Trois-Îlets au
Diamant, des fouilles
sont menées par
le Centre d'études
et de recherches
archéologiques
● *52*. Abris
sous roches,
matériel
conchylien,
four à chaux,
sucrerie
témoignent
des différentes
étapes du
peuplement de
la Martinique.

**POTERIES ARAWAKS
DU DIAMANT**
Datant de la deuxième
période arawak,
elles sont exposées au
Musée départemental
à Fort-de-France.

Les poteries
appartenant à cette
période «présentent
sur leur face externe
des motifs décoratifs
polychromes ;
les couleurs sont
généralement
cernées d'un trait
gravé» (L. Mézin).
Vase caréné (en haut)
à décor géométrique
peint et incisé ; écuelle
anthropomorphe
(au milieu) à
englobe brun-rouge ;
fragment de vase
anthropomorphe
(ci-dessus) portant
des traces de décor
blanc et orangé.

LE ROCHER DU DIAMANT

"[...] Le commodore Sir Samuel Hood, qui pour intercepter nos rivages d'Europe, tenait sans cesse son vaisseau dans le canal de Sainte-Lucie, passait et repassait chaque jour devant le rocher du Diamant. Il résolut d'en prendre possession et d'en tirer parti pour le succès de son blocus, en y installant une vigie qui signalerait les navires atterrant au vent de la Martinique. Pour mieux faire accueillir son projet à Londres, il en exagéra les résultats, et peignit comme un nouveau Gibraltar la citadelle qu'il allait construire sur ce roc stérile, presque inabordable et jusqu'alors inconnu. En réduisant son entreprise à une fanfaronnade, il serait injuste de ne pas reconnaître que les travaux qu'il exécuta furent faits de main de maître, et qu'il en surmonta les difficultés avec une haute intelligence et une rare activité."

Moreau de Jonnès,
*Aventures de guerre
au temps de la
Révolution*

Les canons furent débarqués du vaisseau au rocher. Six furent ainsi répartis sur trois hauteurs, dont une au niveau de la mer : les vestiges sont aujourd'hui encore visibles, notamment le mur de protection, les ruines des batteries, et, en arrière la citerne et les grottes aménagées.

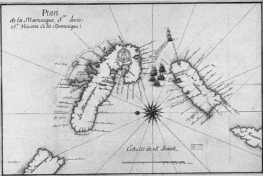

CARTE DU CANAL DE SAINTE-LUCIE
Cette carte, représentant la Martinique entourée des possessions anglaises de la Dominique et de Sainte-Lucie, montre bien l'importance du canal de Sainte-Lucie et l'intérêt stratégique du rocher du Diamant.

Un canon de dix-huit livres fut hissé au sommet du rocher. Un système de cordes et de poulies reliait le rocher au navire le *Centaure*, et à deux canots dont le rôle était d'empêcher le balancement latéral du canon.

LA VIE QUOTIDIENNE

Sur le rocher du Diamant, des marins observaient le *Bleheim* et le *Centaure*,
pendant que d'autres s'organisaient autour d'installations sommaires :
une grotte abritait le dortoir, les arbres servaient à faire sécher le linge.

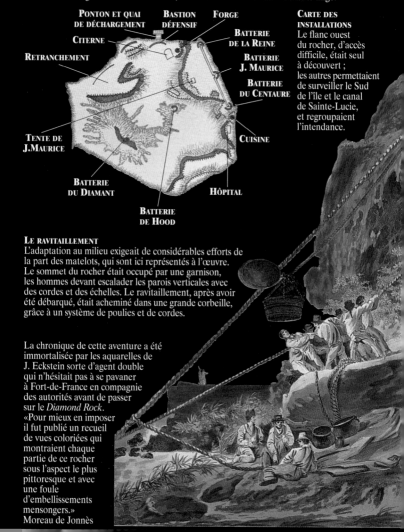

PONTON ET QUAI
DE DÉCHARGEMENT

BASTION
DÉFENSIF

FORGE

BATTERIE
DE LA REINE

CITERNE

BATTERIE
J. MAURICE

RETRANCHEMENT

BATTERIE
DU CENTAURE

TENTE DE
J. MAURICE

CUISINE

BATTERIE
DU DIAMANT

HÔPITAL

BATTERIE
DE HOOD

**CARTE DES
INSTALLATIONS**
Le flanc ouest
du rocher, d'accès
difficile, était seul
à découvert ;
les autres permettaient
de surveiller le Sud
de l'île et le canal
de Sainte-Lucie,
et regroupaient
l'intendance.

LE RAVITAILLEMENT

L'adaptation au milieu exigeait de considérables efforts de
la part des matelots, qui sont ici représentés à l'œuvre.
Le sommet du rocher était occupé par une garnison,
les hommes devant escalader les parois verticales avec
des cordes et des échelles. Le ravitaillement, après avoir
été débarqué, était acheminé dans une grande corbeille,
grâce à un système de poulies et de cordes.

La chronique de cette aventure a été
immortalisée par les aquarelles de
J. Eckstein sorte d'agent double
qui n'hésitait pas à se pavaner
à Fort-de-France en compagnie
des autorités avant de passer
sur le *Diamond Rock*.
«Pour mieux en imposer
il fut publié un recueil
de vues coloriées qui
montraient chaque
partie de ce rocher
sous l'aspect le plus
pittoresque et avec
une foule
d'embellissements
mensongers.»
Moreau de Jonnès

L'ORGANISATION
La vie sur un espace aussi restreint impliqua organisation et discipline.
Pour les uns, corvée de lessive ; pour les autres surveillance des pintades, chèvres,
dindes ou porcs destinés au ravitaillement des hommes.

LES PRÉPARATIFS DE DÉFENSE

Malgré l'ingéniosité des installations – on construisit citerne et hôpital – et l'ardeur des hommes, le rocher devint un piège pour les défenseurs isolés par la flotte franco-espagnole.

Dès le début des combats les mornes voisins se couvrirent de spectateurs. À la fin de la journée du 2 juin, constatant que ses hommes en étaient réduits à boire leur urine, James Maurice demanda à capituler.

Ayant pris pied à la base du rocher, les assaillants essayèrent d'escalader les flancs à l'aide d'échelles et de cordages, pendant que les navires bombardaient les hauteurs.

L'amiral Villeneuve dirigea l'attaque du rocher. À sa tête, le *Berwick* et le *Pluton* (deux vaisseaux de 74 canons), une frégate de 44 canons, un brick de 16 canons, une corvette de 14 canons, et les chaloupes devant assurer le débarquement de deux cent cinquante hommes.
Les assaillants s'emparèrent de la base du rocher et prirent les vivres et les munitions.

LA VIE À BORD

Le sol accidenté exigeait des dispositifs adaptés non seulement aux déplacements
des biens et des hommes, mais également à la fixation des bâches : il fallut fabriquer pitons
et crochets, anneaux, grappins et autres ustensiles indispensables.

Chargée d'attirer
l'amiral Nelson dans
les Antilles, la flotte
franco-espagnole
commandée par les
amiraux Villeneuve
et Gravina fut
rattrapée et anéantie
à Trafalgar.

L'iconographie
représentant la
reconquête du rocher
par les Français est
rare : à gauche,
un dénommé Simon
Martin réussit à
éteindre un incendie
à bord d'un canot.

LA BATTERIE DE LA REINE
Située au nord-est, elle illustre bien
l'usage à la fois offensif du canon
monté sur un affût tournant
et défensif
pour la protection
des serveurs.

L'amiral Nelson était
à la Barbade lorsque
James Maurice se
rendit à Villeneuve.
Il poursuivit la flotte
franco-espagnole
jusqu'à Trafalgar.

LA MAISON DU BAGNARD
Elle doit son nom à son constructeur, Médard Aribot. Il construisit cette maison vers 1950.

LE DIAMANT ♥

C'est l'un des plus beaux sites de la Martinique.

LE ROCHER, ENJEU DE LA CONFRONTATION FRANCO-BRITANNIQUE. À cause de sa forme et, dit-on, parce que, à certaines heures et sous certains angles, il brille comme une pierre précieuse, ce résidu d'un ancien volcan, enchâssé à 1 800 m de la côte et haut de 176 m, a été nommé Diamant bien avant l'installation des Français à la Martinique. L'anse et la commune situées en face, à environ 4 km, lui doivent leurs noms. Abordable seulement par la face orientale, celle que l'on voit depuis la terre, cet îlot a d'abord servi de point de repère aux navigateurs et de refuge aux oiseaux de mer, dont la chair et les œufs, réputés maigres, pouvaient être consommés le Vendredi saint. Tout changea en janvier 1804, lorsque le commodore Hood décida d'y installer une garnison pour renforcer le blocus de la Martinique ▲ 314. Placé tel un navire, dans le dispositif de contrôle du canal de Sainte-Lucie, le rocher devint, du fait de sa hauteur, le plus utile des postes de vigie. Mais sa faible puissance de feu le faisait dépendre du soutien de la flotte anglaise qui fut effectif durant 18 mois. Puis le départ du commodore Hood pour le Surinam et l'arrivée de la flotte de l'amiral Villeneuve renversèrent les rapports de force. Depuis les trois jours de combat de mai-juin 1805, le rocher du Diamant a été rendu à ses hôtes naturels ■ 34 dont la quiétude est encore parfois troublée par les saluts bruyants des marins de Sa Gracieuse Majesté, la reine d'Angleterre, lorsque ceux-ci croisent cette parcelle de Martinique restée pour eux un navire indestructible, le *HMS Diamond Rock*.

COMMUNE DU DIAMANT. On y cultivait autrefois canne, maïs et coton. Ses coquettes maisons en bois dominent le bord de mer et, dans le cimetière blanc, de jolies tombes décorées de *lambis* ■ 32 scintillent au soleil (ci-dessus).

ÉGLISE DU DIAMANT ♥. Construite au XVIIᵉ siècle, elle devint plus importante le siècle suivant. Elle possédait alors une seule nef et pas de chapelle. Elle mesure 16,5 m de longueur sur 8 m de largeur, si l'on exclut la sacristie. Appuyé en cul-de-lampe à l'une de ses extrémités, l'édifice dut subir plusieurs fois des réparations après cyclones et intempéries. En 1829, il fut à nouveau reconstruit et béni par l'abbé Dacheux. En 1843, un autel en bois peint fut inauguré en l'honneur de la Vierge. En 1860, les habitants du village aidés du Conseil privé se cotisèrent pour agrandir l'église. Le mur qui

ÉGLISE DU DIAMANT
Elle appartient, comme celles du Marin ▲ 299 et de L'Ajoupa-Bouillon ▲ 254, aux églises d'inspiration baroque. La façade, symétrique et coiffée d'un fronton, est construite dans un bel équilibre de lignes droites et de courbes. La magnifique charpente en carène renversée a été restaurée à la fin des années 1990 par les compagnons du Devoir.

HABITATION O'MULLANE

limite le bâtiment fut remplacé par une colonnade de bois, des allées latérales et des murs extérieurs furent ajoutés. En 1871, la façade et le clocher furent refaits. Après avoir été fermée au culte pendant deux ans et remise à neuf, l'église fut inaugurée le 12 février 1989 par Mgr Marie-Sainte. Elle est inscrite à l'inventaire des Monuments historiques.

La maison du Gaoulé, ci-dessous.

HABITATION O'MULLANE OU MAISON DU GAOULÉ. La façade, la toiture et les ruines du moulin sont également inscrites à l'inventaire des Monuments historiques. Aujourd'hui propriété privée (3 km après le bourg ; photos permises mais pas de visites), elle fut le théâtre, en 1717, d'une révolte des planteurs martiniquais, animée par les familles Dubuc et Lerossois, planteurs de la région de La Trinité et du Lamentin, contre le pouvoir de la métropole. Le 17 mai, une milice constituée de colons séquestra dans cette habitation du Diamant les représentants du roi de France, de La Varenne et Ricouard, envoyés pour s'opposer à la contrebande. C'est à cet épisode précis que s'applique l'expression «Gaoulé du Diamant» ● *71*. Après leur arrestation, de La Varenne et Ricouard furent embarqués de force à l'Anse Latouche, près de Saint-Pierre à destination de la France.

SAINTE-LUCE

TROIS-RIVIÈRES. On raconte que dans ce quartier qui dépend de Sainte-Luce, le surintendant Fouquet avait fait construire un véritable château fort que Louis XIV, inquiet des ambitions démesurées de son argentier, ordonna de raser. C'est à présent la rhumerie Trois-Rivières ▲ *338*, reconnaissable à son moulin, qui fait la célébrité de l'endroit. Le souvenir de l'ancien moulin à vent, qui a servi d'emblème au rhum Trois-Rivières perdure sur les étiquettes.

LE RHUM TROIS-RIVIÈRES
Il fait l'objet d'une distribution de prestige. Les rhums

vieux placent cette marque au premier rang de la production insulaire.

LA MAIRIE DE SAINTE-LUCE

▲ DE DUCOS À SAINTE-LUCE PAR LES ANSES-D'ARLETS

VÉGÉTATION DANS LA FORÊT DE SAINTE-LUCE
Sur des arbres aux contreforts puissants s'accrochent lianes et épiphytes.

LE BOURG. Située face à la britannique Sainte-Lucie, Sainte-Luce a souffert des agressions des Anglais qui, débarquant en 1693, incendièrent les maisons, l'église et les plantations, et brisèrent les canots de pêche. Érigée depuis 1848 en commune autonome, Sainte-Luce s'est beaucoup développée, et ses plages de sable blanc attirent les estivants.

ÉGLISE. Elle a eu une existence mouvementée. Reconstruite après les ravages anglais du XVIIᵉ siècle, elle a été emportée par un violent cyclone en 1817. La messe se dit alors dans une pièce de fortune, une «petite chambre qui ne peut ni nous contenir, ni donner à nos nègres une idée de la majesté de Dieu que l'on vient adorer». Le temple adventiste mérite également une visite.

MORNE DES PÈRES. On peut y voir des vestiges de canons, témoignages des dispositifs de défense côtière des XVIIIᵉ et XIXᵉ siècles.

FORÊT MONTRAVAIL ♥. On y accède par la D 17. Dans cette belle forêt de mahoganis (sentier sportif et promenades pédestres), les roches gravées témoignent de l'occupation des Indiens Caraïbes à l'époque précolombienne. On sait peu de choses de la signification réelle de ces pétroglyphes. Le père Du Tertre écrit que les Indiens «croient communément en deux sortes de dieux, dont les uns sont bons qu'ils nomment ichéiri, les autres mauvais et qu'ils appellent mayoba».

LES ROCHES GRAVÉES
Celles de la forêt Montravail constituent un ensemble unique pour la Martinique. Découvertes tardivement par M. Crusol en 1970, elles présentent un «groupement artificiel de grands rochers volcaniques, décorés sur différentes faces de profondes gravures représentant des visages stylisés […]. Sa situation à ciel ouvert le livre au processus d'érosion hydrothermique. […] Par leur monumentalité, la richesse de leur iconographie et leur remarquable situation topographique, elles mériteraient une prise en compte par les Monuments historiques afin d'assurer leur préservation et leur mise en valeur».
Nathalie Vidal, *Bilan scientifique du Service régional de l'archéologie*

Il ajoute que les Indiens «croient que ces esprits ou ces dieux ont le pouvoir de faire croître leur manioc, qu'ils peuvent les secourir dans leurs maladies, qu'ils les aident dans leurs combats, qu'ils font les ouragans, qu'ils empoisonnent ou font mourir qui bon leur semble». De semblables pierres gravées ont été découvertes sur le territoire de la commune de Trois-Rivières, en Guadeloupe. En Martinique, cet ensemble de quatre roches est difficile à trouver ; avant d'arriver à la forêt Montravail, il faut demander la maison du propriétaire des lieux, qui organise la visite aux roches moyennant rétribution.

TROU AU DIABLE.
Dans cette baie, entre mer et campagne, des pêcheurs posent leurs grands filets de senne au pied des arbres, lorsque le soleil se couche.

DESTINATION
GRENADINES

☑ 10 journées

L'archipel des Grenadines, que se partagent les deux plus grandes îles qui les enserrent comme des parenthèses, Grenade et Saint-Vincent, se situe dans l'une des meilleures zones du monde pour la pratique de la voile.
Dans ces eaux, croisent surtout des bateaux de plaisance, des paquebots de croisière et des *bateaux-pays*.
La terre est constamment en vue. La splendeur des paysages, tant terrestres que sous-marins, alliée à une fréquentation touristique relativement réduite à cause de leur accès difficile, fait des Grenadines une destination de choix.

BÉQUIA

MUSTIQUE

CANAL

UNION   MAYERO   LES TOBAGO CAYS   CANOUAN

LES GRENADINES

LES PETITES ANTILLES

Au sud de la Martinique, le terme des Petites Antilles trouve son plein sens lorsque l'arc, passant par Sainte-Lucie et Saint-Vincent, devient poussière d'îles avec les Grenadines.

Les formalités administratives pour entrer par mer s'effectuent à Rodney Bay, Castries, Marigot Bay ou Vieux-Fort.

Ci-dessous, les Deux Pitons et Soufrière Bay.

SAINTE-LUCIE

La position centrale de Sainte-Lucie en fait une escale obligée pour se rendre aux Grenadines à partir des Antilles françaises. Située à 38 km de la Martinique, elle est surtout connue pour ses Deux Pitons et Marigot Bay. La côte ouest, souvent déventée, est la plus fréquentée. La côte est, peu peuplée et plus sauvage, est, en revanche, fréquentée principalement par les pêcheurs locaux.

HISTOIRE. La découverte de Sainte-Lucie demeure mystérieuse. On l'attribue généralement à Christophe Colomb, et on date l'événement le 13 décembre 1502, le jour de la sainte Lucie. Mais, récemment, le nom de Juan de la Cosa , un officier de Colomb, a été avancé. Dès le XVIIe siècle, commencent les luttes incessantes entre Français et Britanniques, qui voient Sainte-Lucie changer quatorze fois de mains, avant de revenir définitivement à l'Angleterre aux termes du traité de Paris de 1814. En 1967, Sainte-Lucie devient État associé

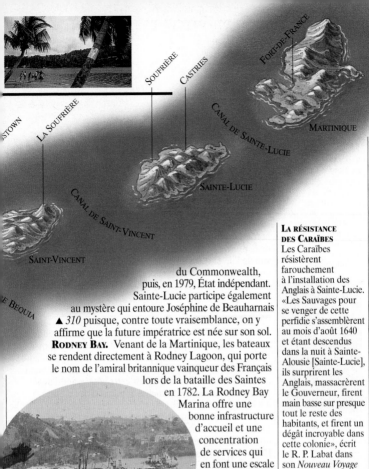

SOUFRIÈRE
CASTRIES
FORT-DE-FRANCE

MARTINIQUE

CANAL DE SAINTE-LUCIE

LA SOUFRIÈRE

STOWN

SAINTE-LUCIE

CANAL DE SAINT-VINCENT

SAINT-VINCENT

E BEQUIA

▲ 310

du Commonwealth, puis, en 1979, État indépendant. Sainte-Lucie participe également au mystère qui entoure Joséphine de Beauharnais ▲ 310 puisque, contre toute vraisemblance, on y affirme que la future impératrice est née sur son sol.

RODNEY BAY. Venant de la Martinique, les bateaux se rendent directement à Rodney Lagoon, qui porte le nom de l'amiral britannique vainqueur des Français lors de la bataille des Saintes en 1782. La Rodney Bay Marina offre une bonne infrastructure d'accueil et une concentration de services qui en font une escale appréciée des navigateurs.

CASTRIES. La capitale a pris le nom d'un ministre de la Marine française du XVIIIᵉ siècle, le maréchal de Castries. Blottie dans une profonde rade bordée de collines, cette ville moderne vit autour de son port convenant aux grands tirants d'eau et donc peu adapté à la plaisance. La pointe Séraphine, toute proche, a été aménagée pour recevoir touristes et bateaux de croisière.

MARIGOT BAY. En descendant le long de la côte ouest, on découvre cette crique idéale : sable blanc, cocotiers et palétuviers qui en font le mouillage le plus réputé et donc le plus fréquenté (parfois encombré) de l'île. C'est l'un des plus beaux sites des Antilles et la meilleure escale à Sainte-Lucie sur la route des Grenadines. L'hôtellerie et la restauration sont regroupées à Marigot Bay Resort.

SOUFRIÈRE BAY. Ce mouillage est intéressant si l'on souhaite effectuer la visite du volcan, la Soufrière. Non loin de là, les chutes dites Diamond Falls offrent un spectacle naturel impressionnant.

LES DEUX PITONS. C'est, après Marigot Bay, le mouillage le plus apprécié des navigateurs et une escale à ne pas manquer, encaissée entre les deux pains de sucre volcaniques, Gros

LA RÉSISTANCE DES CARAÏBES
Les Caraïbes résistèrent farouchement à l'installation des Anglais à Sainte-Lucie. «Les Sauvages pour se venger de cette perfidie s'assemblèrent au mois d'août 1640 et étant descendus dans la nuit à Sainte-Alousie [Sainte-Lucie], ils surprirent les Anglais, massacrèrent le Gouverneur, firent main basse sur presque tout le reste des habitants, et firent un dégât incroyable dans cette colonie», écrit le R. P. Labat dans son *Nouveau Voyage aux Isles de l'Amérique*. Les Français composèrent avec eux et signèrent un traité. Mais les guerres franco-anglaises aboutirent en 1814 au traité de Paris qui rendit Sainte-Lucie aux Anglais.

À gauche, cuirassés américains à Port Castries en 1891.

Vigie Cocoanut Walk, St. Lucia

ALLÉE DE COCOTIERS
C'est un paysage familier de Vigie, au nord-ouest de l'île de Sainte-Lucie.

325

**SAINT-VINCENT
EN 1889**
Treize ans plus tard,
l'éruption
de la Soufrière
entraîna la mort de
deux mille personnes,
deux jours avant
la catastrophe
de la montagne Pelée
en Martinique.

**CASE À
SAINT-VINCENT**
Comme la case
de Guadeloupe,
elle est posée sur des
rochers ou des poteaux
de fibrociment afin de
la préserver de
l'humidité. La cuisine
en est séparée.

L'ARBRE À PAIN
Il constitue le lien
entre les îles
du Pacifique et celles
de la Caraïbe.
C'est à cause de lui
que la mutinerie
de la *Bounty* eut lieu.
Ayant quitté Tahiti
avec une cargaison de
plants, une partie de
l'équipage se révolta
sous les ordres
de Flechter Christian.
Après avoir mis
le capitaine Bligh
et les marins fidèles
dans une chaloupe,
les mutins jetèrent
à l'eau les plants
d'arbre à pain.
La ténacité du
capitaine Bligh permit
à cet arbre d'être
introduit à Saint-
Vincent en 1793, lors
de son second voyage.

Piton (798 m) et Petit Piton (736 m) dont les parois tombent
à pic dans la mer. Cette baie constitue une petite partie
de l'anse formée par le cratère immergé d'un ancien volcan.
VIEUX-FORT. Il s'agit de la ville industrielle de Sainte-Lucie.
Elle y abrite le port bananier. La banane est une importante
ressource pour cette île. Les plaisanciers vont rechercher
la tranquillité à la pointe Mathurin, située sur le côté est
de la presqu'île de Moule-à-Chique. Celle-ci constitue la pointe
sud de l'île et offre un panorama fantastique sur Sainte-Lucie
et sur la ligne de convergence des eaux, différemment colorées,
de l'océan Atlantique et de la mer Caraïbe.

SAINT-VINCENT

L'île de Saint-Vincent est certainement plus intéressante par
son relief intérieur que par son littoral. En effet, les possibilités
d'abri sont limitées le long de la côte ouest, exception faite
du très bon mouillage de Cumberland. De plus, en venant
du nord, on ne peut s'arrêter sur cette côte avant d'avoir
effectué sa *clearance* (formalité administrative d'entrée)
à Kingstown, dans l'extrême sud. C'est la raison pour laquelle
les plaisanciers fréquentent peu Saint-Vincent et préfèrent
se rendre directement à Bequia. Elle n'en reste pas moins
une étape attrayante pour les amoureux de la nature.
HISTOIRE. La tradition rapporte que Christophe
Colomb découvrit Saint-Vincent
le 22 janvier 1498, jour de
la fête du saint qui donna
son nom à l'île. Mais celle-ci
resta longtemps sous
la domination des Caraïbes
qui opposèrent
une forte résistance
aux colonisations
française et anglaise.
Au XVIᵉ siècle, un bateau
d'esclaves africains sombra
à proximité de Saint-
Vincent ; les survivants
s'allièrent aux Caraïbes.
Leurs descendants,
appelés les Caraïbes
Noirs, sont connus
pour avoir lutté contre
les puissances coloniales
durant le XVIIIᵉ siècle. Il ne reste
aujourd'hui à Saint-Vincent qu'un petit groupe
de leurs descendants, qui vivent dans le village
de Sandy Bay. Anglaise jusqu'en 1969, l'île devint
État associé au Commonwealth puis, en 1979,
État indépendant.
L'agriculture représente
une part importante
de la richesse de l'île ;

elle emploie 42 % de la population active. Bananes, noix de coco, cacao, café, noix de muscade et marante sont les principaux produits d'exportation.

KINGSTOWN. La capitale de Saint-Vincent se détache sur un fond verdoyant de collines luxuriantes. C'est le port d'entrée, qui se caractérise par une activité intense et incessante.

LE JARDIN BOTANIQUE. Il fut créé en 1765, par le général Robert Melville, gouverneur de la Fédération des îles du Vent. En 1793, le capitaine William Bligh, célèbre commandant de la *Bounty*, rapporta de Tahiti à Saint-Vincent, des plants d'arbre à pain.

L'ÎLE ÉMERAUDE. Saint-Vincent doit à sa nature verdoyante et luxuriante ce surnom, confirmé par des paysages grandioses. En plein cœur de la forêt tropicale s'étend Buccament Valley, meilleur endroit de l'île pour l'observation des oiseaux, notamment des espèces rares ou endémiques que l'on s'efforce aujourd'hui de préserver comme le perroquet de Saint-Vincent. L'ascension des pentes du volcan de la Soufrière, la plus haute montagne de l'île (1 234 m), nécessite la présence d'un guide et une journée entière doit y être consacrée. L'éruption du 6 mai 1902, précédant de deux jours celle de la Pelée à la Martinique ▲ *230*, fit deux mille victimes. La dernière éruption, en avril 1979, détruisit des hectares de cultures et entraîna l'évacuation des villages environnants.

LES GRENADINES

Les Grenadines appartenant à l'État de Saint-Vincent totalisent environ 32 îles et îlots qui s'étendent au sud de Saint-Vincent. Les plus grandes sont : Bequia, Mustique, Canouan, Palm, Petit Saint-Vincent, Mayero et Union. Toutes les Grenadines possèdent de merveilleuses plages de sable blanc, bordées de palmiers, une eau limpide, un environnement idéal pour la baignade, la plongée (mais la chasse sous-marine y est interdite) et la navigation.

BEQUIA. À six milles au sud de Saint-Vincent, Bequia (prononcer «Bequoué») est la première des Grenadines en venant du nord. Cette petite île, sans grande ressource, a accueilli dans le passé de nombreux colons : écossais, français et baleiniers de New Bedford (USA) qui transmirent leur savoir-faire aux insulaires, faisant ainsi de Bequia, au XIXᵉ siècle, le centre de la pêche à la baleine pour l'ensemble des Caraïbes. Voici encore peu de temps, on chassait la baleine avec les mêmes moyens qu'il y a deux siècles, et on la dépeçait sur l'îlot voisin, Petit Nevis.

MUSTIQUE. À cinq milles au sud-est de Bequia, émerge l'île de Mustique (ou Moustique) célèbre à double titre. À huit cents mètres au nord se

Vue de la côte ouest de Saint-Vincent, à Wallilabou Bay (ci-dessous).

La navigation à vue entre les îles – les plus grandes distances n'excèdent pas sept milles – peut paraître facile, mais il ne faut jamais oublier la présence de *cayes* ■ *30* et négliger la force des courants.

LE PERROQUET DE SAINT-VINCENT
Amazona guildingii est une espèce en voie de disparition que l'on ne trouve que dans Buccament Valley. Le brun doré, le violet et le vert dominent parmi les couleurs de son plumage.

LES CHARPENTIERS DE MARINE DE BEQUIA
Renommés pour leur habileté, ils construisent des *bateaux-pays* et des baleinières. Aujourd'hui, des modèles réduits de leur production sont proposés aux touristes.

CANOUAN BEACH HOTEL
L'un des deux hôtels de l'île.

SANDY ISLAND
C'est l'image même de l'îlot tropical. Il se situe près de Carriacou, île des Grenadines dépendant de Grenade.

LES TOBAGO CAYS EN VOILIER
Le premier mouillage des Tobago Cays se situe dans l'étroit passage entre les îles Petit Bateau et Petit Rameau, désertes et couvertes de palmiers. Un second mouillage se trouve entre les îlots Baradel et Jamesby.

Vue aérienne de la côte sud d'Union, avec au premier plan, Fregate Island.

dressait il y a peu de temps encore la grande épave du paquebot *Antilles*, qui vint s'éperonner en 1971 sur un récif. Peu fréquentée par les plaisanciers en raison de son exposition au vent, du manque de mouillage (Grand Bay est le seul de l'île) et à cause des moustiques qui lui ont valu son nom, Mustique a été aménagée par un aristocrate anglais, Colin Tennant, pour des clients fortunés, européens ou américains.

CANOUAN. Presque aussi grande que Bequia, Canouan, située au sud-ouest de Mustique, fut au XIXe siècle un centre de pêche animé et actif. Aujourd'hui, il n'en reste presque rien et l'île compte sur le tourisme, peu développé encore (deux hôtels et quelques plaisanciers de passage), pour retrouver vie.

MAYERO. Mayero (ou Mayreau), située à moins de quatre milles au sud de Canouan, est l'île la plus importante (3 km²) du petit archipel qu'elle forme avec les Tobago Cays. Elle offre au nord un bon mouillage à Salt Whistle Bay, et Saline Bay, le principal mouillage de l'île, est également connu pour être un excellent lieu pour la plongée. L'île est la propriété d'une famille de Saint-Vincent, descendants d'anciens colons français. Désireux de préserver leur île, ces derniers n'ont autorisé qu'une seule construction, celle de l'unique hôtel de Salt Whistle Bay.

LES TOBAGO CAYS. Sur les cartes, les Tobago Cays apparaissent comme cinq petits îlots (Petit Bateau, Petit Rameau, Baradel, Jamesby et Petit Tabac), perdus dans une multitude de coraux. Ils sont accessibles par de multiples passes et protégés du large par deux grandes barrières de corail appelées l'une le Fer à Cheval, l'autre se trouvant plus à l'est, le récif de la Fin du Monde. Les Tobago, ce sont des plages splendides, des fonds clairs et encore poissonneux, des mouillages, et le meilleur site de plongée sous-marine des Antilles. Le seul inconvénient : la saturation de voiliers en haute saison.

UNION. Union doit son surnom de «Tahiti des Antilles» à son merveilleux paysage de montagnes qui lui donne une silhouette tourmentée. Son plus haut sommet, le mont Taboi (305 m) est l'un des points culminants des Grenadines. C'est la plus grande île des Grenadines. Le mouillage principal de l'île et le plus apprécié des yachts se situe dans la baie de Clifton.

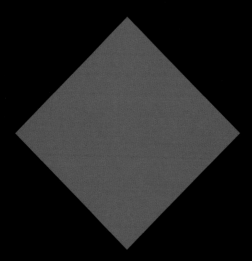

Informations pratiques

ADRESSES UTILES

→ FRANCE
■ OFFICE DE TOURISME
DE LA MARTINIQUE
2, rue des Moulins
75001 Paris
Tél. 01 44 77 86 00
Fax 01 49 26 03 63

→ BELGIQUE
■ MAISON DE LA FRANCE
21, av. de la
Toison-d'Or
1050 Bruxelles
Tél. (32) 25 05 38 10
Fax (32) 25 05 38 29

→ QUÉBEC
■ MAISON DE LA FRANCE
1981 Mc Gill College
Suite 490
Montréal
Québec H3A 2W9
Tél. (1) 514 288 42 64
Fax (1) 514 845 48 68

→ SUISSE
■ MAISON DE LA FRANCE
Rennweg 42
Postfach 7226
8023 Zurich
Tél. (41) 217 46 00
Fax (41) 217 46 17
■ BUREAU
D'INFORMATION
2, rue Thalberg
1021 Genève
Tél. (41) 900 900 699
mdlfgva@bluewin.ch

ARGENT

→ À LA MARTINIQUE
La monnaie légale
est la même qu'en
métropole : l'euro (€)
depuis le 1er janvier
2002.
Toutes les cartes
de crédit sont
acceptées.
Attention
*Il est important
de savoir que
de très nombreux
commerçants
refusent les chèques
hors place.*

→ DANS L'ARCHIPEL
DES GRENADINES
■ Monnaie officielle
de Sainte-Lucie,
Saint-Vincent
(et des Grenadines
qui en dépendent) :
dollar est-caraïbe,
mais le dollar US
est accepté
partout.
À titre indicatif :
1,12 € = 1 US $.

ASSURANCES

→ CONSEILS
■ Avant de partir,
il est conseillé de
vérifier son adhésion
ou de souscrire un
contrat d'assistance.
■ CRITÈRES
Parmi les nombreux
organismes, il est
recommandé de
choisir ceux qui
proposent les
services les plus
sûrs, à savoir :
- Centre d'appel
24 h/24
- Facilité de mise en
rapport directe avec
un responsable ou un
spécialiste (santé,
technicien…)
- Un réseau
de correspondants
dans le territoire
de la destination.

→ ORGANISMES
■ CONSEILS
Certaines cartes
bancaires offrent
un système
d'assistance
médicale et
de rapatriement
sous conditions.
Renseignements
dans les banques.
Penser à emporter
la carte mentionnant
le centre d'appel.
■ EUROP ASSISTANCE
Tél. 01 41 85 85 41
■ MONDIAL ASSISTANCE
Tél. 01 40 25 52 04

COÛT DE LA VIE
Il s'aligne sur celui
de l'Hexagone sauf
pour les nombreux
produits importés
auquel on ajoute
20 à 30 %. La
solution la plus
économique consiste
à partir en basse
saison ou à rester
plusieurs semaines
pour profiter de tarifs
dégressifs (jusqu'à
- 15 % pour deux
semaines, - 25 %
pour trois semaines).

→ BUDGET TYPE
Le budget à prévoir
par personne et par
semaine pour l'hôtel,
la location de voiture,
le restaurant et les
dépenses diverses

(boissons, sorties…)
■ Budget «luxe»
1 830 €
■ Budget «confort»
1 067 €
■ Budget
«économique»
535 €
Il faut ajouter
le prix du billet
aller-retour.

DÉCALAGE
HORAIRE
■ 5 heures en hiver
■ 6 heures en été
Quand il est midi
à Paris en hiver, il est
7 h à la Martinique
et 6 h en été.

FORMALITÉS
Les formalités
d'entrée pour
les ressortissants
français sont
très simples.

→ DOCUMENTS
Pour la Martinique
et Sainte-Lucie,
carte d'identité
ou passeport
suffisent aux
ressortissants
des pays de l'UE.
Attention
*Pour circuler
dans les Caraïbes,
le passeport est
indispensable.*

→ DOUANES
Les objets peuvent
totaliser 366 €.
■ DIRECTION RÉGIONALE
DES DOUANES
Fort-de-France
Tél. 0596 70 72 72
Fax 0596 70 73 65
Voir aussi
«Sur place de A à Z»
◆ *332.*

QUAND PARTIR ?
→ CLIMAT
Le climat tropical,
tempéré par les
alizés, et les douces
températures (20
à 30 °C) permettent
des séjours agréables
toute l'année.
Attention
*Les températures
sont plus fraîches
en altitude.*

→ SAISONS
■ CLIMAT À MAI
La saison sèche,
ou «carême», est

la plus touristique
et la plus chère pour
les billets d'avion
et l'hébergement.
■ JUILLET À OCTOBRE
La basse saison,
qui correspond
à l'«hivernage»,
est plus humide.
C'est à cette saison
que les tempêtes
tropicales peuvent
se produire.

RÉSERVATIONS
→ HÉBERGEMENT
L'office de tourisme
de la Martinique
fournit une liste
des prestataires
qui proposent
différents types
d'hébergement et
dispose d'un service
de réservation.
Tél. 01 44 77 86 11
■ FÉDÉRATION
DES GÎTES DE FRANCE
59, rue Saint-Lazare
75009 Paris
Tél. 01 49 70 75 75
Voir aussi
«Sur place de A à Z»
◆ *332,*
«Sélection d'adresses»
◆ *345.*

→ LOCATION DE VOITURES
Il est conseillé de
réserver son véhicule
au moins 15 jours
à l'avance. De
nombreuses sociétés
de l'Hexagone
ont des agences
à la Martinique
et possèdent
des centrales
de réservation à
partir de la France.
Voir aussi «Sur place
de A à Z» ◆ *332*

SANTÉ
→ COUVERTURE SOCIALE
■ Le régime de la
sécurité sociale
s'applique comme
en métropole.

→ TROUSSE MÉDICALE
■ MÉDICAMENTS
Emporter
des remèdes contre
les insolations,
les allergies, la fièvre,
les problèmes
intestinaux…
Conseil
*Les médicaments
sont plus chers*

qu'en métropole :
il n'est pas inutile
de se constituer
une petite trousse
médicale avant
le départ.
■ Pansements,
crème solaire
haute protection
et crème après-
soleil calmante,
antimoustique,
mini-aérosol
d'eau minérale…

→ VACCINATION
■ Aucun vaccin
n'est obligatoire.
■ Le vaccin
de l'hépatite A
est conseillé.
■ En cas de voyage
dans la zone
inter-caraïbes,
prévoir
une vaccination
contre la variole
et la fièvre jaune.
■ **ADRESSE**
Centre de
vaccination
d'Air France
Tél. 08 36 68 63 64
Minitel 3615 VACAF

TÉLÉPHONE
→ APPELER
**LA MARTINIQUE
DE LA FRANCE**
0596 + numéro
du correspondant
(6 chiffres)
Heures pleines
(lun.-ven. 8 h-19 h)
0,32 €/min
Heures creuses
(lun.-ven. 19 h-8 h,
sam.-dim.)
0,23 €/min

→ CARTE TÉLÉPHONIQUE
**Cartes France
Télécom**
Plusieurs formules
de cartes et de
tickets utilisables sur
tous les téléphones
publics et privés.
Renseignements
Tél. 0 800 10 20 40
www.francetelecom.fr
Attention Délai
d'obtention : 10 jours.

→ TÉLÉPHONE PORTABLE
Pour le coût des
communications,
les possesseurs
d'un mobile doivent
se renseigner auprès
de leur opérateur.

VALISE
→ VÊTEMENTS
Préférer les tenues
légères en lin ou en
coton aux vêtements
en matières
synthétiques qui
chauffent au soleil.
Prévoir un
imperméable léger
et un pull pour
les sorties en mer.

→ ÉQUIPEMENT SPÉCIFIQUE
■ Une paire de bottes
pour les randonnées
dans la mangrove.
■ Des sandales
en caoutchouc pour
l'exploration des
rochers marins.

■ Des chaussures
de marche,
des chaussettes
montantes, une
chemise à manches
longues, un pantalon
pour la montagne.
Ne pas oublier
la gourde.

→ NE PAS OUBLIER
■ Des lunettes de
soleil et une bonne
crème solaire.
■ Quelques pellicules
photo (ce produit
d'importation
affiche des prix
20 à 30 % plus chers
qu'en métropole).
Choisir de préférence
des pellicules de
faible sensibilité

(100 ASA) et,
pour saisir au mieux
les couleurs
de fin de journée,
des filtres.

VOYAGE
→ EN AVION
■ **DURÉE DU VOL**
Environ 8 heures
■ **VOLS RÉGULIERS**
Air France propose,
au départ de Paris,
des vols quotidiens
pour Fort-de-France.
Des compagnies
privées assurent
également des vols
quotidiens au départ
de Paris (Orly Sud).
■ **TARIFS**
Les prix aller-retour
varient de 514 €
à 1 450 €,
selon la classe,
la période…

■ **Air France
en France
ou à la Martinique**
Informations
et réservations
Tél. 0 820 820 820
Minitel
3615 Air France
www.airfrance.fr

■ **VOLS INTER-CARAÏBES**
Les billets peuvent
être achetés
en métropole.
Se renseigner auprès
des compagnies
ou des agences
de voyages.

→ EN BATEAU
■ **COMPAGNIE
GÉNÉRALE MARITIME**
Elle accueille
une douzaine de
passagers sur ses
cargos, au départ
du Havre. Les enfants
de moins de 5 ans
ne sont pas acceptés.
■ **DURÉE**
10 à 12 jours
■ **TARIFS**
Aller simple : 910 €
(cabine 1 personne)
à 1 000 € (cabine
2 personnes) en
pension complète.
Réduction de 20 %
accordée aux moins
de 26 ans.
Réservation ouverte
3 mois à l'avance.
■ **RENSEIGNEMENTS**
Sotramat
Tél. 01 49 24 24 73

VOYAGISTES
De nombreux
voyagistes proposent
des séjours
qui incluent le vol
et l'hébergement,
et des prix
promotionnels
en périodes creuses.
Conseil
Si l'organisation
d'un voyage
à la Martinique est
à la portée de tout
le monde, passer
par une agence
présente l'avantage
d'offrir des forfaits
vol + hébergement
à des tarifs très
attractifs (à partir de
610 € par semaine.

WEB
■ Site de l'office
de tourisme :
www.infomartinique.
com
■ Site du ministère
des Affaires
étrangères :
www.outre-
mer.gouv.fr
■ www.météo-
france.com
■ www.annuaire-
martinique.com
■ Site de la
Fédération des
industries nautiques,
informations pour la
location de bateaux :
www.france-
nautic.com

ADRESSES UTILES

→ URGENCES
■ POLICE
SECOURS : 17
■ POMPIERS : 18
■ SAMU : 15
OU 0596 75 15 75
■ SOS MÉDECINS :
0596 63 33 33

**→ INFORMATIONS
TOURISTIQUES**
■ OFFICE
DÉPARTEMENTAL
DE TOURISME
DE LA MARTINIQUE
2, rue E.-Deproge
97200 Fort-
de-France
Tél. 0596 63 79 60
■ OFFICE DE TOURISME
76, rue
Lazare-Carnot
97200 Fort-
de-France
Tél. 0596 60 27 73

■ OFFICE MUNICIPAL
DU TOURISME
Route de
la Pointe-Simon
97200 Fort-de-France
Tél. 0596 71 75 01
Voir aussi ◆ *352*
«Lieux de visites»
pour les adresses
des offices
de tourisme
par commune.

→ PRÉFECTURE
Rue Victor-Sévère
97200 Fort-
de-France
Tél. 0596 39 36 00

→ CONSULATS
■ BELGIQUE
ZI de la Jambette
97200 Fort-
de-France
Tél. 0596 50 28 68
■ SUISSE
Centre d'affaires
Californie
97232 Le Lamentin
Tél. 0596 50 12 43

AÉROPORT

→ ADRESSE
■ ADRESSE
Aéroport
du Lamentin
97232 Le Lamentin
Tél. 0596 42 16 00

→ INFORMATIONS VOLS
Tél. 0596 42 19 95
ou 0596 42 19 96
ou 0596 42 19 97

→ DESSERTES
■ ACCÈS
L'aéroport est situé
à 8 km de Fort-
de-France.
En voiture, il faut
compter 10 à 20
minutes pour se
rendre jusqu'à Fort-
de-France, 20 à
30 minutes pour
la Pointe du Bout,
40 minutes pour
Le Marin. Le temps
peut être multiplié
par deux ou trois lors
d'embouteillages,
très fréquents.
■ TAXIS
Disponibles
à toute heure,
sans trop d'attente.
Attention *Les tarifs
sont très élevés.*
■ TAXIS COLLECTIFS
Ils ne desservent
pas directement
l'aéroport. Il est

possible de prendre
un taxi pour Le
Lamentin ou Ducos,
puis au-delà un taxi
collectif, et *vice versa.*
■ NAVETTES
Certains hôtels
de standing
proposent un service
de navettes
gratuit ou payant ;
il faut se renseigner
lors de la réservation.

**→ SERVICES
DANS L'AÉROPORT**
Consigne à bagages
gardée, loueurs
de voitures,
change, banques
avec billetteries,
pharmacies,
fleuristes.
■ BUREAU DE L'OFFICE
DÉPARTEMENTAL
DE TOURISME
Tél. 0596 42 18 05
ou 0596 42 18 06
ou 0596 42 18 07
Services
d'informations
et de réservations
d'hôtels.
Ouvert de 7 h 30
jusqu'à l'arrivée
du dernier avion.
■ POSTE
Ouvert tlj. 7 h-12 h 30
et 15 h-21 h.

ARGENT

→ MONNAIE
Comme en métropole,
la monnaie utilisée
est l'euro.

→ BANQUES
Toutes les grandes
banques sont
représentées
dans l'île.
Ouvert en générale
lun.-ven. 8 h-12 h
et 14 h 30-16 h.

→ BILLETTERIES
Les distributeurs
automatiques
sont relativement
nombreux.

→ CARTES DE CRÉDIT
Toutes les cartes
de crédit sont
acceptées. Quelques
réserves au nord
de l'île.

→ CHÈQUES
Attention
Les chèques hors

*place sont refusés
dans presque tous
les commerces.*

ARTISANAT
ET SOUVENIRS
Voir aussi ▲ *132*

→ HORAIRES
Ouvert en général
lun.-ven. 9 h-13 h
et 15 h-18 h, sam.
9 h-13 h.
Les grands centres
commerciaux
restent souvent
ouverts toute
la journée et
le samedi après-midi.
Les magasins
touristiques sont
ouverts le dimanche
en haute saison.

→ PRIX
Les prix des produits
de consommation
courante sont
relativement élevés
en raison des taxes
à l'importation
(en général 15 %
de plus qu'en
métropole).

→ ALCOOLS
Le rhum martiniquais
est vendu dans
de nombreuses
boutiques mais
on peut également
l'acheter directement
dans les distilleries
à l'occasion
de leur visite.
Souvent installées
dans des sites
superbes, ces
dernières offrent
à la dégustation
des produits
savoureux.
(Les récoltes se font
de janvier à juin,
période pendant
laquelle fonctionnent
les distilleries.)
Habitation Clément
Domaine de l'Acajou
Le François
Tél. 0596 54 62 07
Distillerie Depaz
Plantation de la
Montagne Pelée
Saint-Pierre
Tél. 0596 78 13 14
Distillerie Dillon
9, rue de
Châteaubœuf
Fort-de-France
Tél. 0596 75 20 20

Distillerie
La Favorite
5,5 km, ancienne
route du Lamentin
Fort-de-France
Tél. 0596 50 47 32
Distillerie J.-M.
Crassous de Medeuil
Fonds-Préville
Tél. 0596 78 92 55
Distillerie La Mauny
Rivière-Pilote
Tél. 0596 62 62 08
Distillerie Neisson
Habitation Thieubert
Le Carbet
Tél. 0596 78 03 70
Distillerie
Trois-Rivières
Sainte-Luce
Tél. 0596 62 51 78
Distillerie
Saint-James
Sainte-Marie
Tél. 0596 69 30 02
ou 0596 69 39 39

→ **BIJOUX**
Colliers-choux,
chaînes-forçats,
boucles d'oreilles
(les créoles)
et bracelets sont
en or creux ciselé.
À Fort-de-France,
la plupart des
bijouteries sont
regroupées entre
les rues Isambert
et Lamartine. Objets
en or, onyx, cristal,
et argenterie.
Roger-Albert
7, rue Victor-Hugo
Fort-de-France
Cadet-Daniel
72, rue Antoine-Siger
Fort-de-France
Comptoir de l'Or
69, rue Victor-Hugo
Fort-de-France

→ **FLEURS**
Un grand choix de
fleurs tropicales qui
peuvent durer plus
de deux semaines.
Des emballages
spéciaux conçus
pour le transport
aérien sont proposés
par les fleuristes.
Macintosh
31, rue Victor-Hugo
Fort-de-France
Tél. 0596 70 09 50
Jardin de Balata
Aéroport du Lamentin
Tél. 0596 42 17 19
Habitation Manceau
Saint-Joseph

Tél. 0596 57 60 74
Fleurs tropicales
biologiques.

→ **POTERIE**
Aux Trois-Îlets,
des ateliers
de poterie, dans
lesquels on peut voir
des artisans au
travail, produisent
des objets d'art ou
à usage domestique
en argile locale.
Poterie des Trois-Îlets
Tél. 0596 68 03 44

→ **TISSUS**
Madras, tissu
emblème de l'île.
Coiffes, vêtements,
tissus au mètre.

Doum 2000
43, rue
Antoine-Siger
Fort-de-France
Tél. 0596 70 25 88
Quartier Anse Collat
Schœlcher
Tél. 0596 61 32 91
Bucher Léontine
4, rue Antoine-Siger
Fort-de-France
Tél. 0596 70 18 36

→ **VANNERIE**
Il faut se rendre
à Morne-des-Esses,
où sont réalisés
et vendus
(relativement cher)
paniers, corbeilles,
chapeaux de paille,
dont le fameux
bakoua, et corbeilles.

La Paille Caraïbe
2, rue de la Vannerie
Morne-des-Esses
Tél. 0596 69 83 74

→ **MARCHÉS**
Chaque communes
possède un marché,
lieu idéal pour
côtoyer la population
locale, découvrir et
goûter des produits
locaux très frais
et l'art du
marchandage.
■ **FORT-DE-FRANCE**
Grand Marché couvert
Rue Isambert
Tlj. 6 h-15 h
Fleurs, fruits,
vannerie, épices,
objets artisanaux,
spécialités de
confiserie, petite
restauration locale...
Marché aux viandes
Face au Grand
Marché
Tlj. 6 h-17 h
Pour déguster
des brochettes et
autres spécialités
locales cuisinées.
Marché aux poissons
Au bord du canal
Lun.-sam.
jusqu'à 19 h
On peut acheter
auprès des pêcheurs
des produits
de la mer débités
sur place et vendus
avec les ingrédients
nécessaires
à leur préparation.

■ **LA TRINITÉ**
Lun.-sam. à partir
de 6 h
Préférer ven. ou sam.
(jours de grand
marché). Légumes,
fleurs, confiserie
locale, et confection.
■ **LE VAUCLIN**
Front de mer
Tlj. et surtout sam.
Beaux poissons
et crustacés.
Il est également
possible d'acheter
des produits
auprès des pêcheurs
sur la plage.
■ **GRAND'RIVIÈRE**
Tlj. sauf sam.
Marché
aux poissons,
de préférence
l'après-midi
au moment où
les pêcheurs rentrent.
■ **BELLEFONTAINE**
Tous les jours
Pour le poisson
extra-frais.
L'après-midi sur la
plage, les pêcheurs
vendent en direct
le produit de leur
sortie en mer.
■ **SAINT-PIERRE**
Tous les matins,
grand marché
Sam.
Essentiellement
fruits et légumes.

→ **SOUVENIRS**
Centre
des métiers d'art
Rue Ernest-Deproge
Fort-de-France
Tél. 0596 70 25 01
À découvrir
en priorité.
La Case à Rhum
5, rue de la Liberté
Fort-de-France
Tél. 0596 73 73 20

AUTO-STOP
Les Martiniquais
utilisent fréquemment
cette solution quand
les bus se font
trop attendre.
Attention
*L'auto-stop est
déconseillé à partir
de la tombée
de la nuit (vers 18 h)
et pour les personnes
seules. À éviter à
Fort-de-France et au
Morne-des-Esses :
risques d'agressions.*

BATEAU

Pour éviter les embouteillages des accès à la ville qui ont lieu aux heures de pointe ou les embouteillages pour l'accès aux plages qui sont fréquents le week-end.

EMBARCADÈRE
FORT-DE-FRANCE
Quai d'Esnambuc, face à la Savane

■ **FORT-DE-FRANCE/**
LES TROIS-ÎLETS
Martinik Cruise Line
Pl. Paul-Thevenard
Les Trois-Îlets
Tél. 0596 68 39 19
Durée de la traversée
20 minutes
Fréquence
Une navette toutes les 1/2 heures ou toutes les heures, en fonction des périodes.
Lun.-sam. de 6 h 30 à 18 h15
Attention *Le trafic s'arrête à 15 h le sam.*
Tarif aller-retour
6 €

■ **FORT-DE-FRANCE/**
ANSE-MITAN/
ANSE-À-L'ÂNE
Vedettes Madinina
Quai Ouest
Fort-de-France
Tél. 0596 63 06 46
Durée de la traversée
15 minutes
Fréquence
Une navette toutes les 1/2 heures, lun.-sam.
Fort-de-France de 6 h 20 à 18 h 30
Anse-Mitan de 5 h 50 à 18 h
Anse-à-l'Âne de 6 h à 17 h 50
Attention *Un seul départ dim. et j. fér.*
Tarif aller-retour
6 €

■ **FORT-DE-FRANCE/**
POINTE-DU-BOUT
Vedettes Somatour
14, rue Blenac
Tél. 0596 73 05 53
Durée de la traversée
15 minutes
Fréquence
Une navette toutes les 1/2 heures environ.
Fort-de-France de 6 h 45 à 20 h
Pointe-du-Bout de 6 h 10 à 19 h 30

Attention *Moins de bateaux les week-ends et j. fér.*
Tarif aller-retour
6 €

BUS

→ **RÉSEAU**
Les bus circulent sur les plus grands axes et desservent les principales communes de l'île, cependant le réseau reste limité, le service lent et peu fiable.

→ **BUS URBAINS**
Un service de bus urbains existe uniquement pour Fort-de-France et dessert la banlieue. Il fonctionne de 5 h à 18 h.

→ **EXCURSIONS**
Des voyagistes organisent des excursions à la journée en autocar. Renseignements à l'office de tourisme.

CARAÏBES

→ **LIAISONS AÉRIENNES**
Une seule compagnie propose des vols quotidiens ou hebdomadaires à destination des autres îles caraïbes (Guadeloupe, Sainte-Lucie, Saint-Vincent, Saint-Martin…). Vols à la demande également (avions-taxis) : renseignements auprès de l'office de tourisme ou à l'aéroport du Lamentin.
■ **AIR CARAÏBES**
Tél. 0596 51 08 09
Aéroport
Le Lamentin

→ **DURÉE DES VOLS ET TARIFS ALLER-RETOUR**
Fort-de-France/
Sainte-Lucie
15 minutes de vol
175-220 €

→ **LIAISONS MARITIMES**
Deux compagnies maritimes assurent plusieurs fois par semaine des traversées

vers les îles des Caraïbes les plus proches.
■ **EXPRESS DES ÎLES**
Terminal inter Îles
Quai Ouest
Fort-de-France
Tél. 0596 63 34 47
www.express-des-iles.com
Destinations
• Guadeloupe
Fréquence : tlj.
Durée : 3 heures
Tarif AR : environ 80 €
• Sainte-Lucie
Fréquence : 4 traversées par sem.
Durée : 1 heure 20
Tarif AR : environ 75 €
• Dominique
Fréquence : 6 traversées par sem.
Durée : 2 heures
Tarif AR : environ 55 €
■ **BRUDEY FRÈRES**
Bassin Raboud
Quai Ouest
Fort-de-France
Tél. 0596 70 08 50
ou 0596 71 42 09
Destination
Pointe-à-Pitre
Fréquence : 10 traversées par sem.
Tarif AR : environ 80 €

CLIMAT

MOYENNES DES TEMPÉRATURES ET DES PRÉCIPITATIONS		
Mois	**°C**	**cm**
Jan.	24	8
Fév.	24	8
Mars	25	7
Avr.	26	9
Mai	27	14
Juin	27	18
Juil.	26	21
Août	26	26
Sep.	26	37
Oct.	26	20
Nov.	26	26
Déc.	25	16

→ **SAISONS** ● **22**
Le climat est de type tropical.
Voir «Avant de partir» ◆ **330**
Les précipitations déterminent deux saisons.

■ **LE CARÊME**
ou «saison sèche», déc.-mai
■ **HIVERNAGE**
ou «saison humide», juin-nov.

→ **BULLLETIN MÉTÉO**
Tél. 0596 63 99 66
ou 08 92 68 08 08

→ **TEMPÊTE ET CYCLONE**
Même si les tempêtes et les ouragans hantent les bulletins météo des Antilles, chaque année, en août et septembre, ces phénomènes qui ne sont pas si fréquents font l'objet d'une surveillance permanente et d'une prévention tout aussi vive de la part des services de météorologie.
■ **TEMPÊTE TROPICALE FORTE**
Force du vent 64 à 95 nœuds
(1 nœud = 1,85 km/h)
■ **CYCLONE TROPICAL MODÉRÉ**
Force du vent 64 à 95 nœuds, très forte houle.
Le ciel couvert, les pluies torrentielles et les rafales de vent compromettent toute sortie en mer pendant environ 2 semaines environ.
■ **CYCLONE TROPICAL FORT**
Force du vent plus de 96 nœuds.
Ce type d'ouragan ne rend visite à la Martinique qu'en moyenne 1 fois tous les siècles.
En cas d'alerte
Suivre les consignes données par la radio.

DISTRACTIONS

Les programmes de distractions sont aussi nombreux que variés et l'activité culturelle locale est très dynamique.
Voir aussi «Fêtes et festivités» ◆ **335**, «Vie nocturne» ◆ **343**.

→ **JEUX DE PARIS** ● **120**
■ **COMBATS DE COQS**

Ces duels s'enchaînent toute l'année sur la piste des pitts, à l'issue de cérémonials de préparation (pesée, pose d'ergots…) toujours plus longs que les combats qui suivent. L'ambiance est effervescente, car les parieurs jouent généralement gros.

■ **COMBATS MANGOUSTES-SERPENTS**
Contrainte à l'attaque, la mangouste remporte souvent la victoire au détriment du serpent qui, de ce fait, tend à disparaître de l'île…

■ **ADRESSES DE PITTS**
Pitt Cléry
Rivière-Pilote
Dim. 14 h 30
Pitt du Bac
Quartier Bac
Ducos
Dim. 14 h 30
Pitt Marceny
Le Lamentin
sam. 14 h

■ **TARIFS**
Environ 8 €

→ **COURSES DE YOLES ET DE GOMMIERS**
● *119*
Ces canots aux voilures immenses sont devenus une institution. L'adresse des équipages galvanise la foule et les parieurs.

■ **JUIL.-JAN.**
Des régates sont organisées lors des fêtes patronales.
Club des gommiers à voile de compétition
Sainte-Luce
Tél. 0596 62 42 20

■ **AOÛT**
Le Tour de la Martinique est une épreuve en sept étapes autour de l'île.
Société martiniquaise des yoles rondes
Maison des Sports
Quartier Pointe-de-la-Vierge
Fort-de-France
Tél. 0596 61 48 50

→ **CINÉMAS**
Les programmes sont publiés dans le journal *France-Antilles*. Un serveur vocal présente les films à l'affiche dans les cinémas Élysées de l'île, principale structure de projection à la Martinique : tél. 0596 50 60 61.

■ **CINÉMA ÉLYSÉE**
Excelsior
Sainte-Marie
Éden
La Trinité
Olympia
Fort-de-France
Madiana
Schœlcher
Le plus gros complexe de l'île avec 10 salles.

■ **CINÉMA INDÉPENDANT**
L'Atas
Rue du Dr-Morestin
Les Anses-d'Arlet
Tél. 0596 68 37 64

DOUANES
→ **FRANCHISE EN VALEUR**
La valeur des marchandises importées ou exportées en Martinique ne doit pas excédée 823,22 €.

→ **FRANCHISE EN QUANTITÉ**
Certaines marchandises sont assujetties à une franchise quantitative :
■ alcool de plus de 22° : 1,5 l
■ alcool de moins de 22 ° : 3 l
■ vin non mousseux : 5 l
■ café : 1 kg
■ extrait ou essence de café : 400 g
■ thé : 200 g
■ extrait ou essence de thé : 400 g
■ 300 cigarettes, 150 cigarillos, 75 cigares, 400 g de tabac à fumer
■ parfum : 75 g
■ eau de toilette : 3/8 l.
Attention : *liste non exhaustive.*

→ **INFORMATIONS**
Tél. 0596 70 72 72

ENFANTS
→ **ACCUEIL**
En général les enfants sont très bien accueillis dans les hôtels et les restaurants, parmi eux, certains proposent des tarifs et menus enfants.

→ **BABY-SITTING**
Les grands hôtels possèdent, en général, un club pour enfants animé par un personnel qualifié. Une liste des nourrices agréées est disponible dans toutes les mairies pour les personnes qui résident sur un lieu de séjour qui ne propose pas de club-enfants.
Voir «Sélection d'adresses» ◆ *346*

FÊTES ET FESTIVITÉS
→ **FÊTES PATRONALES**
Toute l'année, des fêtes, organisées par les communes, sont données en l'honneur des saints patrons et rythment la vie martiniquaise. Kermesses, pèlerinages, jeux, spectacles, musique et danses traditionnelles ont lieu le week-end.
24 juin
Saint-Jean-Baptiste, Basse-Pointe
2 juillet
Visitation, Gros-Morne
25 juillet
Saint-Jacques, Le Carbet
1er août
Bellefontaine
10 août
Saint-Laurent, Le Lamentin
15 août
Assomption, Case-Pilote, Le Lorrain
30 août
Notre-Dame-de-la Délivrance, Le Morne-Rouge
29 septembre
Saint-Michel-Archange, Le François
25 novembre
Sainte-Catherine, Grand'Rivière
8 décembre
Notre-Dame-du-Bon-Secours, L'Ajoupa-Bouillon
28 janvier
Saint-Thomas, Le Diamant

→ **LE CARNAVAL**
■ **QUAND ?**
Le carnaval dure 5 jours, fin février ou début mars (samedi gras-mercredi des Cendres).
■ **OÙ ?**
À Fort-de-France et dans presque toutes les communes.

■ **PROGRAMME**

La longue préparation du carnaval est déjà l'occasion de multiples réjouissances. Les festivités débutent par les concours de chansons créoles, suivis de concours de chars aux thèmes diversifiés, et à la réalisation baroque et pleine d'humour. Le mercredi des Cendres est consacré à l'enterrement de Vaval, au terme d'un grand vidé (défilé) populaire.

→ LA TOUSSAINT
1er-2 nov.
Le jour des Morts, les cimetières se parent de fleurs et de coquillages et, le soir, s'éclairent des milliers de bougies disposées sur les tombes.

→ MANIFESTATIONS CULTURELLES
Au cours de l'année, parfois en alternance d'une année sur l'autre, se déroulent des Rencontres (à l'échelon caribéen ou international) de cinéma, musique, théâtre, organisées par le Centre martiniquais d'action culturelle (CMAC) et le Service municipal d'action culturelle (Sermac) de Fort-de-France. S'adresser également à l'office de tourisme pour les programmes.

■ **CMAC Scène nationale**
Avenue Frantz-Fanon
Tél. 0596 70 79 29
■ **SERMAC**
Parc floral
Tél. 0596 60 48 77

→ MANIFESTATIONS SPORTIVES
Fév.
Semaine nautique internationale.
Mars-avr.
Tour de la Martinique en scooter des mers et en catamaran.

Mai
Championnat de la Caraïbe et des Amériques (tennis).
Juin
Régate au Marin, championnat de voile de la Martinique, Fort-de-France.
Juil.
Tour cycliste international de la Martinique.
Oct.
Tournoi de golf, Les Trois-Îlets.
Toute l'année
Tour des yoles rondes de la Martinique.

HÉBERGEMENT

Petite hôtellerie, grands hôtels de standing international, résidences hôtelières, villages-vacances, gîtes, locations de meublés, campings… la Martinique offre une grande variété d'hébergement. L'office de tourisme, qui répertorie tous les types d'hébergement, édite chaque année des brochures spécifiques.
Voir aussi ◆ 346 «Sélection d'adresses».

→ SERVICES D'INFORMATIONS ET DE RÉSERVATIONS
■ **OFFICE DÉPARTEMENTAL DE TOURISME DE LA MARTINIQUE**
2, rue E.-Deproge
97200 Fort-de-France
Tél. 0596 63 79 60
■ **MAISON DU TOURISME VERT**
9, bd du Général-de-Gaulle
97205 Fort-de-France
Tél. 0596 73 74 74
■ **CENTRALE DE RÉSERVATION**
BP 823
Fort-de-France
Tél. 0596 71 56 11

Attention
Pour la plupart des types d'hébergement les prix varient en fonction des deux saisons dites basse (hivernage) et haute (carême) pour laquelle il faut généralement ajouter 10 à 15 % de plus.

→ AUBERGE DE JEUNESSE
Ouverte toute l'année l'Auberge du Morne-Rouge est située au pied de la montagne Pelée.
■ **ADRESSE**
Avenue Jean-Jaurès
Haut-du-Bourg
Morne Rouge
Tél. 0596 52 39 81
■ **TARIFS**
12 €/nuit avec petit déjeuner en chambre collective 4 à 6 pers ;
13 €/nuit en chambre individuelle.
Conseil *Il est prudent de réserver trois mois à l'avance.*

→ GÎTES RURAUX
Les Gîtes de France-Martinique proposent des appartements ou des villas pour 2 à 10 personnes. Les tarifs, nets de charge, sont fixés au week-end ou à la semaine et varient selon la saison.
■ **MAISON DU TOURISME VERT**
9, bd du Général-de-Gaulle
97205 Fort-de-France
Tél. 0596 73 74 74
www.gites-martinique.com
Possibilité de réserver directement sur le site.
■ **TARIFS**
Les tarifs varient en fonction de la saison (haute ou basse), du nombre d'épis, de l'équipement et de la localisation.
Exemple 1 *Gîte 2 pers., climatisé, avec jardin, à un kilomètre de la plage, situé dans la zone sud (1 semaine) :*

*basse saison 225 €
haute saison 270 €*
Exemple 2 *Gîte 4 pers., dans le centre de l'île (1 semaine) :
basse saison 235 €
haute saison 275 €*

→ CHAMBRES D'HÔTES
Le logement chez l'habitant se pratique surtout l'été. Les chambres sont tarifées à la nuitée par le propriétaire et en général le petit déjeuner est compris.
■ **MAISON DU TOURISME VERT**
9, bd du Général-de-Gaulle
97205 Fort-de-France
Tél. 0596 73 74 74

→ MEUBLÉS DE TOURISME
Appartements, bungalows, villas loués à la semaine. Brochures avec photos et descriptif disponibles à l'office de tourisme.
■ **TARIFS**
À partir de 396 € en basse saison, sur la base d'une villa 4 pers., dans la zone sud. Ajouter environ 61 € en haute saison.

→ HÔTELS
■ **INFRASTRUCTURE HÔTELIÈRE**
La Martinique compte, parmi ses très nombreux établissements hôteliers, une vingtaine d'hôtels de plus de 60 chambres, en grande hôtellerie.
Attention *Les prix sont toujours indiqués par chambre et non par personne, excepté pour les formules de pension ou de demi-pension.*
■ **CHAÎNES HÔTELIÈRES LOCALES**
«LES RELAIS CRÉOLES»
Une centaine de petits et moyens hôtels sont regroupés sous

cette appellation.
Conseil *Se faire préciser si le petit déjeuner est compris.*

■ **RENSEIGNEMENTS**
Office départemental de tourisme de la Martinique
2, rue E.-Deproge
97200 Fort-de-France
Tél. 0596 63 79 60

«LE CLUB DES HÔTELIERS DE LA MARTINIQUE»
Cette association regroupe plus de 50 établissements (villages-vacances, hôtels ** à ****).
RENSEIGNEMENTS
www.club-hoteliers-martinique.asso.fr

■ **TARIFS HÔTELIERS**
Voir aussi
«Sélection d'adresses»
◆ *346.*

→ **CAMPINGS**
■ Le camping est réglementé depuis peu. Quelques aires ont été aménagées sur certaines plages et communes, mais elles sont peu nombreuses. Ce sont plutôt des campings sauvages qui ont fini par être autorisés, comme à Sainte-Anne.
Attention
Se méfier des vents sur la côte Atlantique, des moustiques dans les secteurs marécageux et des pluies saisonnières.

■ **ADRESSES**
Camping de la Pointe Marin
Sainte-Anne
Tél. 0596 76 72 79
Possibilité de louer le matériel.
Le Nid Tropical
Quartier Anse-à-l'Âne
Les Trois-Îlets
Tél. 0596 68 31 30
Tropicamp
184, Les Moulins
Sainte-Luce
Tél. 0596 62 59 00

■ **TARIFS**
Emplacement
1 personne avec sa tente
environ 10 €

1 couple
environ 15 €
Emplacement + location d'une tente
environ 30 €

JOURS FÉRIÉS
■ 1er janvier
■ Lundi et mardi gras
■ Mercredi des Cendres
■ Vendredi saint
■ Lundi de Pâques
■ 1er mai
■ 8 mai
■ 22 mai (Abolition de l'esclavage)
■ Ascension
■ Lundi de Pentecôte
■ 14 juillet
■ 15 août
■ 1er et 11 novembre
■ 25 décembre

MANGER
→ **RESTAURANTS**
Pour les gourmets et les gourmands, l'île offre une grande quantité de restaurants de cuisines créole, française et internationale. Les nombreux restaurants de bord de mer, qui possèdent souvent de belles terrasses offrent un cadre plus enchanteur à la dégustation des produits de la mer. Des restaurants proposent également des plats à emporter.
Voir aussi
«Sélection d'adresses» ◆ *346*

■ **HEURES DE SERVICE**
Déjeuner
12 h à 15 h
Dîner
19 h à 22 h
Dans de nombreux restaurants il est prudent de réserver le soir et de ne pas se présenter trop tard pour dîner.

■ **PRIX**
Les prix sont souvent relativement élevés mais la pratique des pourboires n'est pas dans les usages. La majorité des restaurants acceptent les cartes

de crédit, mais les chèques hors place sont le plus souvent refusés.
Attention
Pour les poissons ou certains crustacés le prix est parfois indiqué au poids.

→ **SPÉCIALITÉS CRÉOLES**
La réputation de la cuisine antillaise a largement dépassé le seul cadre caribéen. Elle est à l'image de sa population : un savant dosage d'Afrique, d'Orient et d'Occident, additionné d'une pointe de traditions culinaires amérindiennes. Lorsque le piment n'est pas trop présent, elle enchante les papilles par sa diversité et sa finesse. Les fruits de mer, langoustes, lambis, oursins, soudons... sont les spécialités de nombreux restaurants.

■ **ENTRÉES**
Acras, ou marinades
Petits beignets aux poissons, aux fruits de mer ou aux légumes.
«Calalou»
Soupe de légumes et d'herbages.
«Chiquetaille»
Salade épicée souvent à base de morue.
«Féroce»
Préparation à base d'avocat et de farine de manioc assaisonnée avec du piment.
«Pâté en pot»
Potage à base d'abats de mouton, avec des légumes, des câpres et du vin blanc.

■ **PLATS**
«Blaff»
Poissons ou crustacés cuits dans une sauce aux herbes, aux épices et au citron vert.

«Court-bouillon»
Préparation pour le poisson à base de tomate et d'épices locales.
«Colombo»
Viande (cabri, mouton, porc, volaille) cuite dans une sauce à base d'épices d'origine indienne.
Crabe farci ● 107
Farce à base de chair de crabe épicé servi dans la coquille.
Langouste
Le plus souvent grillée et arrosée d'une sauce pimentée.
Lambi ● 32
Gros coquillage à chair ferme servi en brochette, en fricassée ou en colombo.
«Matoutou crabe»
Fricassée de crabes épicés servis avec du riz. Plat traditionnel des fêtes de Pâques et de Pentecôte.

■ **LÉGUMES LOCAUX**
Bananes plantains (couramment appelées «bananes jaunes»), ignames, choux de Chine, fruits à pain. Papayes ou christophines en gratin.

■ **DESSERTS**
«Blanc-manger»
Dessert à base de noix de coco et de lait aromatisé de vanille, de cannelle et de noix muscade.
Fruits tropicaux ● 100
Ananas, bananes, corrosols, fruits de la Passion, goyaves, mangues... nature, en beignets, en salade ou en sorbets.

→ **BOISSONS**
■ **RHUM**
De réputation internationale le rhum martiniquais se boit sec ou en *ti-punch* (additionné de sirop de canne et de citron vert) et à toute heure... Les cocktails à base de rhum et de jus de fruits exotiques

337

◆ SUR PLACE DE A À Z

(punch) sont nombreux, le plus fameux est «le planteur» (jus de fruits, sirop de canne, noix muscade, cannelle angustura). De nombreux restaurants proposent souvent dans leurs menus un *ti-punch* de bienvenue. Le rhum vieux est proposé en digestif.

Prix
ti-punch 2-3 €, «planteur» 4-6 €

■ **VIN**
Uniquement des importations, vendues cher et de qualité variable.

■ **BIÈRE LOCALE**
«La Lorraine» est la seule bière brassée sur l'île.

Prix
2 à 3 €
On peut également boire du *mabi*, sorte de bière d'origine caraïbe, obtenue par macération de fruits, graines, racines et sucre de canne.

■ **JUS DE FRUITS**
Dans la famille des boissons sans alcool, le lait de coco, très rafraîchissant, est l'une des plus consommées. Large éventail de jus de fruits exotiques, souvent de fabrication locale (ananas, prune de cithère, goyave, mangue, *maracuja*…). Le jus de canne d'aspect brunâtre, se révèle également très rafraîchissant.

■ **L'EAU**
L'eau du robinet est potable. Les deux eaux minérales produites sur l'île et servies dans la plupart des restaurants, sont l'eau naturelle gazeuse «Didier» et l'eau de source «Chanflor».

PÊCHE
→ **OÙ ?**
Pêche sportive, ou encore traditionnelle,

des prestataires organisent des sorties en mer toute l'année. Renseignements à l'office de tourisme

→ **PRIX ?**
Les prix sont très variables suivant le type de pêche ou les prestations proposées. À partir de 125 €/jour/pers.

Attention
Certaines prises peuvent se révéler toxiques et provoquer des intoxications alimentaires. Il vaut mieux demander conseil aux habitants avant de passer à table. Dans le doute, relâcher la prise.

PLAGES, BAIGNADES
Température de l'eau : 26 à 30 °C
Qualité de l'eau : www.sante.gouv.fr

→ **MER DES ANTILLES PLAGES DU NORD**
■ **LE CARBET, ANSE TURIN ▲ 216**
Accès depuis Fort-de-France
Prendre la RN 2, en sortant du bourg du Carbet en direction de Saint-Pierre. Longue plage de sable noir réputée pour sa vue sur la montagne Pelée. Site de plongée.

■ **ANSES CÉRON ET COULEUVRE ▲ 220**
Accès à partir de Saint-Pierre Prendre la RN 2 puis la RD 10 en direction du Prêcheur, passer l'Anse Belleville et continuer tout droit.

→ **MER DES ANTILLES PLAGES DU SUD**
La plupart des plages du sud du pays sont magnifiques et très touristiques : sable fin, cocotiers et température idéale de l'eau, faible pollution. Mais les courants et la houle peuvent

rendre certaines baignades risquées même sur des plages réputées calmes.

■ **LE DIAMANT ▲ 313 (GRANDE ANSE ET ANSE CAFARD)**
Accès depuis Fort-de-France (35 km)
Prendre la RN 5 jusqu'à Rivière Salée puis la RD 7 vers Le Diamant. Traverser le bourg en direction des Anses-d'Arlets, tourner à gauche après le cimetière.

Attention
La baignade est dangereuse pour les nageurs peu expérimentés (courants forts).

■ **LES ANSES-D'ARLETS ▲ 312**
GRANDE ANSE
Accès depuis Les Anses-d'Arlets Prendre la RD 37 vers Les Trois-Îlets. Quitter le bourg, entrer à Grande Anse sur la gauche. Belle crique bien abritée, restaurants sur la plage.

■ **ANSE NOIRE**
Accès depuis Les Trois-Îlets Direction Les Anses-d'Arlets, RD 7 ; après l'Anse-à-l'Âne, première route à droite jusqu'au parking. On accède à cette petite plage de sable noir par un sentier abrupt et des escaliers.

→ **OCÉAN ATLANTIQUE CÔTE SUD**
Les baignades sont plus dangereuses que sur la façade ouest. Du Vauclin au François, les hauts-fonds sablonneux attirent de plus en plus de monde le dimanche.

■ **RIVIÈRE-PILOTE, ANSE FIGUIER**
Accès à partir de Fort-de-France
Suivre la RN 5, dépasser Sainte-Luce en direction du Marin.

Plage idéale pour les familles.

■ **SAINTE-ANNE, POINTE MARIN**
Accès à partir du Marin
Emprunter la RD 9, en direction de Sainte-Anne, à l'entrée du bourg. Plage très touristique.

■ **LE MARIN**
Anse des Salines
Plage magnifique et eau claire, fonds translucides.

Anse Trabaud
Accès du Marin
Prendre la RD 9 vers Sainte-Anne, direction Les Salines, après le virage tourner à gauche (chemin privé, droit de passage environ 1,5 €). Plage réputée pour les amateurs de surf.

■ **CAP ET ÎLET CHEVALIER ▲ 303**
Service de navette entre le cap et l'îlet.
Taxicap
Tél. 0596 76 93 10 ou 596 74 76 61
Traversée :
4 €/adulte, 2 €/enfant.
Plages sauvages, sans ombrage.

■ **CAP MACRÉ ET ANSE GROSSES ROCHES ▲ 302**
Plages sauvages que l'on atteint par des sentiers pédestres.

→ **OCÉAN ATLANTIQUE CÔTE NORD**
Vers le nord, les côtes s'élèvent en falaises de roche parfois très accidentées mais offrent de belles plages ainsi que de petites baies au sable noir, cependant les baignades sont souvent très dangereuses.

■ **TRINITÉ, PRESQU'ÎLE DE LA CARAVELLE ▲ 283**
Tartane
Superbe plage bordée de cocotiers, eau translucide et paradis des amateurs de plongée sous-marine.

■ **SAINTE MARIE,**
ANSE AZEROT
Accès à mi-chemin
entre Trinité
et Sainte-Marie.
Cette plage abritée
offre de beaux
ombrages.

→ **PRUDENCE**
■ **DANGERS**
Même si sur de
nombreuses plages
on a pris la
précaution d'arracher
les mancenilliers,
ces euphorbes
au latex vénéneux
sont relativement
fréquentes
sur les rivages.
Il faut absolument
éviter tout contact
avec le feuillage.
Ils sont généralement
signalés sur
les plages très
fréquentées (bande
rouge sur les troncs)
et par un panneau
le long des sentiers
pédestres.
Conseil
Il faut veiller
à ne pas laisser
les enfants jouer
à proximité, ni casser
ou cueillir de feuilles
des mancenilliers.
Attention *également*
aux oursins.
■ **COURANTS MARINS**
De façon générale,
il est déconseillé
de s'éloigner
du rivage.
■ **BAIGNADES**
INTERDITES
Sur toute la côte
nord atlantique
(de Sainte-Marie
à Grand'Rivière)
en raison des vagues
et des courants
particulièrement
puissants.
■ **SURVEILLANCE**
DES PLAGES
Les plages ne sont
pas surveillées.
Des panneaux
signalent les plages
dangereuses.
■ **SOLEIL**
Heures à éviter :
12 h-15 h.
À la Martinique,
le soleil même voilé
par les nuages
peut avoir des effets
redoutables.

Conseils
Prévoir chapeau,
bouteille d'eau,
parasol et crème
solaire voire un écran
total pour les
premiers jours
et pour les enfants.

PLAISANCE
→ **CROISIÈRES**
Les possibilités
de croisière sont
nombreuses.
Les deux plus
grandes marinas se
trouvent à la Pointe
du Bout et au Marin.
■ **RENSEIGNEMENTS**
L'office de tourisme
de Fort-de-France
dispose d'une liste
exhaustive
des loueurs,
des prestations
proposées
et de leurs tarifs.
■ **FORMULES**
Très variées avec
ou sans skipper,
pension complète
ou demi-pension,
sortie à la journée
ou pour plusieurs
jours, sorties
spéciales pêche
ou plongée, location
d'un bateau ou
cabine (colocation).
■ **TYPES DE BATEAUX**
Zodiacs, catamarans,
trimarans,
monocoques
de toute taille,
yachts…

→ **TÉLÉPHONES UTILES**
■ **MÉTÉO MARINE**
Tél. 0596 51 56 26
■ **SAUVETAGE EN MER**
Tél. 0596 70 92 92

→ **NAVIGATION**
■ **VENTS**
Les alizés, vents
réguliers venant de
l'est et de faible force
(rarement supérieure
à 5), enveloppent
les Petites Antilles.
Ils sont réguliers de
décembre à mai,
mais irréguliers de
juin à novembre.
Leur orientation varie,
selon les époques,
du nord-est
au sud-est.
■ **LE LITTORAL**
Il peut être divisé
en trois parties :

la «Côte sous le Vent», (du cap Martin à la Pointe du Diamant) ; la «Côte Sud» (Pointe du Diamant aux îlets Cabrits) ; la «Côte au Vent» (Îlet Cabrit à la Pointe Caravelle), Au-delà, il n'y a plus d'abri. Les nombreux mouillages de la Côte au Vent sont calmes et peu fréquentés car elle demeure peu connue des plaisanciers.

■ PRUDENCE MARITIME
Même facilitée par la clémence des éléments, toute croisière exige une préparation soignée du circuit, un bateau en parfait état et des équipiers compétents.
Attention
Aux récifs coralliens entre le Marin et la Caravelle.

→ PORTS ET MOUILLAGES
Ils sont là où la côte est le mieux abritée et où la navigation est aisée, même de nuit. La baie de Fort-de-France est à juste titre réputée comme l'une des plus belles du monde, mais rivalise avec la baie du Marin, au sud. La marina des Trois-Îlets et le port du Marin offrent tous deux près de 100 places.
■ RAVITAILLEMENT
L'approvisionnement (eau, carburant, glace, nourriture) se fait au départ. Mais on trouvera tout le nécessaire à Fort-de-France, aux Trois-Îlets et au Marin, en baie du François et dans le havre du Robert.

→ DESTINATION GRENADINES
La navigation est habituellement paisible grâce à la régularité des alizés. Sous le vent des îles, le dévent est sensible

jusqu'à 15 à 20 milles des côtes, et il est conseillé de longer la côte au moteur. Seuls des grains, pouvant atteindre 35 à 40 nœuds, peuvent venir troubler la navigation.
■ MOUILLAGES
Exception faite de Clifton à Union et des Tobago Cays, tous les bons mouillages sont sur la Côte sous le Vent. Les autres sont déconseillés la nuit.
■ CONSEILS PRATIQUES
Avant d'embarquer, prévoir des dollars US ou est-caraïbes plutôt que des monnaies européennes. Le coût de la nourriture y est élevé. Il n'y a pas de station de recharge pour les bouteilles de gaz, sauf à Bequia. L'approvisionnement en eau à quai ainsi qu'en fuel n'est possible qu'en de rares points. Prévoir des pièces de rechange et un avitaillement suffisant selon la durée prévue de la croisière.

POLICE ET ASSISTANCE
→ NUMÉROS UTILES
■ EN CAS D'ACCIDENT
Police
Composer le 17
Samu
Composer le 15
Pompiers
Composer le 18
■ EN CAS DE VOL
Faire une déclaration au commissariat de police. En cas de perte ou de vol de ses papiers, faire une déclaration à la mairie qui remet un récépissé.

→ ADRESSES UTILES
■ GENDARMERIE
Place d'Armes
Le Lamentin
Tél. 0596 57 09 29
ou 0596 57 09 52
■ HÔTEL DE POLICE
Rue Victor-Sévère

Fort-de-France
Tél. 05 96 59 40 00

POSTE ET COURRIER
→ HORAIRES
Toutes le communes possèdent un bureau de poste ouvert lun-ven. 7 h-17h. Certains bureaux ferment le mercredi après-midi.
■ POSTE PRINCIPALE
FORT DE FRANCE
Rue de la Liberté
Tél. 0596 60 85 92
lun., mar., jeu., ven., 7 h-18 h, mer. 7 h-17 h, sam. 7 h-12 h

→ COURRIER
■ TIMBRES
Mêmes tarifs qu'en métropole. Pour les lettres de plus de 20 g, indiquer «lettre» et «par avion».
■ ACHEMINEMENT
Compter 3 jours vers la métropole pour courrier affranchi au tarif normal.

PRESSE
→ PRESSE NATIONALE
Les quotidiens nationaux sont disponibles sur l'île le lendemain de leur parution (leur prix est majoré).

→ PRESSE LOCALE
■ «FRANCE-ANTILLES»
Ce quotidien local donne, entre autres, des informations sur les spectacles.
■ «CRÉOLA»
Hebdomadaire

RADIO ET TÉLÉVISION
→ RADIO
En plus de Radio Martinique RFO (Fort-de-France 94,5) et Radio Caraïbe (Fort-de-France 98,7), de nombreuses radios FM diffusent des programmes musicaux typiques et des informations locales.

→ TÉLÉVISION
■ SERVICE PUBLIC
RFO TV diffuse

en plus des ses programmes locaux ceux de France 2, France 3, La Cinquième, Arte.
■ SERVICE PRIVÉ
Antilles TV, Canal Plus.

RYTHME DE VIE
→ JOUR ET NUIT
Les journées commencent tôt sous les tropiques (lever du soleil vers 6 h) et s'achèvent entre 18 h et 18 h 30 (17 h 30, décembre). Le jour a à peu près la même durée toute l'année.
Attention
La tombée de la nuit est subite, il n'y a pas de crépuscule. Il est prudent de ne pas s'attarder sans équipement spécial en forêt ou en mer où tous les écueils ne sont pas balisés.

→ HABITUDES LOCALES
Les Martiniquais ont l'habitude de se lever tôt, vers 6 h, et ne prolongent pas leurs soirée au-delà de 21 h.
Conseil
Pour profiter au mieux de son séjour et notamment de la fraîcheur matinale, il est conseillé de suivre le rythme local.

SANTÉ
→ NUMÉROS UTILES
■ SOS MÉDECINS
0596 63 33 33
■ MÉDECINS DE GARDE
0596 60 60 44
■ SAMU/ CENTRE ANTIPOISON
15
OU 0596 75 15 75

→ HÔPITAUX
La Martinique est équipée d'infrastructures hospitalières modernes.
■ HÔPITAL DU LAMENTIN
Rue Ernest-André
Tél. 0596 57 11 11

■ CHRUZ QUITMAN
DE FORT-DE-FRANCE
Châteaubœuf
Tél. 0596 55 20 00
■ HÔPITAL
LOUIS-DOMERGUE
DE LA TRINITÉ
Route du Stade
Rue Jean-Eugène
Tél. 0596 66 46 00
■ HÔPITAL
DES TROIS-ÎLETS
Avenue Impératrice-
Joséphine
Tél. 0596 66 30 00
■ HÔPITAL DU MARIN
Tél. 0596 74 92 05
ou 0596 74 64 93

→ MÉDICAMENTS
■ PHARMACIES
Les officines
sont nombreuses.
Il ne faut pas
hésiter à demander
l'adresse
d'un praticien
ou des conseils.
Le week-end,
le service de garde
y est affiché.
Attention *Les prix
des médicaments
sont plus élevés
qu'en métropole.*

→ DANGERS
ET PRÉCAUTIONS
■ HYGIÈNE
Pour s'allonger
sur la plage, il est
préférable d'utiliser
une natte pour éviter
le contact direct
avec le sable qui
peut abriter des
parasites laissés
par les animaux
notamment les
chiens qui ne sont
en principe pas
interdits sur le rivage.
■ INSOLATION
Éviter les expositions
prolongées au soleil.
Dans le cas d'une
insolation, prendre
de l'aspirine
et consulter.
■ MALADIES
PARASITAIRES
La baignade
dans certaines
zones de rivière
est déconseillée
en raison des risques
d'une affection
parasitaire nommée
la bilharziose
qui atteint certains
viscères ou les

vaisseaux sanguins.
Les premiers
symptômes
se manifestent par
des picotements ou
une éruption cutanée
après la baignade.
Dans ce cas,
il est recommandé
de consulter
un médecin.
■ ANIMAUX NUISIBLES
Serpents venimeux
On peut rencontrer
des serpents
venimeux dont
le «fer-de-lance»
qui se cache dans
les hautes herbes
et dans les champs
de canne.
Attention

*Ne pas s'éloigner
des sentiers balisés.
Il est prudent d'avoir,
à portée de mains,
un antivenin.*
Insectes
Les moustiques
sont relativement
nombreux. Ils sont
surtout actifs à la
tombée de la nuit.
Précautions
*Il est prudent
de s'enduire
de crème
antimoustique
avant la tombée de
la nuit et de prévoir
éventuellement une
moustiquaire et
des insecticides.
Le ventilateur reste
la meilleure garantie.*

SAVOIR-VIVRE
→ PHOTO
La tentation de fixer
sur la pellicule
l'exotisme coloré
et gai de certaines
scènes est forte
dans les îles.
Mais l'appareil photo
peut représenter
une agression
pour les personnes.
Il est donc conseillé
de leur demander
l'autorisation.

→ LANGUE
Le créole, parlé
par tous, est
l'héritage d'un temps
où, pour se
comprendre, les

peuples soumis des
Antilles pratiquaient
un français simplifié.
Le voyageur tendra
souvent l'oreille
pour tenter de saisir
le sens de la réponse
donnée parfois en
créole à sa question :
c'est une occasion
d'apprendre
quelques mots…
Voir aussi «Petit
lexique créole» ◆ 357

→ TENUE VESTIMENTAIRE
La décence de
la tenue est ici une
marque très sensible
de respect d'autrui.
Les tenues trop
décontractées sont
donc proscrites.

Les soirées sont
souvent l'occasion
pour tous de se
mettre en frais.
Sur les plages,
le nudisme n'est pas
toléré.

→ PATIENCE
Services hôteliers
ou de restauration
accusent parfois
de la fantaisie
ou du retard.
Ce n'est jamais
de la désobligeance
et il est sage de
ne pas s'en froisser.

SPORTS ET LOISIRS
→ INFORMATIONS
GÉNÉRALES
■ L'OFFICE DU TOURISME
édite des brochures
qui recensent tous
les prestataires.
■ LE PARC NATUREL
RÉGIONAL (PNRM)
propose
un programme
de sorties qui allient
la découverte de
l'environnement et
une pratique sportive
(équitation, vélo…).
Renseignements
Tél. 0596 71 89 19

→ BAIGNADES EN RIVIÈRE
ET CASCADES
■ CASCADE
SAUT GENDARME
Entre Le Morne-
Rouge et Fonds-
Saint-Denis.

→ CANYONING
ET ESCALADE
■ CLUB D'ESCALADE
ET MONTAGNE
Centre commercial
La Fontaine
Quartier Terreville
Schœlcher
Tél. 0596 52 12 09
■ COMITÉ
DÉPARTEMENTAL
DE LA FÉDÉRATION
FRANÇAISE MONTAGNE
ET ESCALADE
Maison des Sports
Pointe de la Vierge
BP 904
97245 Fort-
de-France
Tél. 0596 52 12 09
■ BUREAU
DE LA RANDONNÉE
Rue Victor-Hugo
Saint-Pierre
Tél. 0596 55 04 79

Randonnées (remontées de rivières, canyoning) conduites par des guides brevetés d'État.

→ ÉQUITATION

Le long des plages ou par des sentiers balisés de la forêt, ou encore dans les plantations de bananiers, des promenades à cheval sont proposées par quelques centres équestres recensés par l'office de tourisme.

→ GOLF

■ ADRESSE
Golf Country Club Quartier de la Pagerie Les Trois-Îlets
Tél. 0596 68 32 81
www.golfmartinique. com
18-trous pour un par 71. Ce golf de 6 640 m a été dessiné dans un cadre enchanteur par Robert Trent Jones. Ouvert tlj. 8 h-18 h École de golf, stages, location de matériel, tennis, cours de danse et fitness, bar-restaurant.
■ TARIFS
18 trous : 43 €
9 trous : 23 €
Initiation 1 h : 8 €

→ PLONGÉE
SOUS-MARINE
Avec son eau translucide et ses massifs coralliens, sa faune et sa flore, la côte caraïbe est l'endroit idéal pour s'initier à la plongée. Les plongeurs confirmés feront leurs programmes eux-mêmes et pourront partir à la découverte des épaves dans la baie de Saint-Pierre. Penser à se munir de son diplôme et d'un certificat médical.
■ COMITÉ RÉGIONAL
MARTINIQUE PLONGÉE
Maison des Sports

Pointe de la Vierge Fort-de-France
Tél. 0596 61 09 14
■ PRIX
Baptême : environ 23 €
Plongée simple : environ 17 €
Sortie bateau en sus : environ 5,5 €

→ RANDONNÉE
PÉDESTRE
Avec sa diversité de reliefs, la Martinique offre un grand choix de randonnées ou de promenades sportives à travers la forêt, les mornes, la mangrove, la montagne ou sur la côte. Les sentiers sont balisés et assez bien entretenus. Des randonnées accompagnées sont proposées par les clubs de randonneurs et des guides professionnels. Elles sont très recommandées pour la descente des rivières : le canyoning, activité récente en Martinique, utilise une vingtaine de cours d'eau parfaitement reconnus. Une découverte fascinante de la forêt tropicale autour de la montagne Pelée et des pitons du Carbet.
■ BUREAU
DE LA RANDONNÉE
Rue Victor-Hugo
Saint-Pierre
Tél. 0596 55 04 79
■ COMITÉ
DÉPARTEMENTAL
DE LA FÉDÉRATION
FRANÇAISE MONTAGNE
ET ESCALADE
Maison des Sports
Pointe de la Vierge
BP 904
97245 Fort-de-France
Tél. 0596 52 12 09
■ COMITÉ DE
RANDONNÉE PÉDESTRE
9, bd du G^{al}-de-Gaulle
Fort-de-France
Tél. 0596 70 54 88

■ PARC NATUREL
RÉGIONAL
9, bd G^{al}-de-Gaulle
Fort-de-France
Tél. 0596 71 89 19
■ CONSEILS
AUX MARCHEURS
Avant de partir
Ne pas oublier de prendre la météo.
Équipement
Se munir d'une paire de chaussures montantes, respirantes et souples, de chaussettes de coton épaisses qui montent assez haut, d'un pantalon plutôt que d'un short, d'un coupe-vent, d'un chapeau, de lunettes de soleil et de crème solaire. 1,5 l d'eau par personne pour 3 h de marche et des fruits secs.
Cartes
Ne pas oublier les cartes (IGN n°s 4501 à 4504), une trousse de pharmacie, une lampe de poche et une couverture de survie. Prévenez un proche de votre destination et du temps approximatif de votre promenade.
■ PRUDENCE
Animaux nuisibles
Se méfier des rencontres possibles avec le trigonocéphale, le *matoutou-falaise*, une araignée colorée et venimeuse, et les serpents qui sont présents dans les zones humides ou broussailleuses.
Boire
Il faut boire beaucoup d'eau (jamais l'eau des rivières) et ne pas hésiter à s'arrêter en cas de fatigue.
Brouillard
Les grimpeurs devront se méfier du brouillard qui tombe vite et modifie le paysage.
Crampes
Crampes, coups de fatigue, troubles digestifs, frissons

sont annonciateurs d'insolation. Il ne faut pas négliger de se reposer souvent, de boire et d'étirer ses muscles avant de reprendre la marche.
Nuit
Toujours évaluer soigneusement les difficultés du circuit. Attention à la nuit soudaine.
Sentiers balisés
Ne pas s'éloigner des sentiers balisés. Dans tous les cas, le randonneur doit tenir compte du microclimat de chaque région, de la qualité du sol, de la difficulté du parcours.

→ SPORTS NAUTIQUES
■ CLUBS NAUTIQUES
Très nombreux, ils proposent des cours ou la location de matériel (dériveurs, surf, kayak de mer, planche à voile, ski nautique…) Renseignements à l'office de tourisme.
■ CLUBS HÔTELIERS
Les grands hôtels et des villages-vacances installés en bord de mer proposent l'encadrement, la pratique ou la location de matériel pour des pratiques plus ou moins sportives (pédalo, planche à voile, pêche sportive, scooter des mers, plongée, surf…).
■ SURF
Bodyboarder
Le Diamant, Basse-Pointe
Spot débutant
Anse Trabaud
Spots pour sportifs confirmés
Anses Céron, Trabaud, Charpentier et Grand'Rivière,
Spots
de différents niveaux
Presqu'île
de la Caravelle
■ PLANCHE À VOILE
Des loueurs sont installés sur les

plages les plus fréquentées.
Pour les débutants
Côte sous le Vent conseillée
Véliplanchistes confirmés
Côte atlantique (mer plus forte, vents soutenus).

→ **VTT**
La randonnée VTT est peu développée à la Martinique. Cependant certains sites conviennent particulièrement aux adeptes chevronnés de cette pratique sportive ▲ *302.*

TABAC
→ **PRIX**
Le tabac est moins cher qu'en métropole.

→ **INTERDICTION**
Il est interdit de fumer dans les transports en public et, en principe, dans les services publics.

TAXIS
→ **TAXIS INDIVIDUELS**
■ OÙ LES TROUVER ?
Les principales stations se trouvent à l'aéroport et devant les hôtels.
Coopérative martiniquaise de taxis 24 h/24
Tél. 0596 63 63 62
Aéroport
Tél. 0596 42 16 66
■ TARIFS
Les taxis sont tous équipés d'un taximètre. Majoration de tarif de 30 % ou 40 % la nuit, le dimanche et les jours fériés.
Aéroport/ Fort-de-France
environ 25 €
■ EXCURSION TOURISTIQUE
Il est possible de négocier un forfait.

→ **TAXIS COLLECTIFS**
■ RÉSEAU
Les taxis collectifs, appelés «taxicos»,

circulent sur les plus grands axes et desservent les principales communes de l'île.
■ MODE DE FONCTIONNEMENT
Ils circulent du lundi au vendredi, de 6 h à 18 h, et peu le week-end. Les «taxicos» ne démarrent qu'une fois pleins. Ils peuvent transporter de 9 à 15 personnes selon le véhicule. Les arrêts se font aux stations de bus mais aussi à la demande tout

au long du trajet. Pour les arrêter sur la route, il suffit de faire un signe de la main.
■ TARIFS
Très bon marché, ils défient toute concurrence mais n'ont pas de base fixe.
Fort-de-France/ Le Lamentin : environ 2 €
Fort-de-France/ Ajoupa-Bouillon : environ 7 €
Fort-de-France/ Anses-d'Arlet : environ 5 €
Fort-de-France/ Le Diamant : environ 4 €

TÉLÉPHONER
→ **NUMÉRO UTILES**
■ RENSEIGNEMENTS
12
■ TÉLÉGRAMMES TÉLÉPHONÉS 36 55

→ **APPELS TÉLÉPHONIQUES**
■ VERS LA GUADELOUPE
0590 + les 6 chiffres du correspondant
■ VERS LA MARTINIQUE
0596 + les 6 chiffres du correspondant
■ VERS LA MÉTROPOLE
Numéro à 10 chiffres du correspondant
■ VERS L'ÉTRANGER
00 + indicatif du pays + numéro du correspondant

→ **COÛT**
■ HEURES CREUSES
Lun.-ven. 19 h-8 h et sam.-dim. et j. fér. :
0,22 €/min
■ HEURES PLEINES
Lun-ven. 8 h-19 h :
0,27 €/min

→ **CABINES TÉLÉPHONIQUES**
Les publiphones acceptant les télécartes sont relativement nombreux (ceux à pièces moins). Il est possible de s'y faire rappeler au numéro affiché. Les numéros d'urgence sont gratuits.

→ **TÉLÉPHONE PORTABLE**
Zone géographique à tarif en principe hors forfait. Suivant son réseau, prendre contact avec son service commercial.

VIE NOCTURNE
Renseignements à l'office de tourisme.
Voir aussi «Sélection d'adresses» ◆ *346*

→ **CASINOS ET BOWLING**
Machines à sous, roulette, black-jack…
■ Hôtel Méridien
Marina Pointe du Bout
Les Trois-Îlets
Tél. 0596 66 00 30
Ouvert tlj. 21 h-3 h
■ Hôtel La Batelière
Schœlcher
Tél. 0596 61 73 23
Ouvert tlj. 10 h-3 h
■ Bowling de la Martinique
Pont de Californie
Le Lamentin
Tél. 0596 50 20 17
Ouvert lun.-sam. 15 h-2 h, dim. 17 h-0 h

→ **SALLES DE SPECTACLES**
■ ATRIUM
Fort-de-France
Tél. 0596 60 78 78
■ CMAC SCÈNE NATIONALE
Avenue Frantz-Fanon
Fort-de-France
Tél. 0596 70 79 29
■ SERMAC
Parc floral
Fort-de-France
Tél. 0596 60 48 77

→ **SPECTACLES MUSICAUX**
■ SPECTACLES FOLKLORIQUES
Les animations organisées dans les hôtels, les restaurants et les discothèques sont nombreuses (ballets martiniquais, orchestres locaux).
■ ZOUKS
Fêtes où l'on danse la biguine, la valse, la mazurka, la valse, le calypso…
Dans les restaurants et sur les plages.

VOITURE

→ LOUER UNE VOITURE

■ **CONDITIONS**
Être titulaire du permis de conduire depuis au moins 2 ans ou être âgé de 21 ans ou plus.

■ **OÙ LOUER ?**
Le parc des voitures de location est très développé. À l'aéroport, toutes les compagnies internationales sont représentées.

■ **TARIFS**
Les prix varient sensiblement selon les loueurs et la saison (les loueurs locaux sont souvent les moins chers). En basse saison, rabais possible.

**Basse saison
7 jours, véhicule de catégorie A**
Entre 210 et 290 € en fonction des loueurs.

**Haute saison
7 jours, véhicule de catégorie A**
Entre 305 et 350 € en fontion des loueurs.

Attention
Certains loueurs prennent une taxe pour les véhicules loués à l'aéroport, ainsi le prix de la location peut être augmenté d'environ 15 € par rapport à une location à Fort-de-France.

■ **CONSEILS**
Il faut absolument faire un constat de l'état du véhicule avant de partir.
En haute saison
Il est recommandé de réserver 2 mois à l'avance.

→ LOUEURS DE VOITURES

■ **ADA**
Quartier Bac

97224 Ducos
Tél. 0596 77 16 77

■ **AVIS**
Aéroport
97232 Le Lamentin
Tél. 0596 42 11 00

■ **BUDGET**
Aéroport
97232 Le Lamentin
Tél. 0596 42 16 79
30, rue E.-Deproge
97200 Fort-de-France
Tél. 0596 70 22 75

■ **EUROPCAR**
Aéroport
97232 Le Lamentin
Tél. 0596 42 16 88
30, rue E.-Deproge
97200 Fort-de-France
Tél. 0596 73 33 13

■ **HERTZ**
Aéroport

97232 Le Lamentin
Tél. 0596 42 16 90

→ CIRCULATION ET SÉCURITÉ

Même code de la route et obligations qu'en métropole (respect des limitations de vitesse, port de la ceinture de sécurité ou du casque pour les deux-roues).

Attention
Les Martiniquais roulent assez vite.

→ ESSENCE

De nombreuses stations d'essence sont ouvertes 24 h/24.

■ **PRIX**
Les prix sont équivalents à ceux de la métropole.

→ RÉSEAU ROUTIER

■ L'île possède 7 km d'autoroutes et 267 km de routes nationales.

■ Si les principales localités ainsi que l'aéroport sont bien desservis, les recoins de l'île sont parfois difficiles d'accès, notamment après de grosses pluies.

→ EMBOUTEILLAGES

■ **FORT-DE-FRANCE**
Heures à éviter 6 h 30-8 h 30

■ **ACCÈS AUX PLAGES**
Le week-end et pendant les grandes vacances,

il faut envisager le retour vers 16 h surtout pour les plages du Sud. Après 16 h 30 les embouteillages sont souvent très importants.
Conseil
Préférer les navettes maritimes qui desservent certaines plages du Sud.
Voir «Bateau» ◆ 334

→ VIGILANCE

■ **CONDUITE DE NUIT**
L'éclairage des routes est presque inexistant.

■ **RECOMMANDATIONS**
Attention
Aux animaux (poules, chiens, chèvres, bœufs…) qui s'égarent parfois sur les petites routes et peuvent surgir brutalement sur la voie.
Attention aussi
Aux petits chemins de terre qui ne sont parfois accessibles qu'avec un véhicule tout terrain.

→ STATIONNEMENT

Pas de problème de stationnement, excepté à Fort-de-France où le centre-ville est équipé de parcmètres.
Conseil
Utiliser les parkings en plein air.
■ Parc Gibert-Gratiant
Bd Alfasa
7j./7, 24 h/24
■ Parc Pointe Simon
lun.-ven. 6 h-20 h
sam, 7 h-14 h
■ Parc de la Savane
7j./7, 24 h/24
■ **LES PARKINGS DES BORDS DE MER**
En principe, ils ne sont pas payants.

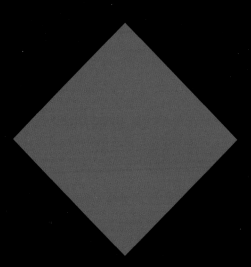

Sélection d'adresses

Adresses classées par ordre alphabétique de communes à l'intérieur de chaque île.
C5 : coordonnées des cartes situées à la fin et au début du guide.
Liste explicative des logos à l'intérieur des rabats de couverture.

AJOUPA-BOUILLON, L'
▲ 254   D2
→ HÔTEL-RESTAURANT
ABRI-AUBERGE VERTE
À la sortie du bourg
vers Basse-Pointe
Tél. 0596 53 33 94
Tél. 0596 53 32 13
Ouvert toute l'année
12 chambres : 78 €
Carte : 28 €
Menu : 15 €
*Au cœur d'une
exploitation agricole,
l'Abri propose un
hébergement en
bungalows simples
mais confortables
et bien ventilés, ainsi
qu'une petite piscine.
La cuisine réputée
de l'auberge propose
du poulet farci
et des écrevisses
de rivière en saison.*
🏠 P 🍴 🌊 🔡

ANSES D'ARLETS, LES
▲ 312   D8
→ RESTAURANTS
L'ANSE NOIRE
Plage de l'Anse Noire
Tél. 0596 68 62 82
Fermé lun.
Réservation
conseillée
Menus : 15-32 €
*Situé sur la plage,
entre Anse à l'Âne
et Grande Anse,
l'endroit est réputé
pour sa langouste
grillée, arrosée
d'un filet de sauce-
chien pimentée.
Les repas
sont servis sur
de grandes tables
en bois.
Le menu découverte
comprend deux
entrées, quatre plats
et un dessert,
véritable festival
de la cuisine locale.
Les cent marches
qu'il faut grimper
après le repas pour
rejoindre le parking
aide grandement
à la digestion !*
P 🍴 🔡

TI'SABLE
Grande Anse
Tél. 0596 68 62 44
Ouvert tlj.
Réservation
conseillée le dim.
Carte : 23 €
Menus : 16-26 €

*Ce restaurant est
situé dans un cadre
enchanteur de
verdure tropicale
et de bord de mer.
Langoustes du vivier,
grand choix
de plats et de
desserts maison
raviront les gourmets.
Formules buffet
et barbecue,
le dimanche.*
🍴 🔡 🔡

BASSE-POINTE
▲ 268   D1
→ HÔTEL-RESTAURANT
PLANTATION LEYRITZ
Tél. 0596 78 53 92
Ouvert toute l'année
59 chambres : 106 €

PLANTATION LEYRITZ

Carte : 22 €
Menus : 20-26 €
*Entre montagne et
océan se dressent
les bâtiments de
cette ancienne
plantation, fondée en
1700 par l'architecte
Michel de Leyritz
▲ 268. L'atelier,
les cases en pierre
pour les esclaves
(transformées en
bungalows) et la
maison de maître
(qui abrite les
chambres les plus
luxueuses) sont
disséminés dans
un parc splendide
de huit hectares.
Le restaurant, installé*

dans l'ancienne
chapelle, propose
des menus enfant
et adulte avec libre
accès à la piscine.
P 🔡 🍴 📺 🖥 🌊 🔡

→ RESTAURANT
CHEZ MALLY
À droite juste après
le pont en venant du
Lorrain, côté océan.
Tél. 0596 78 51 18
Ouvert tlj. ; le soir,
sur réservation
Fermé août
Carte : 15 €
Menus : 11-26 €
*Repas et accueil
naturels et simples.
Spécialités créoles.*
P

BELLEFONTAINE
▲ 208   C5
→ RESTAURANT
LE TORGILÉO
Tél. 0596 55 02 92
Fermé dim.-lun.
*Dans une maison
en forme de bateau
sur les hauteurs
de Bellefontaine. La
terrasse surplombe
la mer. Spécialités
de fruits de mer
et cuisine créole.*
🔡 🔡

CARBET, LE
▲ 206   C4
→ RESTAURANT
HABITATION LATOUCHE
Tél. 0596 781781
Fermé lun. soir, mar.

soir, mer. soir
et dim. soir
Menu : 14 €
Carte : 15-20 €
*Le restaurant
(joli bâtiment posé
dans le parc
de l'Habitation)
propose désormais
une cuisine antillaise
originale et de solides
plats métropolitains
(de l'escalope
normande
à l'entrecôte
grillée pour deux).
Son poulet flambé
au rhum vieux et
son filet de daurade
à la vanille, servis
avec une choucroute
de papaye, méritent
d'être goûtés.*

→ HÔTELS
**LE CHRISTOPHE
COLOMB**
Grande-Anse
Tél. 0596 78 05 38
Fax 0596 78 06 42
Ouvert toute l'année
10 chambres : 43 €
4 studios :
305 €/sem.

MAROUBA CLUB
Tél. 0596 78 00 21
Fax 0596 78 05 65
Fermé sep.
124 chambres :
214 €
*Hôtel luxueux installé
en bord de plage.
Chambres avec vue
sur mer ou sur le
jardin. Nombreuses
activités sportives
et mini-club pour
les enfants de 3
à 6 ans. Restaurant,
snack-grill, bar.*
P 🔡 🍴 🔡 🖥 🌊 🔡

CASE-PILOTE
▲ 206   C5
→ RESTAURANT
LES DEUX GROS
Tél. 0596 61 60 34
Fermé dim. soir-lun.
Carte : 25 €
Menus : 30-50 €
*Face à la mer,
ce restaurant
gastronomique
possède une
magnifique terrasse
ombragée. La carte
est un savant
mélange de cuisine
méridionale
et exotique :*

Les prix des hôtels, donnés à titre indicatif,
sont ceux d'une chambre double en haute saison (1er déc.-15 avr.).

carpaccio de noix de Saint-Jacques, poisson à la tahitienne, magret de canard à la tapenade, gambas grillées et créoles, poêlée de foie gras… sans oublier les délicieuses pâtisseries maison ou les rafraîchissantes salades de fruits : De la grande gastronomie !
🅿🅿♿🏊🏋

DIAMANT, LE
▲ 320   E8
→ HÔTELS-RESTAURANTS
DIAMANT LES BAINS *
L'ASSIETTE CRÉOLE
Situé à l'entrée du bourg sur la gauche
Tél. 0596 76 40 14
Restaurant fermé mer.
Hôtel fermé 10 j. en juin ; 10 j. en sep.
7 chambres : 84 €
20 bungalows : 101 €
Carte : 25 €
Menu : 19 €
Au bord de l'eau, cadre style années 1950. Sur la terrasse ventilée qui offre une vue magnifique sur le rocher du Diamant, on déguste les spécialités du chef : gratin de christophines au crabe, langouste grillée, espadon au poivre vert, vivaneau à la Rossini, flan coco…
🅿🏊🅿♿🏋📺🖥

NOVOTEL
DIAMANT CORALIA ***
Pointe de la Cherry
Tél. 0596 76 42 42
Fax 0596 76 22 87
Ouvert toute l'année
185 chambres (dont 4 équipées handicapés) : 268 €
6 suites : 318 €
Carte : 23 €
Bâti au cœur d'un magnifique parc ombragé de 6 ha, cet établissement moderne abrite plusieurs restaurants qui proposent de la

cuisine créole, des buffets à thème… *Situé en bord de mer, il offre plusieurs accès à différentes petites plages. Club enfants, nombreux équipements sportifs, plusieurs bars. Un conseil : réserver de préférence les chambres qui donnent sur la mer pour la vue sur le rocher, les autres donnent sur la piscine.*
🅿🅿♿🏊🏋📺🖥🖥
🖥

RELAIS CARAÏBES ***
La Cherry

DIAMANT-LES-BAINS, LE DIAMANT/OR

Tél. 0596 76 44 65
Fax 0596 76 21 20
Fermé sep.-oct.
3 chambres : 107 €
12 bungalows : 162 €
Carte : 27 €
Menus : 15-27 €
Dans un cadre de verdure tropicale enchanteur, les formules d'hébergement en bungalow proposées par cet établissement offrent un confort propice au calme et à la détente (chambre, séjour, salle d'eau, réfrigérateur, terrasse individuelle). Le restaurant,

qui offre une vue sublime sur le rocher, sert aux gourmets des cuisines française et créole.
🅿🅿♿🏊🏋📺🖥🖥
🖥

FORT-DE-FRANCE
▲ 184   E8
→ RESTAURANTS
LE BABAORUM
42, route de Châteaubœuf
Villa La Roseraie
Espace Dillon
Tél. 0596 75 03 32
Fermé sam. midi et dim.
Carte : 27 €
Cuisines française et créole. Le décor rustique peut surprendre, mais on y mange bien.

LE JOSÉPHINE
Hôtel l'Impératrice **
Place de la Savane
15, rue de la Liberté
Tél. 0596 63 06 82
Fermé dim.
Carte : 20 €
Menus : 10-16 €
Ce restaurant typiquement créole affiche une belle carte de plats à base de fruits de mer et de poissons, dont les délicieuses langoustes farcies aux lambis et la coquille de crabe gratinée au coco.
🅲🖥🏋

LE PLANTEUR
3, rue de la Liberté
Tél. 0596 63 17 45
Fermé dim. et soir
Carte : 38 €
Menus : 13-30 €
Cuisines créole et française. Spécialités de poissons, fruits de mer et viande charolaise. Belle salle panoramique sur la baie de Fort-de-France et décor soigné.
🅿🏊🖥🏋

THE CREW
44, rue E.-Deproge
Terres-Sainville
Tél. 0596 73 04 14
Fermé sam. soir et dim.
Carte : 25 €
Menus : 15-18 €
Ce grand restaurant aux allures de club privé est le lieu de rendez-vous des hommes d'affaires. Cuisine traditionnelle, française et créole, et savoureuses pâtisseries maison.
🅿

→ HÔTELS-RESTAURANTS
HÔTEL L'IMPÉRATRICE ***
15, rue de la Liberté
Tél. 0596 63 06 82
Ouvert toute l'année
24 chambres : 72 €
Situé face à la place de la Savane, cet hôtel, au bar en terrasse donnant sur un parc, est le point de rencontre de tout Fort-de-France. Créé en 1957, il possède un charme désuet.
Voir aussi *restaurant* Le Joséphine.
🅲🏊🖥🖥

LE BEAUSÉJOUR
HÔTEL **
Route de Saint-Joseph
Tél. 0596 75 53 57
Fax 0596 75 41 28
12 chambres : 77 €
Menu : 20 €
Situé dans un quartier résidentiel et à quelques minutes du centre-ville, cet établissement est fréquenté par les hommes

347

d'affaires et les touristes. Installé dans une belle villa, l'hôtel comprend un restaurant gastronomique et un salon bar. Les chambres, qui possèdent toutes des terrasses individuelles, offrent un très bon confort.

🄲🄿🏠♿

→ HÔTELS

HÔTEL CENTRAL
3, rue Victor-Hugo
Tél. 0596 71 53 23
Ouvert toute l'année
18 chambres : 42 €
Très bien situé, assez calme.

🄲🄿▯◻

LA MALMAISON
7, rue de la Liberté
Tél. 0596 63 90 85
Fax 0596 60 03 93
Ouvert toute l'année
20 chambres : 52 €
Chambres de bon confort, toutes équipées de douche. Cuisine simple à la brasserie (ouverte 11 h-21 h).

🄲🄿▯◻

LE LAFAYETTE ✶✶
5, rue de la Liberté
Tél. 0596 73 80 50
Fax 0596 60 97 75
Ouvert toute l'année
24 chambres : 48 €
Les chambres, confortables, offrent une belle vue sur le parc de la Savane et sur la baie de Fort-de-France.

🄲▯◻

RÉSIDENCE VICTORIA ✶✶✶
Route de Didier
Rond-point du Vietnam-Héroïque
Tél. 0596 60 56 78
Fax 0596 60 00 25
Ouvert toute l'année
25 chambres : 70 €
Hôtel très central et confortable avec piscine.

🄲🄿▯◻▨

SQUASH HÔTEL ✶✶
3, bd de la Marne
Tél. 0596 72 80 80
Fax 0596 63 00 74
Ouvert toute l'année
108 chambres : 118 €

Proche du centre-ville et à dix minutes de l'aéroport ce grand ensemble hôtelier à l'architecture très moderne propose des chambres bien équipées et très confortables. Bar, restaurant, salle de billard.

🄲🄿🏠🎱▯◻▨♿

UN COIN DE PARIS
54, rue L.-Carnot
Tél. 0596 70 08 52
Fax 0596 63 09 51
12 chambres : 45 €
Prix modérés. Bar, restaurant.

🄲▯🖥

→ VIE NOCTURNE

L'ALIBI
Avenue Saint-John-Perse
Tél. 0596 63 45 15
Discothèque.

LE CHEYENNE
8, rue J.-Compère
Tél. 0596 70 31 19
Discothèque, café.

LE MAYFLOWER
28, rue E.-Deproge
Tél. 0596 70 54 45
Pub, karaoké, soirées à thèmes.

LE STARION
180, avenue M.-Bishop
Tél. 0596 70 61 51
Discothèque.

LES ÎLETS DE L'IMPÉRATRICE, LE FRANÇOIS

FRANÇOIS, LE

→ HÔTELS-RESTAURANTS

LA FRÉGATE BLEUE
Qartier Frégate
Tél. 0596 54 54 66
Fax 0596 54 78 48
Réservation :
www.relais-du-silence.com
7 chambres : 183 €
Repas à la demande le soir : 20 €
Cet hôtel-villa au cadre superbe est labellisé «Relais du silence» depuis 1991. Les vastes chambres sont équipées d'une kitchenette et abritent du mobilier martiniquais ancien. Les terrasses individuelles offrent une vue imprenable sur l'Atlantique et les îlets du François. Service de restauration.

🄿🎱🏠▨

LA RIVIERA
Route du club nautique
Tél. 0596 54 68 54
Fax 0596 54 30 43
Restaurant fermé dim.
14 chambres : 80 €
Carte : 22 €
Menus : 11-40 €
Niché dans un site remarquable, cet hôtel possède de

vastes chambres équipées de façon fonctionnelle. Au restaurant, dont la salle est prolongée par une belle terrasse sur la mer, on a le choix entre des plats français et de succulentes spécialités créoles (blaff de soudons, poulet coco-curry, gâteau de patate douce au coulis de chocolat…).

🄿🏠🎱▯◻📷♿

LES ÎLETS DE L'IMPÉRATRICE
Tél. 0596 65 82 30
Réservations
www.martinique-hotels.com
Chambres : 175 €
Menus : 30-50 €
Posées sur un lagon d'eau turquoise, à dix minutes en bateau du port du François, deux îlets accueillent leurs hôtes le temps d'un repas ou d'un séjour dans un cadre insulaire paradisiaque. Les deux îlets offrent cinq chambres aménagées avec goût et simplicité dans deux magnifiques demeures (grand salon, minibar, terrasse ensoleillée). C'est sur l'îlet Oscar que l'on pourra déjeuner dans une maison de bois construite à l'ombre des cocotiers puis se reposer sur ses plages de sable fin. Un cadre idéal pour s'isoler du monde…

🛏🏠🎱🍴

→ RESTAURANT

YVA CHEZ VAVA
Avenue du Général-de-Gaulle
Tél. 0596 55 72 72
Fax 0596 55 72 55
Ouvert tlj. ; le soir sur réservation
Carte : 30 €
Menu : 14 €
Le cadre de ce

Les prix des hôtels, donnés à titre indicatif,
sont ceux d'une chambre double en haute saison (1er déc.-15 avr.).

restaurant peut surprendre : situé à l'entrée du bourg, et en bordure de route, il jouxte une station-service. Mais il est le rendez-vous des connaisseurs de toute l'île. Ses acras de titiri (friture de petits poissons des embouchures) constituent une entrée légère et originale. On goûtera ensuite sa fricassée de z'habitants (écrevisses), accompagnée d'un muscadet. On pourra, en guise de dessert, déguster les excellentes glaces à la noix de coco chez Floup-Floup, ce petit étal situé à quelques centaines de mètres de Yva chez Vava sur la gauche de la rue principale qui mène à la plage (ouvert tlj. à midi).

P **X**

→ **HÔTELS-RESTAURANTS**
CHANTEUR VACANCES
Tél. 0596 55 73 73
Ouvert toute l'année
7 chambres : 35 €
Carte : 14 €
Menus : 7-23 €
Chambres simples et bien ventilées.
P

CHEZ TANTE ARLETTE
Rue Louis-de-Lucy-de-Fossarieu
Tél. 0596 55 75 75
Fermé lun.
Restaurant ouvert tlj. ; le soir sur réservatoin
5 chambres : 31 €
Carte : 23 €
Menus : 16-40 €
Spécialités créoles. Convivial et délicieux. Il est prudent de réserver. Chambres simples, deux seulement sont climatisées.
C **↑**

LAMENTIN, LE
▲ 274   F6
→ **HÔTEL-RESTAURANT**
LA PLANTATION
Hôtel Cottage
Pays Mêlé
Jeanne-d'Arc

Tél. 0596 50 16 08
Fax 0596 50 26 83
Ouvert toute l'année
8 chambres : 55 €
Carte : 42 €
Dans un décor de verdure, à l'écart de tout, Jean-Marc Arnaud et sa sœur proposent une cuisine soignée et originale : millefeuille de foie gras aux bananes, filets de daurade au tamarin et à la goyave, ris de veau caramélisé au miel. Le chariot de desserts est à lui seul un pur

LE GHETTO, MARIGOT

régal : charlotte à la mangue, mousse aux trois chocolats… Une des meilleures tables de l'île.
⌂ **P** **⌂** **▣**

LORRAIN, LE
▲ 260   C1
→ **FERME-AUBERGE**
LA SIKRI
Quartier Étoile
Tél. 0596 53 81 00
Restaurant fermé lun.
8 chambres : 31 €
Menus : 17-23 €
Une ferme-auberge en plein cœur d'une bananeraie. Cuisine créole simple et néanmoins savoureuse, mijotée

avec les produits de l'exploitation. *Chambres sobres et de bon confort, pour un séjour agréable en pleine nature.*
P **⌂** **⊠** **⌂**

MARIGOT
▲ 259   E2
→ **RESTAURANT**
LE GHETTO
72, rue Principale
Tél. 0596 53 59 65
Fermé dim.
Carte : 15 €
Spécialités créoles.

→ **HÔTEL-RESTAURANT**
HABITATION
LAGRANGE **
Tél. 0596 53 60 60
Fax 0596 53 50 58
15 chambres : 267 €
Suites : 320 €
Carte : 65 €
Menus : 11-35 €
L'habitation est située sur la commune de Marigot au milieu d'un parc de 3 ha, planté d'essences rares. C'est une ancienne maison de maître, admirablement restaurée et transformée en hôtel de grand luxe. Le mobilier, le décor créole de chacune des chambres et des suites installées dans de

petits pavillons coloniaux et un personnel en habit réaniment une Martinique du XVIIIe siècle. Des visites, à cheval ou en calèche, sont organisées autour des plantations de bananes, de fleurs ou d'ananas. Sont aussi proposées des sorties en forêt ou en mer. C'est l'un des plus beaux hôtels de la Caraïbe.
⌂ **P** **⌂** **▥** **⊠** **▨**

MARIN, LE
▲ 298   H8
→ **HÔTEL-RESTAURANT**
AUBERGE DU MARIN
21, rue Osman-Duquesnay
Tél. 0596 74 83 88
Fax 0596 74 76 47
Fermé sep.
Restaurant fermé sam.-midi, dim.-midi
5 chambres : 42 €
Carte : 30 €
Menu : 13 €
Une auberge et une table d'hôte bon marché réputée pour sa cuisine du sud-ouest de la métropole : confit, magret… Accueil sympathique.

MORNE-ROUGE, LE
▲ 217   D3
→ **RESTAURANT**
LA CHAUDIÈRE
Quartier Propreté
Tél. 0596 52 34 47
Fermé sep. et sem.
Carte : 17-31 €
Malgré quelques concessions culinaires faites aux touristes, le chef connaît la cuisine familiale antillaise et la prépare avec finesse. Il propose des petites palourdes du Robert au gros sel, de la soupe aux écrevisses z'habitant, des titiris à l'étouffée et du dombré de cirique (un petit crabe marin). Le flanc de giraumon, un dessert maison, mérite à lui seul une halte dans cet établissement.

L'HAVRE DU VOYAGEUR
Rue de la Pilorie
Fonds Marie-Reine
Tél. 0596 52 40 00
Ouvert tlj. ; le soir
sur réservation
Menus : 13-38 €
Ce restaurant
fait revivre,
à travers une carte
d'une grande
diversité,
les traditions
culinaires
martiniquaises,
oubliées
par beaucoup.
Ici, c'est la cuisine
d'antan qui attirent
touristes et locaux :
giraumonade,
macadam,
ti nain morue, blaff
d'oursins, souskail
de mangot vert,
pâté en pot, dombré
de haricot, shrubb,
sorbet de pomme
de Cythère, chocolat
de première
communion…

PRÊCHEUR, LE
▲ 217   B2
→ RESTAURANT
CHEZ GINETTE
Les Abymes
Ouvert tlj. ; le soir
sur réservation
Tél. 0596 52 90 28
Carte : 18-23 €
Menus : 12-19 €
L'accueil est
chaleureux, le décor
original : sur les
murs, des peintures
retracent l'histoire
de la Martinique,
des Caraïbes à la fin
de l'esclavage.
Et la cuisine ? Deux
grandes spécialités :
le boudin et les
poissons grillés.

RIVIÈRE-SALÉE
▲ 307   F7
→ HÔTEL
AUBERGE ALAMANDA
Quartier Là-Haut
Tél. 0596 68 14 72
Fax 0596 68 15 38
Ouvert toute l'année
5 chambres : 31 €
Une maison de bois,
entourée de verdure
avec vue sur la plaine
pour les amoureux
du calme
et de la simplicité.
🅿 🛏 🚿 🛗 ▥

ROBERT, LE
▲ 284   G5
→ RESTAURANT
**CHEZ FOFOR
AUX FRUITS DE MER**
Bd Henri-Auzé
Tél. 0596 65 10 33
Fermé dim. soir-lun.
Carte : 16 €
Menus : 10-24 €
Restaurant réputé
fréquenté aussi bien
par les Martiniquais
que par les touristes.
Situé en bord de mer,
il offre une belle
terrasse et une vue
remarquable sur les
îlets. Spécialités : blaff
de poisson, fricassée
de langouste.
🅲 🚿 🛗

SAINTE-ANNE
▲ 300   H9
→ RESTAURANT
LA DUNETTE
Rue F.-Saffache
Tél. 0596 76 73 90
Ouvert tlj.
Carte : 15-50 €
Salades : 8-10 €
Ici, la carte varie
régulièrement et le
chef compose des
plats créoles qu'il
assaisonne selon son
bon goût. Ainsi, il est
possible de déguster
du magret de canard
et du vivaneau farci
d'oursins, sur
la grande terrasse,
les pieds dans l'eau.

SAINTE-LUCE
▲ 290   G8
→ HÔTEL
**RÉSIDENCE
BRISE MARINE**
Quartier Gros Raisin
Tél. 0596 62 46 94
Fax 0596 62 57 17
12 bungalows : 87 €
Dans un cadre de
verdure tropicale,
les bungalows,
très confortables,
peuvent accueillir
jusqu'à
cinq personnes
et comprennent
tous une kitchenette.
Un snack amélioré
propose des plats
pour environ 8 €.
Baby-sitting.

AUBERGE ALAMANDA, RIVIÈRE-SALÉE/DR

Un cadre idéal
pour des vacances
en famille.
Accès direct
à la plage.
🅿 🛏 🚿 🛗 🚻

SAINTE-MARIE
▲ 256   F3
→ RESTAURANTS
**LA DÉCOUVERTE
CHEZ TATIE SIMONE**
Forêt La Philippe
(route de Marigot)
Tél. 0596 69 44 04
Ouvert tlj. ; le soir
sur réservation
Carte : 16 €
Menus : 23-32 €
Accueil chaleureux
et cuisine non moins
délicieuse à découvrir
absolument.

Spécialités :
couscous, fruits
de mer.
✠

LE COLIBRI
Quartier Morne
des Esses
À côté de La Poste
Tél. 0596 69 91 95
Fax 0596 69 61 40
Fermé basse saison :
lun.
Carte : 28 €
La cuisine créole
mijotée par la famille
Palladino propose
une véritable halte
gastronomique
tout en finesse :
calalou au crabe
(soupe à base de
gombos), seiche
farcie et oursins en
coquille Saint-
Jacques. Un cadre
agréable, une grande
salle en terrasse qui
embrasse le calme
et la verdure
environnante
et un service aimable.
Animation musicale
traditionnelle
le vendredi soir.
🅿 🚿 🍴 🎵

SAINT-PIERRE
▲ 222   C3
→ RESTAURANT
LE FROMAGER
Morne Abel
Quartier Saint-James
Tél. 0596 78 19 07
Fax 0596 70 77 64
Ouvert tlj. ; le soir sur
réservation
Fermé oct.
Carte : 17-30 €
Menu : 24 €
Depuis dix ans,
ce restaurant réussit
l'exploit d'offrir une
cuisine antillaise
certes classique,
mais fine et, surtout,
stable. En entrée,
les balaous crus
marinés au citron
ont contribué
à la renommée
de l'établissement.
Le poison grillé est
à goûter absolument.
Ici, pas de surprise,
de la vraie cuisine,
préparée par les
époux Dement et une
des plus belles vues
de l'île, sur la rade
de Saint-Pierre.

Les prix des hôtels, donnés à titre indicatif,
sont ceux d'une chambre double en haute saison (1er déc.-15 avr.).

LE GUÉRIN
Route du Prêcheur
Quartier Fond Coré
Nord
Tél. 0596 78 17 22
Menu : 17 €
*Le Guérin propose
une cuisine antillaise
fine et copieuse.
Les produits
sont d'une grande
fraîcheur et le menu
change
régulièrement ;
fricassée de
chatrous, fricassée
d'écrevisses et la
soupe de poissons
aux câpres font partie
des classiques.*

SCHŒLCHER
▲ 204   D6
→ **HÔTEL-RESTAURANT**
LA BATELIÈRE
Tél. 0596 61 49 49
Fax 0596 61 70 57
ou 0596 61 62 29
Ouvert toute l'année
198 chambres :
219 €
Carte : 30 €
*Le confort moderne
de cet ensemble
touristique avec
son magnifique parc
de cinq hectares,
sa piscine
et sa plage,
ses deux restaurants,
une galerie
marchande,
un piano-bar,
une discothèque
et un complexe
sportif, assurent
aux touristes une
prise en charge
totale et de qualité.*
🅿 🏠 🛏 🍴 🎵 💳 ✕
📷 🎵

TARTANE
▲ 283   G3
→ **RESTAURANT**
LE DON DE LA MER
Rue Galba
Tél. 0596 58 26 85
Ouvert tlj.
Carte : 28 €
*Cet établissement
dont la terrasse
surplombe la baie
a le don de mettre
la mer sous les yeux
et dans l'assiette
des hôtes.
«Mme Lison» cuisine
en toute simplicité
les fruits de la pêche
de son fils (requins,*

*chatrou, lambis,
langoustes…).
Le Don-de-la-Mer
c'est aussi le nom
de la yole qui prend
régulièrement le large
pour rapporter
du poisson frais
sur les fourneaux
du restaurant.
Spécialités : cocktail
de fruits de mer,
soudons à la sauce
piquante,crevettes
à la nage, fricassée
d'écrevisses,
poissons grillés,
bananes flambées.*
🅿 🏠 🛏 ✕

→ **HÔTEL-RESTAURANT**
LE MADRAS

LE MADRAS, TARTANE

14 chambres
Tél. 0596 58 33 95
Ouvert toute l'année
14 chambres : 90 €
Carte : 20 €
Service de snack
sur la plage.
*Construit les pieds
dans l'eau, sur
la plage de Tartane,
cet établissement
offre des chambres
confortables ;
cependant, préférer
celles côté mer pour
avoir un balcon
qui surplombe
l'océan plutôt
que le parking.
Le restaurant, sous
une grande véranda
ouverte sur l'océan
offre une vue*

*superbe.
Les pêcheurs
du village
approvisionnent
les cuisines
en poisson frais
et en crustacés.
Spécialités : feuilleté
de mer, fricassée
de langoustes,
poisson grillé.
Parmi les 10 menus,
un «spécial
langouste» à 23 €.*
🅿 🏠 🛏 💳 ✕ €

→ **HÔTEL**
LE MANGUIER
Tél. 0596 58 48 95
Ouvert toute l'année
21 appartements
tous équipés

d'une kitchenette :
84 €
*Bungalows
confortables bâtis
dans un style
traditionnel au cœur
d'un parc planté de
cocotiers et
d'hibiscus et à 200 m
de la plage. Formules
de location à la nuit
ou à la semaine.
Réserver de
préférence les
bungalows avec une
vue panoramique.*
🅿 🎵 💳 € 🅿

TRINITÉ, LA
▲ 278   D6
→ **HÔTELS**
HÔTEL SAINT-AUBIN
Tél. 0596 69 34 77

Fax 0596 69 41 14
15 chambres : 88 €
*Cette majestueuse
maison coloniale,
aux balcons
de bois peints
en rose,
est construite
dans un verger
créole de
deux hectares.
Bercée par les alizés,
elle domine
la baie de La Trinité
et la presqu'île
de la Caravelle.*
🅿 🏠 🛏 🍴 🎵 €

LE BRIN D'AMOUR
Quartier Brin d'Amour
Tél. 0596 58 53 45
Fax 0596 58 47 82
16 bungalows : 39 €
*Daniel Rebert
et sa femme
accueillent
les clients au milieu
d'une végétation
dense, dans
un petit château
situé sur la route
de Sainte-Marie.*
🅿 🏠 🛏 🍴 🎵 €

TROIS-ÎLETS, LES
▲ 308   E7
→ **HÔTEL-RESTAURANT**
LE BAKOUA *****
Pointe du Bout
Tél. 0596 66 02 02
Fax 0596 66 00 41
139 chambres :
480 €
6 suites : 732 €
Carte : 28-38 €
*Cet hôtel de luxe
qui appartient
à la chaîne Sofitel
est installé dans
un site remarquable.
Les terrasses
ou les balcons
des suites donnent
sur les jardins
ou la plage pour
ceux qui désirent
du calme.
L'accès à la mer
se fait par une petite
crique.
Deux bars
et deux restaurants :
La Sirène (carte :
28 €) à midi
et Le Châteaubriand
(carte : 38 €)
pour le soir.
Nombreuses activités
de loisirs.*
🅿 🏠 🛏 🍴 🎵 💳 ✕
€ 📷

◆ ADRESSES ET HORAIRES DES LIEUX DE VISITE

Adresses classées par ordre alphabétique de communes.
▲ *195 :* renvoi à la page qui traite du lieu.
C5 : coordonnées de la carte située en début et en fin de guide.

AJOUPA-BOUILLON, L' — D2

SYNDICAT D'INITIATIVE Quartier Fancé Tél. 0596 53 32 87	*Ouvert lun.-ven. 8 h-16 h, sam.-dim. 8 h-14 h. Fermé un dimanche sur deux.*	▲ 254
SENTIER BOTANIQUE ET FLORAL «LES OMBRAGES» Trou Congo *À la sortie du bourg* Tél. 0596 53 31 90	*Ouvert mars-oct. : tlj. 9 h-17 h ; nov.-fév. : tlj. 8 h 30-16 h 30.*	▲ 254

BALATA — E5

ÉGLISE MONTMARTRE DE BALATA *À 3 km du jardin botanique*	*Ouvert lun.-sam. 5 h-12 h et 14 h-18 h, dim. matin lors de l'office.*	▲ 244
JARDIN BOTANIQUE Route de Balata *À 10 km de Fort-de-France* Tél. 0596 64 48 73	*Téléphoner pour les horaires d'ouverture.*	▲ 245

BASSE-POINTE — D1

SYNDICAT D'INITIATIVE Rue du Colibri-Tapis-Vert Tél. 0596 78 99 01	*Ouvert lun.-ven. 8 h-16 h, sam.-dim. 8 h-13 h.*	▲ 268
PLANTATION LEYRITZ **MUSÉE DE FIGURINES VÉGÉTALES** Tél. 0596 78 53 92	*Ouvert tlj. 8 h-18 h.*	▲ 268

BELLEFONTAINE — C5

SYNDICAT D'INITIATIVE 30, rue du Gouverneur-Ponton Tél. 0596 55 00 96	*Ouvert lun., jeu. 7 h 30-12 h 30 et 14 h 30-17 h 30, mar.-mer. 7 h 30-14 h, ven. 7 h 30-13 h.*	▲ 205

CARBET, LE — C4

SYNDICAT D'INITIATIVE Grand Anse Tél. 0596 78 05 19	*Ouvert lun.-jeu. 8 h-12 h et 13 h-16 h, ven. 8 h-12 h et 13 h-15 h, sam. 8 h-12 h.*	
CENTRE D'ART MÉMORIAL **MUSÉE PAUL-GAUGUIN** Anse Turin Tél. 0596 78 22 66	*Ouvert tlj. 9 h-17 h 30.*	▲ 213
DISTILLERIE NEISSON Domaine Thieubert Le Coin Tél. 0596 78 03 70	*Ouvert lun.-ven. 8 h 30-17 h, sam. 8 h 30-12 h.*	▲ 210
ÉGLISE SAINT-JACQUES Tél. 0596 78 02 60	*Ouvert lun.-sam. 7 h 30-15 h, dim. 7 h-12 h.*	▲ 212
GALERIE D'HISTOIRE **ET DE LA MER** Ancien marché du bourg Pl. de la Mairie Tél. 0596 78 03 72	*Ouvert lun. et jeu. 8 h 30-12 h et 13 h 30-16 h, mar.-mer. et ven. 8 h-14 h.*	▲ 213
MUSÉE DE L'HABITATION Anse Latouche Tél. 0596 78 19 19	*Ouvert lun.-sam. 10 h-16 h 30.*	▲ 216

CASE-PILOTE — C5

OFFICE DE TOURISME Pl. Gaston-Monnerville Tél. 0596 78 74 04 / 25	*Ouvert lun.-ven. 8 h 30-16 h 30, sam. 9 h-12 h.*	
ÉGLISE	*Visite, rens. à l'office de tourisme.*	▲ 207

DIAMANT, LE — E8

SYNDICAT D'INITIATIVE Route Dizac Tél. 0596 76 14 36	*Ouvert lun., mer., ven. 7 h 30-12 h 30 et 15 h-18 h, mar., jeu. et sam. 7 h 30-12 h 30.*	▲ 320
HABITATION O'MULLANE **MAISON DU GAOULÉ**	*Propriété privée, ne se visite pas.*	▲ 321
MAISON DU BAGNARD Face au rocher	*Visite libre.*	▲ 320
MÉMORIAL DE L'ANSE CAFFAR Anse Cafard	*Visite libre.*	▲ 320

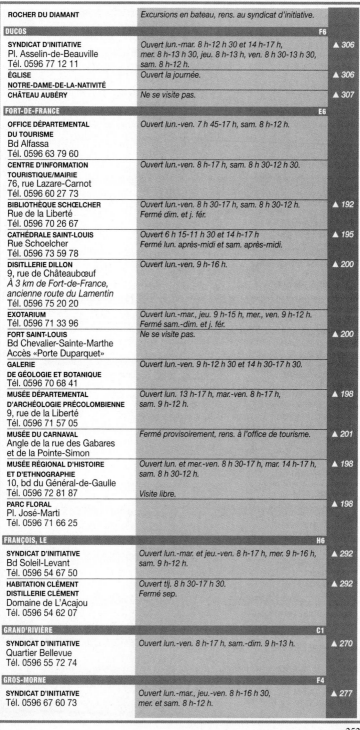

ROCHER DU DIAMANT	*Excursions en bateau, rens. au syndicat d'initiative.*	
DUCOS		**F6**
SYNDICAT D'INITIATIVE Pl. Asselin-de-Beauville Tél. 0596 77 12 11	*Ouvert lun.-mar. 8 h-12 h 30 et 14 h-17 h, mer. 8 h-13 h 30, jeu. 8 h-13 h, ven. 8 h 30-13 h 30, sam. 8 h-12 h.*	▲ 306
ÉGLISE NOTRE-DAME-DE-LA-NATIVITÉ	*Ouvert la journée.*	▲ 306
CHÂTEAU AUBÉRY	*Ne se visite pas.*	▲ 307
FORT-DE-FRANCE		**E6**
OFFICE DÉPARTEMENTAL DU TOURISME Bd Alfassa Tél. 0596 63 79 60	*Ouvert lun.-ven. 7 h 45-17 h, sam. 8 h-12 h.*	
CENTRE D'INFORMATION TOURISTIQUE/MAIRIE 76, rue Lazare-Carnot Tél. 0596 60 27 73	*Ouvert lun.-ven. 8 h-17 h, sam. 8 h 30-12 h 30.*	
BIBLIOTHÈQUE SCHŒLCHER Rue de la Liberté Tél. 0596 70 26 67	*Ouvert lun.-ven. 8 h 30-17 h, sam. 8 h 30-12 h. Fermé dim. et j. fér.*	▲ 192
CATHÉDRALE SAINT-LOUIS Rue Schoelcher Tél. 0596 73 59 78	*Ouvert 6 h 15-11 h 30 et 14 h-17 h Fermé lun. après-midi et sam. après-midi.*	▲ 195
DISITLLERIE DILLON 9, rue de Châteaubœuf À 3 km de Fort-de-France, ancienne route du Lamentin Tél. 0596 75 20 20	*Ouvert lun.-ven. 9 h-16 h.*	▲ 200
EXOTARIUM Tél. 0596 71 33 96	*Ouvert lun.-mar., jeu. 9 h-15 h, mer., ven. 9 h-12 h. Fermé sam.-dim. et j. fér.*	
FORT SAINT-LOUIS Bd Chevalier-Sainte-Marthe Accès «Porte Duparquet»	*Ne se visite pas.*	▲ 200
GALERIE DE GÉOLOGIE ET BOTANIQUE Tél. 0596 70 68 41	*Ouvert lun.-ven. 9 h-12 h 30 et 14 h 30-17 h 30.*	
MUSÉE DÉPARTEMENTAL D'ARCHÉOLOGIE PRÉCOLOMBIENNE 9, rue de la Liberté Tél. 0596 71 57 05	*Ouvert lun. 13 h-17 h, mar.-ven. 8 h-17 h, sam. 9 h-12 h.*	▲ 198
MUSÉE DU CARNAVAL Angle de la rue des Gabares et de la Pointe-Simon	*Fermé provisoirement, rens. à l'office de tourisme.*	▲ 201
MUSÉE RÉGIONAL D'HISTOIRE ET D'ETHNOGRAPHIE 10, bd du Général-de-Gaulle Tél. 0596 72 81 87	*Ouvert lun. et mer.-ven. 8 h 30-17 h, mar. 14 h-17 h, sam. 8 h 30-12 h.* *Visite libre.*	▲ 198
PARC FLORAL Pl. José-Marti Tél. 0596 71 66 25		▲ 198
FRANÇOIS, LE		**H6**
SYNDICAT D'INITIATIVE Bd Soleil-Levant Tél. 0596 54 67 50	*Ouvert lun.-mar. et jeu.-ven. 8 h-17 h, mer. 9 h-16 h, sam. 9 h-12 h.*	▲ 292
HABITATION CLÉMENT DISTILLERIE CLÉMENT Domaine de L'Acajou Tél. 0596 54 62 07	*Ouvert tlj. 8 h 30-17 h 30. Fermé sep.*	▲ 292
GRAND'RIVIÈRE		**C1**
SYNDICAT D'INITIATIVE Quartier Bellevue Tél. 0596 55 72 74	*Ouvert lun.-ven. 8 h-17 h, sam.-dim. 9 h-13 h.*	▲ 270
GROS-MORNE		**F4**
SYNDICAT D'INITIATIVE Tél. 0596 67 60 73	*Ouvert lun.-mar., jeu.-ven. 8 h-16 h 30, mer. et sam. 8 h-12 h.*	▲ 277

LAMENTIN, LE		F6
MAIRIE Tél. 0596 66 68 88	*Ouvert lun., jeu. 7 h 30-17 h,* *mar.-mer. et ven. 7 h 30-14 h.*	▲ 274

LORRAIN, LE		E2
OFFICE DE TOURISME 29, rue Schœlcher Tél. 0596 53 47 19	*Ouvert lun.-mar. et jeu. 8 h-13 h et 14 h-17 h 30,* *mer. et ven. 8 h-13 h et 14 h-16 h,* *sam. 7 h 30-11 h.*	▲ 261
HABITATION PÉCOUL	*Ouverture prévue pour fin 2003.* *Rens. à l'office de tourisme.*	▲ 261
MOULIN À CANNES **MAISON DU SIROP DE BATTERIE** Tél. 0596 53 41 22	*Ouvert sam. 9 h-15 h.* *Visite sur rdv. en semaine pour les groupes* *(10 pers. au minimum).*	▲ 261
MAISON DE LA POUPÉE Quartier Vallon Tél. 0596 53 78 50	*Ouvert tlj. 9 h-18 h.*	▲ 268

MACOUBA		C1
MAIRIE/SYNDICAT D'INITIATIVE Tél. 0596 78 53 68	*Ouvert lun. et jeu. 7 h 30-13 h et 14 h 30-17 h 30,* *mar., mer. et ven. 7 h 30-13 h 30.*	▲ 270
DISTILLERIE J. M. Bellevue/Macouba Tél. 0596 78 92 55	*Ouvert lun.-ven. 7 h-12 h et 13 h-16 h.* *Visite et dégustation.*	▲ 270

MARIGOT		E2
MAIRIE/SYNDICAT D'INITIATIVE Lot. La Marie Tél. 0596 53 62 07	*Ouvert lun.-ven. 8 h 30-12 h 30 et 13 h 30-17 h,* *sam. 8 h-11 h.*	▲ 259

MARIN, LE		H8
OFFICE DE TOURISME Pl. Joffre Tél. 0596 74 72 71	*Ouvert déc.-mai : lun.-ven. 8 h-17 h 30, sam. 8 h-13 h,* *juin-nov. : lun.-sam. 8 h-18 h, dim. 8 h-13 h.*	▲ 298
ÉGLISE	*Ouvert la journée. Fermé entre 12 h et 14 h.*	▲ 299

MORNE-ROUGE		D3
OFFICE DE TOURISME Tél. 0596 52 45 98	*Ouvert lun.-ven. 8 h-17 h, sam.-dim. 8 h-12 h.*	▲ 250
MAISON DE LA NATURE **DU PARC NATUREL RÉGIONAL** Domaine de l'Estripault Tél. 0596 52 33 49	*Ouvert tlj. 8 h-17 h.*	▲ 250
MAISON DES VOLCANS Immeuble Magalo Haut du Bourg Tél. 0596 52 45 45	*Ouvert lun.-sam. 8 h-17 h, dim. 9 h-13 h* *et j. fér. sur rdv.*	▲ 250
PLANTATION MACINTOSH Habitation Longchamps Tél. 0596 52 47 47	*Ouvert tlj. 9 h-17 h.* *Visite du parc botanique et du musée.*	▲ 250

PRÊCHEUR, LE		B2
SYNDICAT D'INITIATIVE Espace Samboura local n° 1 Tél. 0596 52 91 43	*Ouvert lun.-ven. 8 h-15 h 30, sam. 8 h-11 h,* *dim. 8 h-12 h.*	▲ 217
ÉGLISE	*Ouvert lors de l'office, le dimanche à 9 h.*	▲ 220
HABITATION CÉRON Anse Céron Tél. 0596 52 94 53	*Ouvert tlj. 9 h 30-17 h.*	▲ 220

RIVIÈRE-PILOTE		H8
ÉCOMUSÉE DE LA MARTINIQUE Anse Figuier Tél. 0596 62 79 14	*Ouvert mar.-ven. 9 h-17 h,* *sam.-dim. 9 h-13 h et 14 h-17 h.*	▲ 298
DISTILLERIE LA MAUNY Tél. 0596 62 62 08	*Visite lun.-ven. 9 h-17 h, sam. 9 h-13 h.*	▲ 297

ROBERT, LE		G5
OFFICE DE TOURISME Bd Henri-Auzé Tél. 0596 38 01 42	*Ouvert lun.-ven. 9 h-17 h, sam. 9 h-12 h.*	▲ 284

HABITATION MARLET Pointe Royale	*Visite libre devant les ruines de l'habitation.*	▲ 288

SAINTE-ANNE		H9
OFFICE DE TOURISME Av. France-Fanon Tél. 0596 76 73 45	*Ouvert lun.-ven. 8 h 30-18 h, sam. 8 h 30-15 h 30, dim. 8 h 30-12 h.*	▲ 300
SAVANE DES PÉTRIFICATIONS *Sentier pédestre après l'étang des salines*	*Visite libre.*	▲ 301

SAINTE-LUCE		G8
OFFICE DE TOURISME Pl. de la Mairie Tél. 0596 62 57 85	*Ouvert lun.-ven. 8 h-13 h et 14 h 30-17 h 30, sam. 9 h-13 h.*	▲ 321
DISTILLERIE TROIS-RIVIÈRES Tél. 0596 62 51 78	*Ouvert lun.-ven. 9 h-17 h 30, sam. 9 h-13 h. Visites guidées et dégustations.*	▲ 321
FORÊT MONTRAVAIL	*Sentiers balisés par l'ONF. Les pierres gravées se trouvent sur une propriété privée, pour s'y rendre, il faut prendre contact avec le propriétaire M. Choux, tél. 0596 62 55 25.*	▲ 322

SAINTE-MARIE		F3
OFFICE DE TOURISME Pl. Félix-Lorne BP 62 Tél. 0596 69 13 83	*Ouvert lun. 10 h-17 h, mar.-ven. 8 h-17 h, sam. 8 h-12 h 30, dim. 8 h-12 h 30.*	▲ 256
HABITATION FONDS SAINT-JAMES CENTRE CULTUREL *N1, direction Le Marigot* Tél. 0596 69 10 12	*Ouvert lun.-ven. 9 h-17 h, sam.-dim. pour les groupes sur rdv. Visites et spectacles.*	▲ 259
MUSÉE DE LA BANANE Habitation Limbé Tél. 0596 69 45 52	*Ouvert avr.-nov. : lun.-sam. 9 h-17 h, dim. 9 h-13 h ; déc.-mars : lun., mer.-sam. 9 h-17 h, mar. 9 h-18 h 30, dim. 9 h-17 h.*	▲ 258
MUSÉE DU RHUM DISTILLERIE SAINT-JACQUES Tél. 0596 69 50 37	*Ouvert tlj. 9 h-17 h.*	▲ 258

SAINT-ESPRIT, LE		G7
OFFICE DE TOURISME Rue Cassien-Sainte-Claire Tél. 0596 56 68 80	*Ouvert lun.-ven. 8 h-13 h et 14 h 30-17 h, sam. 8 h-13 h.*	▲ 296
MUSÉE DES ARTS ET TRADITIONS POPULAIRES Rue Cassien-Sainte-Claire Tél. 0596 56 76 51	*Ouvert juin-nov. : lun.-ven. 9 h-12 h 30 et 14 h-17 h, sam. 9 h-12 h 30 ; déc.-mai : lun., mer.-ven. 9 h-12 h 30 et 14 h-17 h, mar. 9 h-12 h 30 et 14 h-18 h, sam.-dim. 9 h 30-12 h.*	▲ 297

SAINT-PIERRE		C3
OFFICE DU TOURISME Rue Victor-Hugo Tél. 0596 78 15 41	*Ouvert lun.-ven. 9 h-17 h, sam.-dim. et j. fér. 9 h-13 h. Visite guidée de la ville tlj. par le Cyparis Express, petit train touristique (départ place Bertin).*	▲ 236
DISTILLERIE DEPAZ Plantation de la Montagne-Pelée Tél. 0596 78 13 14	*Ouvert lun.-sam. 9 h-17 h.*	
MAISON COLONIALE DE LA SANTÉ ET MAISON DU GÉNIE Rue Levassor	*Visite libre.*	▲ 241
MUSÉE HISTORIQUE DE SAINT-PIERRE Rue Victor-Hugo	*Ouvert lun.-sam. 9 h-17 h.*	▲ 239
MUSÉE VULCANOLOGIQUE FRANCK-PERRET Rue Victor-Hugo Tél. 0596 78 15 16	*Ouvert tlj. 9 h-17 h.*	▲ 239

TARTANE		G4
MUSÉE DU «CHÂTEAU» DUBUC Presqu'île de la Caravelle Tél. 0596 58 09 00	*Ouvert tlj. 8 h-17 h 30.*	▲ 279 ▲ 282

RÉSERVE NATURELLE Morne-Rouge Tél. 0596 52 33 49	*Visite libre.* *Rens. à la maison du parc naturel régional.*	▲ 280
RHUMERIE HARDY Baie de Tartane Tél. 0596 58 20 82	*Ouvert déc.-avr. : tlj. 9 h-12 h 30 et 15 h-19 h,* *mai-nov. : lun.-sam. 9 h-12 h 30 et 15 h 30-19 h.*	▲ 282
TRINITÉ, LA		G4
OFFICE DE TOURISME Centre d'affaires Le Galion Tél. 0596 58 69 98	*Ouvert lun.-ven. 9 h-17 h,* *sam. 8 h 30-12 h 30.*	▲ 278
USINE DU GALLION Quartier du Gallion Tél. 0596 58 20 65	*Visite mars-mai : mar.-sam. 9 h-17 h (dernière entrée* *à 16 h), sam. 9 h-12 h (dernière entrée à 11 h).*	▲ 278
LES TROIS-ÎLETS, LES		E7
OFFICE DE TOURISME Pl. Gabriel-Hayot Tél. 0596 68 47 63	*Ouvert lun.-ven. 9 h-17 h,* *sam. 9 h-13 h, dim. 9 h-12 h.*	▲ 308
BRIQUETTERIE-POTERIE *À 3 km du bourg* *en direction de Rivière-Salée* Tél. 0596 68 52 91	*Ouvert lun.-sam. 9 h-18 h.*	▲ 308
MAISON DE LA CANNE Pointe Vatable Tél. 0596 68 32 04 / 31 68	*Ouvert mar.-jeu. 8 h 30-17 h 30,* *ven.-sam. 8 h 30-17 h, dim. 9 h-17 h.*	▲ 209
MUSÉE DE LA PAGERIE Tél. 0596 68 33 06	*Ouvert mar.-ven. 9 h-17 h 30,* *sam.-dim. 9 h-13 h et 14 h 30-17 h 30,* *j. fér. 9 h 30-12 h 30.*	▲ 309
PARC DES FLORALIES Domaine de la Pagerie Tél. 0596 68 34 50	*Ouvert lun.-ven. 8 h 30-17 h,* *sam.-dim. 9 h 30-17 h.*	▲ 309
VAUCLIN, LE		I7
OFFICE DE TOURISME 6, rue de la République Tél. 0596 74 15 32	*Ouvert lun.-ven. 8 h-12 h et 14 h-17 h, sam. 9 h-12 h.* *Rens. pour une excursion à l'îlet Petite Grenade.*	▲ 292
MOULIN DE L'HABITATION CIGY *D5 en direction de Saint-Esprit*	*Propriété privée, ne se visite pas.*	▲ 293
MUSÉE DE LA PÊCHE Pointe Athanase Tél. 0596 74 35 94	*Ouvert lun.-ven. 8 h 30-18 h 30, sam. 9 h-13 h.*	▲ 293

A

Acoma, ou acomat : (*Sloanea caribea*), grand arbre de la forêt tropicale.

Acras : beignets de légumes ou de poissons, appelés aussi marinades.

Ajoupa : abri ou hutte sommaire faite de branchages.

Anoli : petit lézard vert.

Aroman : (*Ischnosiphon aruma*), plante utilisée pour le tressage caraïbe.

B

Bagasse : résidu du broyage de la canne à sucre.

Balance : variété d'oursins.

Bakoua : (*Pandanus utilis*), arbuste dont on utilise les feuilles en vannerie. Par extension, ce terme désigne un chapeau à large bord.

Balaou : poisson de senne.

Bamboula : danse d'esclaves rythmée par les tambours.

Béké : ce nom désigne à la Martinique, chez les Blancs créoles, la caste des propriétaires.

Béké-goyave : Petit-Blanc.

Béké-France : métropolitain.

Blaff : sorte de court-bouillon de poissons.

Bois-bois : mannequin représentant un personnage ridicule ; il est brûlé à la fin du Carnaval.

Boucan : grand feu sur lequel on fait cuire les aliments. On dit également : boucaner la viande.

Boutou : terme d'origine caraïbe désignant une massue.

C

Cabrit-bois : grosse sauterelle.

Cabrouet : charrette à deux roues.

Cachibou : (*Calathea luthea*), végétal utilisé dans le tressage.

Caiali : (*Butorides striatus*), héron vert qui niche surtout dans la mangrove.

Calalou : soupe dans laquelle on mélange gombos, herbes et parfois viande ou crabe.

Canari : poterie d'origine caraïbe servant à transporter l'eau.

Câpre (capresse) : métis de Noir et de mulâtre reconnaissable à ses traits fins et à ses cheveux bouclés.

Carême : période sèche de l'année (janvier-juillet).

Carpe : terme regroupant différentes espèces de poissons-perroquets.

Chabin : mulâtre à la peau claire et aux cheveux châtains ou roux.

Chasse-pagne : louche.

Caye : récif corallien. Déformation de *cayo* (récif en espagnol).

C'est-ma-faute : crabe de mangrove.

Chadeck, ou chadèque : pamplemousse.

Chadron : oursin noir ou blanc.

Chatrou : poulpe.

Clairin : appellation d'un rhum.

Chiquetaille : salade de morue salée relevée d'épices.

Chou-coco : cœur du cocotier, consommé en salade.

Chou de Chine : (*Colocasia esculenta*), racine comestible appelée aussi «dachine».

Cirique : crabe de mer ou de rivière.

«Cœur-de-chauffe» : appellation d'un rhum blanc très alcoolisé provenant directement du jus de la distillation.

Colombo : plat indien devenu plat créole. Ragoût de mouton, poulet ou cabri au curry.

Coolie : Martiniquais originaire d'Inde.

Coui : demi-calebasse servant de récipient.

Coulirou : (*Selar crumenophtalmus*), poisson qui vit en banc au large des côtes.

Courbaril : (*Hymenaea courbaril*), arbre utilisé en ébénisterie, au bois très dur.

Crabier : piège à crabes.

Créole : terme désignant toute personne née dans les îles, sans distinction ethnique.

Cul-de-sac : baie profondément échancrée.

D

Da : nourrice d'enfant.

Dachine : voir chou de Chine.

Daïquiri : boisson à base de rhum et de jus de citron, consommée à l'apéritif.

Décollage : rhum dans lequel ont macéré des feuilles d'absinthe, que l'on boit à jeun le matin.

Diable (diablesse) : déguisement de Carnaval.

Djobeur : terme popularisé par Patrick Chamoiseau, désignant les gens offrant leurs services pour des transports divers.

Dorlis : esprit nocturne susceptible d'avoir des relations sexuelles avec une femme à son insu.

Doudou : ce terme signifiant «chéri» a aujourd'hui une connotation péjorative.

F

Fer-de-lance : (*Bothrops lancéolé*) vipère très venimeuse endémique de la Martinique, appelée aussi trigonocéphale.

Féroce : composition culinaire à base de farine de manioc, d'avocat et de morue ou de hareng, le tout relevé de piment.

Figue : banane.

Folle : variété de filet.

G-H

Golle, ou gaule : type de robe.

Gombo : (*Hibiscus esculentus*), légume que l'on consomme généralement en salade ou en soupe.

Gommier : nom d'un arbre et, par extension, de celui du bateau construit dans son tronc.

Grager : râper.

Grappe blanche : variété de rhum agricole.

Guildive : appellation du rhum.

H-I-J

Habitation : ensemble d'une propriété agricole, composée d'une maison de maître, de cases pour les travailleurs et de bâtiments industriels.

Hivernage : période la plus humide de l'année, de juillet à décembre.

Jour des Diables : jour du Mardi gras, pendant le Carnaval.

Jour des Diablesses : mercredi des Cendres, dernier jour du Carnaval.

K-L

Ka : tambour.
Kalenda : danse de couple.
Kassav : galette cuite de farine de manioc : cassave.
Ladja : rythme musical de tambour et danse masculine qui simule un combat.
Lambi : (*Strombus gigas*), coquillage comestible.

M

Mabouya : terme qui désignait l'esprit maléfique chez les Caraïbes ; aujourd'hui, c'est un lézard.
Macadam : court-bouillon de morue très pimenté, servi avec du riz et des tomates.
Mâchoire : nasse en forme de bouteille.
Madras : tissu originaire d'Inde et, par extension, coiffure faite de ce tissu.
Malfini : (*Buteo platypterus*), petite buse.
Mal z'oreille : petit crabe de sable du genre ocypode.
Mangle : différentes variétés d'arbres (rouge, blanc…) de la mangrove.
Mangot : variétés courantes de mangues.
Manicou : (*Didelphis marsupialis*), petit marsupial de mœurs nocturnes, espèce endémique de l'île.
Mantou : crabe de mangrove.
Maracuja : fruit de la Passion.
Marinade : autre nom de l'acra.
Maringouin : moustique.
Marron : esclave ou animal enfui de l'habitation.
Masici : petit concombre couvert de piquants.
Matador : terme ancien désignant une femme entretenue.
Matété et matoutou : plats épicés à base de crabe et de riz servis à Pâques ou à la Pentecôte.
Matoutou-falaise : (*Avicularia versicolor*), Mygale dangereuse.
Migan : recette à base de fruit de l'arbre à pain et de salaisons.
Miquelon : zone de pêche au large où les côtes ne sont plus visibles.
Morne : petite montagne, colline.
Moussache : empois d'amidon.
Mulâtre : désigne au XVIIIe siècle les gens de couleur.
Négritude : mot inventé par Aimé Césaire, désignant l'ensemble des caractères, des manières de penser de la race noire.

P-Q

Paille : variété de rhum blanc vieilli en foudre de chêne.
Pâté en pot : potage d'abats.
-pays : suffixe qui accolé à autre terme désigne tout ce qui est martiniquais.
Petit-Blanc : Blanc sans propriété, pauvre.
Pistache : désigne les cacahuètes aux Antilles.
Pitt : arène dans laquelle se déroulent les combats de coqs.
Plantain : variété de banane à cuire appelée aussi «banane jaune».
«Planteur» : sorte de cocktail à base de rhum, de sirop de sucre et de jus de fruits.
Platine : plaque de métal destinée à la cuisson de la kassav.
Popote : partie terminale du régime du bananier.
Purgerie : bâtiment où le sucre est mis à égoutter dans des formes pour être débarrassé du sirop.
Quartier : dénomination d'une ancienne division géographique antérieure à la création des villes, désignant un groupement d'habitations puis une circonscription à la fois religieuse, militaire et administrative.
Quimbois : ensemble de croyances et de superstitions.

R-S-T

Ravet : cafard, blatte américaine.
Rolle : cylindre en bois ou en fer broyant la canne.
Savane : terme général désignant les prés aux Antilles et s'appliquant par extension aux places principales des villes.
Shrubb : boisson faite à base de rhum et d'écorces d'oranges qui y ont macéré.
Soudon : (*Lucina pensylvanica*), coquillage rare qui s'approche de la palourde. Sa chair est très appréciée.
Sucrerie : bâtiment abritant les quatre ou six chaudières dans lesquelles s'effectue, par passages successifs, la cristallisation du sucre.

T-U

Tafia : autre dénomination du rhum.
Ti-baume : (*Croton flavescens*, arbuste au bois très dur.
Ti-bois : baguettes dont se sert celui qui accompagne le joueur de tambour.
Titiri : petits poissons des embouchures avec lesquels on fait des acras.
Totote : fleur de l'arbre à pain.
Touloulou, ou tourlourou : (*Gecarcinus lateralis*), petit crabe rouge et noir.
Trace : sentier, chemin, route de montagne.
Usine : dans toutes les Antilles francophones, ce terme désigne, de façon quasi exclusive, les usines à sucre.

V-Y-Z

Vesou : jus de canne.
Vonvon : mâle de l'abeille sauvage, faux bourdon.
Vidé : défilé masqué qui se déroule au moment du Carnaval.
Yen-yen : moucheron.
Zouk : genre de musique élaboré essentiellement à partir des rythmes traditionnels antillais et haïtiens. Désigne aussi, aux Antilles françaises, un bal.
Z'habitant, ou ouassou : crevette d'eau douce appelée aussi écrevisse.
Zombi : dans le vaudou, mort sorti de sa tombe et mis à la disposition du sorcier.

Annexes

◆ BIBLIOGRAPHIE

GÉNÉRALITÉS

◆ *Bilan scientifique de la région Martinique*, ministère de l'Éducation, Service régional de l'Archéologie, DRAC, 1993.

◆ *Les Cahiers du patrimoine*, Conseil régional de la Martinique, Fort-de-France.

◆ *Caribena*, «Cahiers d'études américanistes de la Caraïbe», ministère de la Culture, Conseils régional et général de la Martinique.

◆ *Voyage aux îles d'Amérique*, catalogue exposition hôtel de Rohan, avr.-juil. 1992, Archives Nat., Paris.

◆ COLLECTIF : *Antilles*, «Espoirs et déchirements de l'âme créole», revue *Autrement* n° 41, oct. 1989.

◆ COLLECTIF : *Antilles d'hier et d'aujourd'hui*, «Tout l'univers antillais du début de la colonisation à nos jours», encyclopédie (10 vol.), Éd. Désormeaux, Fort-de-France, 1979.

◆ COLLECTIF : *Dictionnaire encyclopédique Désormeaux*, Éd. Désormeaux, Fort-de-France, 1992.

◆ COLLECTIF : *La Grande Encyclopédie de la Caraïbe*, 10 vol., Sanoli / Éd. Caraïbes, Fort-de-France, 1990.

◆ DU TERTRE (J.-B.) : *Histoire générale des Antilles habitées par les Français*, Éd. Kolodziej, Fort-de-France, 1978.

◆ LABAT (J.-B.) : *Nouveau Voyage aux Isles de l'Amérique*, Éd. des Horizons Caraïbes, Fort-de-France, 1972.

◆ LEIRIS (M.) : *Contacts de civilisation en Martinique et en Guadeloupe*, Éd. Gallimard, Paris, 1955.

HISTOIRE

◆ *Images de la Révolution aux Antilles*, catalogue exposition fort Saint-Charles, Société d'histoire de la Guadeloupe, Basse-Terre,1989.

◆ ADÉLAÏDE-MERLANDE (J.) : *Les Antilles françaises, XVIe, XVIIe, XVIIIe siècles*, Éd. Bordas, Paris, 1971.

◆ ALLAIRE (L.) : *Vers une préhistoire des Petites Antilles*, Centre de recherches caraïbes, Montréal, 1973.

◆ ANONYME : *Un flibustier français dans la mer des Antilles en 1618-1620*, manuscrit inédit, présenté par Jean-Pierre Moreau, Éd. Seghers, Paris, 1990.

◆ ARIÈS (P.) : *Catastrophe à la Martinique*, Éd. Herscher, Paris, 1981.

◆ BARREY (P.) : *Les origines de la colonisation française aux Antilles : la Compagnie des Indes occidentales*, Éd. H.-Micaux, Le Havre, 1918.

◆ CASTELOT (A.) : *Joséphine*, Librairie académique Perrin, Paris, 1964.

◆ CÉSAIRE (A.) : *Toussaint Louverture*, Club français du livre, Paris, 1960.

◆ CHANVALON (T. DE) : *Voyage à la Martinique*, Paris, 1763.

◆ CHAULEAU (L.) : *La vie quotidienne aux Antilles françaises au temps de Victor Schœlcher*, Éd. Hachette, Paris, 1979.

◆ CHOMEREAU-LAMOTTE (M.) : *Saint-Pierre en ce temps-là*, Graphicom, Fort-de-France, 1979.

◆ CORNEVIN (R. ET M.) : *La France et les Français outre-mer*, «De la première croisade à la fin du Premier Empire», Éd. Taillandier, Paris, 1990.

◆ COLOMB (C.) : *La Découverte de l'Amérique* (3 tomes), Éd. La Découverte, Paris, 1991.

◆ DANEY (S.) : *Histoire de la Martinique depuis la colonisation jusqu'en 1815*, Société d'Histoire de la Martinique, Fort-de-France, 1963.

◆ DESCHAMPS (H.) : *La Flibuste*, PUF, coll. Que sais-je ?, Paris.

◆ DIRECTION DES ANTIQUITÉS HISTORIQUES ET PRÉHISTORIQUES, CERA MARTINIQUE : *Guides archéologiques de la Martinique*, Saint-Pierre, Fort-de-France, 1990.

◆ ÉLISABETH (L.) : *L'Abolition de l'esclavage à la Martinique*, Mémoires de la Société d'histoire de la Martinique, n° 5, 1983.

◆ FABRE (R.) : *Esclaves et planteurs*, Éd. Julliard, Paris 1970

◆ GARNIER (A.) : *Mémoires de Martinique et de Guadeloupe*, Éd. Exbrayat, Fort-de-France, 1990.

◆ LACROIX (A.) : *La Montagne Pelée et ses éruptions*, Paris, 1904.

◆ LAFLEUR (G.) : *Les Caraïbes des Petites Antilles*, Éd. Karthala, Paris, 1992.

◆ LEQUENNE (M.) : *Christophe Colomb*, «Amiral de la mer océane», Éd. Gallimard, coll. Découvertes, Paris, 1991.

◆ MAUVOIS (G.) : *Case-Navire*, «Choses et gens de naguère», Éd. Désormeaux, Fort-de-France, 1982.

◆ MEYER (J.) : *Esclaves et négriers*, Éd. Gallimard, coll. Découvertes, Paris, 1986.

◆ MOUNIER (M.), CAILLE (B.) : *Atlas historique du patrimoine sucrier de la Martinique*, Éd. L'Harmattan, Paris, 1990.

◆ MUSÉE DÉPARTEMENTAL D'ARCHÉOLOGIE : *Archéologie Martinique*, «Guide des collections», Gondwana Éditions, Fort-de-France, 1991.

◆ MUSÉE DÉPARTEMENTAL D'ARCHÉOLOGIE : *Iconographie caraïbe*, «De l'Amérindien au paysage», Gondwana Éditions, Fort-de-France, 1991.

◆ OEXMELIN : *Histoire des Frères de la Côte*, «Flibustiers et boucaniers des Antilles», Éd. Maritimes et d'outre-mer, Paris, 1980.

◆ ORUNO (D. L.) : *Les Caraïbes*, PUF, coll. Que sais-je ?, Paris, 1986.

◆ PETITJEAN-ROGET (J) : *La Gaoulé*, «La Révolte de la Martinique en 1717», Société d'histoire de la Martinique, Fort-de-France, 1966.

◆ PHILÉMON (R.) : *La Montagne Pelée et l'effroyable destruction de Saint-Pierre le 8 mai 1902*, Impressions Printory, Paris, 1930.

◆ POUQUET (J.) : *Les Antilles françaises*, PUF, coll. Que sais-je ? Paris, 1971.

◆ ROCHEFORT (C. DE) : *Histoire naturelle et morale des îles Antilles de l'Amérique avec un vocabulaire caraïbe*, Rotterdam, 1658.

◆ ROSE-ROSETTE (R.) : *Les Jeunes Années de l'impératrice Joséphine*, publié avec le concours de la fondation Napoléon, Martinique, 1992.

◆ SCHŒLCHER (V.) : *Vie de Toussaint Louverture*, Éd. Karthala, Paris, 1982.

◆ THÉSÉE (F.) : *Les Ibos de l'Amélie*, Éd. Caribéennes, Paris, 1986.

LITTÉRATURE

◆ BERNABÉ (J.), CONFIANT (R.), CHAMOISEAU (P.) : *Éloge de la créolité*, Éd. Gallimard, Paris, 1989.

◆ BRETON (A.) : *Martinique, charmeuse de serpents*, Éd. Pauvert, Paris, 1948.

◆ CÉSAIRE (A.) : *Cadastre*, Éd. du Seuil, Paris, 1961.

◆ CÉSAIRE (A.) : *Cahier d'un retour au pays natal*, Éd. Présence Africaine, Paris, 1956.

◆ CÉSAIRE (A.) : *Ferrements*, Éd. du Seuil, Paris, 1961.

◆ CÉSAIRE (A.) : *La Tragédie du roi Christophe*, Éd. Présence Africaine, Paris, 1963.

◆ CÉSAIRE (I.) : *Contes de nuits et de jours aux Antilles*, Éd. Caribéennes, Paris, 1989.

◆ CHAMOISEAU (P.) : *Texaco*, Éd. Gallimard, Paris, 1992.

◆ CHAMOISEAU (P.) : *Solibo Magnifique*, Éd. Gallimard, Paris, 1988.

◆ CHAMOISEAU (P.), CONFIANT (R.) : *Lettres créoles*, «Tracées antillaises et continentales de la littérature 1635-1975», Éd. Hatier, Paris, 1991.

◆ CONFIANT (R.) : *Eau de Café*, Éd. Grasset, Paris, 1991.

◆ CONFIANT (R.) : *Le Nègre et l'Amiral*, Éd. Grasset, Paris, 1988.

◆ COTT (J.) : *La Vie de Lafcadio Hearn*, «Une âme errante», Éd. Mercure de France, Paris, 1993.

◆ DAMAS (L.-G.) : *Pigments*, Éd. Guy Levis Mano, Paris, 1937.

◆ DAMAS (L.-G.) : *Retour de Guyane*, Éd. José Corti, Paris, 1938.

◆ DAMAS (L.-G.) : *Veillées noires*, Éd. Stock, Paris, 1943.

◆ FANON (F.) : *Peau noire, masques blancs*, Éd. du Seuil, coll. Esprit, Paris, 1952.

◆ FANON (F.) : *Les Damnés de la terre*, Éd. Maspero, Paris, 1968.

◆ GLISSANT (É.) : *Le Discours antillais*, Éd. du Seuil, Paris, 1981.

◆ GLISSANT (É.) : *La*

Lézarde, Éd. du Seuil, coll. Points, Paris, 1958.
◆ GLISSANT (É.) : *Le Quatrième Siècle*, Éd. du Seuil, Paris, 1964.
◆ HEARN (L.) : *Contes des tropiques*, Éd. Mercure de France, Paris, 1926.
◆ HEARN (L.) : *Esquisses martiniquaises*, Éd. Mercure de France, Paris, 1923.
◆ HEARN (L.) : *Trois fois bel conte*, Éd. Mercure de France, Paris, 1939.
◆ JOYEUX (E.) : *Poèmes de l'Archipel*, Les Imprimeries réunies, Moulins Yzeure, 1986.
◆ LEVET (H. J.-M.) : *Cartes postales*, Éd. La Table Ronde, Paris, 1993.
◆ LUNG-FOU (M.-T.) : *Contes créoles*, Éd. Désormeaux, Fort-de-France, 1972.
◆ ORVILLE (X.) : *Cœur à vie*, Éd. Stock, Paris, 1993.
◆ PÉPIN (E.) : *Salve et Salive*, Éd. Silex, Paris, 1986.
◆ PLACOLY (V.) : *Une Journée torride*, Éd. La Brèche, Montreuil, 1991.
◆ RACINE (D.) : *Léon-Gontran Damas*, «L'Homme et l'Œuvre», Éd. Présence Africaine, Paris, 1983.
◆ RADFORD (D.) : *Édouard Glissant*, Coll Poètes d'aujourd'hui, Éd. Seghers, Paris, 1982.
◆ SENGHOR (L.-S.) : *Anthologie de la nouvelle poésie nègre et malgache de langue française*, PUF, Paris, 1969.
◆ ZOBEL (J.) : *La Rue Cases-Nègres*, Éd. Présence Africaine, Paris, 1991.

NATURE
◆ ANSEL (D.), DARNAULT (J.-J.), LONGUEFOSSE (J.-L.), JEANNET (C.) : *Plantes toxiques des Antilles*, Éd. Exbrayat, Fort-de-France, 1989.
◆ BÉNITO-ESPINAL (É.) : *Oiseaux des Petites Antilles*, Éd. du Latanier, Saint-Barthélemy, 1990.
◆ CHRÉTIEN (S.), BROUSSE (R.) : *La montagne Pelée se réveille*, «Comment se prépare une éruption cataclysmique», Éd. Boubée, Paris, 1988.
◆ CURRAT (G. ET P.) : *Quelques animaux et végétaux des Antilles*, ministère de l'Éducation nationale, Centre rég.de Doc.pédagogique 1984.
◆ DAMERVAL (M. ET D.) :

Coquillages des Petites Antilles, Éd.du Latanier, Saint-Barthélemy, 1990.
◆ ÉBROÏN (A.) : *Poissons vénéneux et venimeux des Antilles françaises*, Éd. Désormeaux, Fort-de-France, 1972.
◆ FIARD (J.-P.) : *Arbres rares et menacés de la Martinique*, Coll. rég. du Patrimoine, Conseil rég. de la Martinique, Fort-de-France, 1992.
◆ FORTUNÉ (F.-H.) : *Cyclones et autres cataclysmes aux Antilles*, Éd. La Masure, Fort-de-France, 1986.
◆ FOURNET (J.) : *Fleurs et plantes des Antilles*, Éd. du Pacifique, Singapour, 1985.
◆ LOZET (J.-B.), PÉTRON (C.) : *Coquillages des Antilles*, Éd. du Pacifique, Papeete, 1977.
◆ LOZET (J.-B.), PÉTRON (C.) : *Guide sous-marin des Antilles*, Éd. Delachaux et Niestlé, Lausanne, 1991.
◆ MAGRAS (M.) : *Fleurs des Antilles*, Éd.du Latanier, Saint-Barthélemy, 1989.
◆ OUENSANGA (C.) : *Plantes médicinales et remèdes créoles*, Éd. Désormeaux, Fort-de-France, 1983.
◆ POUPON (J.), CHAUVIN (G.) : *Les Arbres de la Martinique*, ONF, Fort-de-France, 1983.
◆ PINCHON (R.) : *Faune des Antilles françaises*, «Les Oiseaux», Fort-de-France, 1976.
◆ PINCHON (R.) : *D'autres aspects de la nature aux Antilles*, Fort-de-France, 1971.
◆ SASTRE (C.), PORTECOP (J.) : *Plantes fabuleuses des Antilles*, Éd. Caribéennes, Paris, 1985.
◆ SUTTY (L.) : *Cent coquillages rares des Antilles*, Éd. du Pacifique, Singapour, 1984.
◆ THÉSÉE (F.) : *Auguste Plée, 1786-1825, un voyageur naturaliste*, Éd. Caribéennes, Paris, 1989.
◆ THÉSÉE (F.) : *Le Jardin botanique de Saint-Pierre*, Éd. Caribéennes, Paris, 1990.
◆ WESTERCAMP (D.), TAZIEFF (H.) : *Martinique, Guadeloupe, Saint-Martin, La Désirade*, Éd. Masson, coll. Guides géologiques régionaux, Paris, 1980.

GUIDES
◆ *Antilles, Haïti, Guyane*, Les Guides bleus, Éd. Hachette, Paris, 1992.
◆ *En Martinique*, Guide Visa, Éd. Hachette, Paris, 1992.
◆ *Guide des Antilles*, «Croisières de Grenade aux Îles Vierges», Les Éditions Atoll, Saint-Raphaël, 1991.
◆ *La Martinique*, Les Éditions du Pacifique, Papeete, 1975.
◆ *Petites Antilles*, Guides Nelles, Éd. du Buot, Paris, 1993.
◆ BAILEYS (K.) : *Martinique*, M. A. Éditions, Paris, 1990.
◆ EXBRAYAT (A.) : *Martinique*, Éd. Exbrayat, Fort-de-France, 1986.
◆ JOSEPH-GABRIEL (M.) : *Martinique, terre d'Éden*, Éd. Roudil, Paris, 1988.
◆ VALAT (F.), ROSSI (G. A.) *La Martinique vue du ciel*, Éd. Favre, Lausanne, 1990.
◆ VALENTIN (E.), RENAUDEAU (M.), CHAMOISEAU (P.) : *Martinique*, Éd. Richer-Hoa-Qui, Paris, 1990.

PEINTURE
◆ *Jules Marillac*, «Un peintre à la Martinique», Musées départementaux de la Martinique, Fort-de-France, 1990.
◆ *Revue Noire*, «Caraïbes», n° 6, sept.-oct.-nov. 1992, Paris.
◆ CACHIN (F.) : *Gauguin*, Éd. Gallimard, coll. Découvertes, Paris, 1989.
◆ CUCCHI (R.) : *Gauguin à la Martinique*, Éd. Calivran Anstalt, Liechtenstein, 1979.
◆ GAUGUIN (P.) : *Correspondance*, tome premier 1873-1888, édition établie par Victor Merlhès, fondation Singer-Polignac, Paris, 1984.
◆ LOUISE (R.) : *Peinture et sculpture en Martinique*, Éd. Caribéennes, Paris, 1984.
◆ SAINT-FRONT (Y. DE) : *Marin-Marie, 1901-1987, carnets de dessins*, Ed. Octavo, Paris 1993
◆ SAINT-FRONT (Y. DE) : *Marin-Marie*, «Les mémoires du marin qui aimait la mer»*, Éd. Gallimard, Paris, 1990.

ARTS ET TRADITIONS
◆ *Bordeaux, le Rhum et les Antilles*, catalogue exposition du musée d'Aquitaine, Bordeaux, nov. 1981-janv. 1982.
◆ BERTHELOT (J.), GAUMÉ (M.) : *L'Art de vivre aux Antilles*, Éd. Flammarion, Paris, 1987.
◆ BRIVAL (G.) : *Yoles rondes*, Éd. Georges Brival, Martinique, 1987.
◆ CALLY (S.) : *Musique et danses afro-caraïbes*, Éd. Sully Cally / Lézin, Martinique, 1990.
◆ CASAMAYOR (P), COLOMBANI (M.-J.) : *Le Livre de l'amateur de rhum*, Éd. Robert Laffont, Paris, 1987.
◆ JACQUEMONT (G. ET G.): *Le Rhum*, Éd. Nathan, Paris, 1990.
◆ LOUISE (R.) : *Le Marronisme moderne*, «Traditions populaires et recherches artistiques à la Martinique», Éd. Caribéennes, Paris, 1980.
◆ JULIEN-LUNG FOU (M.-T.) : *Le Carnaval aux Antilles*, Éd. Désormeaux, Fort-de-France, 1979.
◆ OZIER-LAFONTAINE (L.-F.) : *Les Objets de la vie domestique traditionnelle en Martinique*, Bureau du patrimoine, Fort-de-France, 1991.
◆ ROSEMAIN (J.) : *La Danse aux Antilles*, Éd. L'Harmattan, Paris, 1990.
◆ SÉRALINE (Y.-M.) : *Les Pitts et combats de coqs aux Antilles*, Éd. Désormeaux, Fort-de-France, 1978.
◆ TOUCHARD (M.-C.) : *L'aventure du rhum*, Éd. Bordas, Paris, 1990.

LANGUE
◆ BRETON (R. P.) : *Dictionnaire caraïbe-français*, Auxerre, 1665.
◆ CHAUDENSON (R.) : *Les Créoles français*, Paris, Éd. Nathan, 1979.
◆ JOURDAIN (É.) : *Le Vocabulaire du parler créole à la Martinique*, Paris, 1956.
◆ LUDWIG (R.), POULLET (H.), MONTBRAND (D.), TELCHID (S.) : *Dictionnaire créole-français*, Servedit / Éd. Jasor, Pointe-à-Pitre, 1990.
◆ PRUDENT (L.-F.) : *Des baragouins à la langue antillaise*, Éd. Caribéennes, Paris, 1980.

◆ TABLE DES ILLUSTRATIONS

TABLE DES ILLUSTRATIONS ◆

◆ TABLE DES ILLUSTRATIONS

RESTAURANTS

◆ Notes

◆ Notes

NOTES ◆

◆ Notes